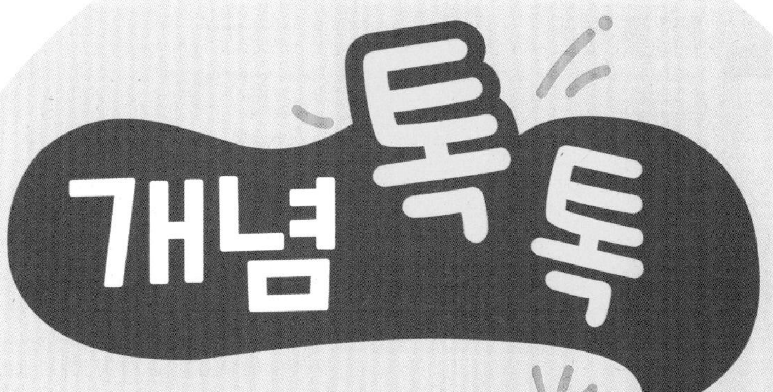

체계적인 **교과서 정리**와

활동 풀이!

1. 세계 여러 나라의 자연과 문화
2. 통일 한국의 미래와 지구촌의 평화

금성출판사

이렇게 공부 해요

구성과 특징

1 교과서의 핵심 내용이 담긴 배움 영상을 QR 코드로 담았습니다.

2 교과서와 똑같은 구성으로 체계적인 자기 주도 학습이 가능하도록 구성했습니다.

3 과정 중심 평가와 수행 평가를 대비하도록 다양한 유형의 문제를 준비했습니다.

BOOK 1 개념 톡톡

체계적인 교과서 정리와 활동 풀이

교과서 내용을 충실하게 정리하여 빈틈없이 학습할 수 있습니다.

단원 열기

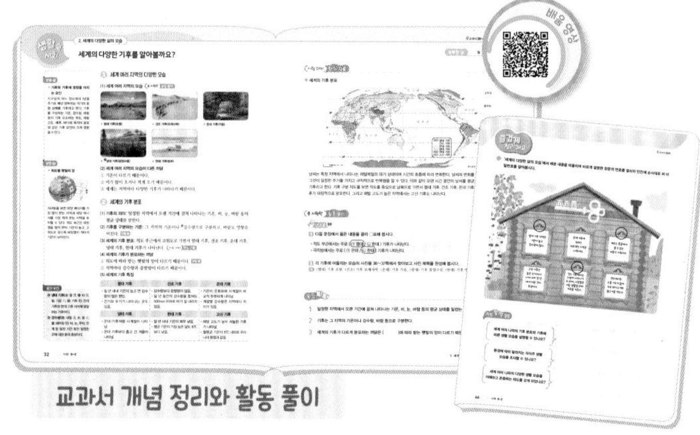

교과서 개념 정리와 활동 풀이

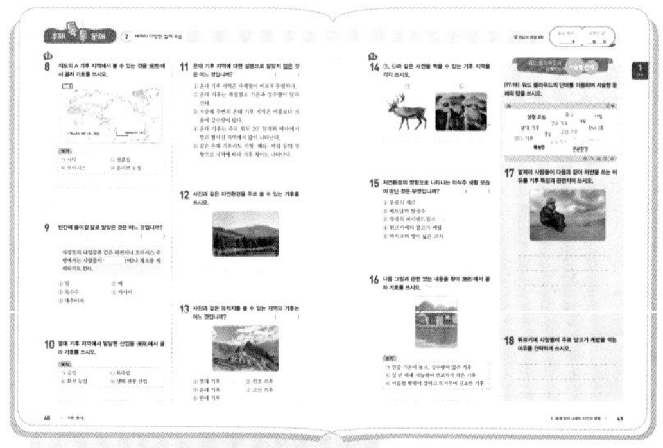

주제를 정리하는 기본 문제

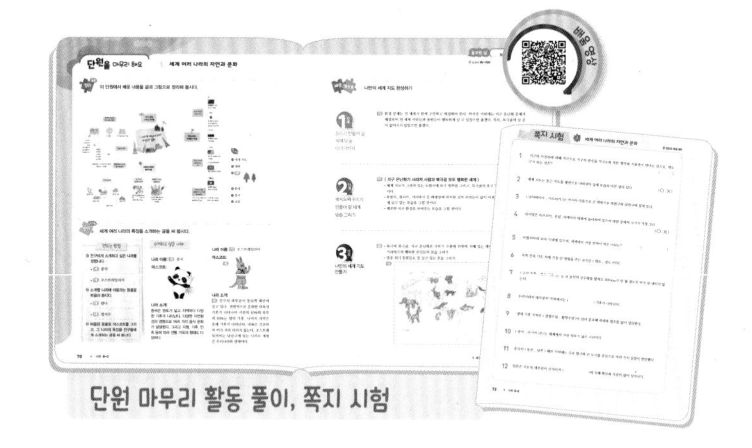

단원 마무리 활동 풀이, 쪽지 시험

톡톡 튀는 이야기

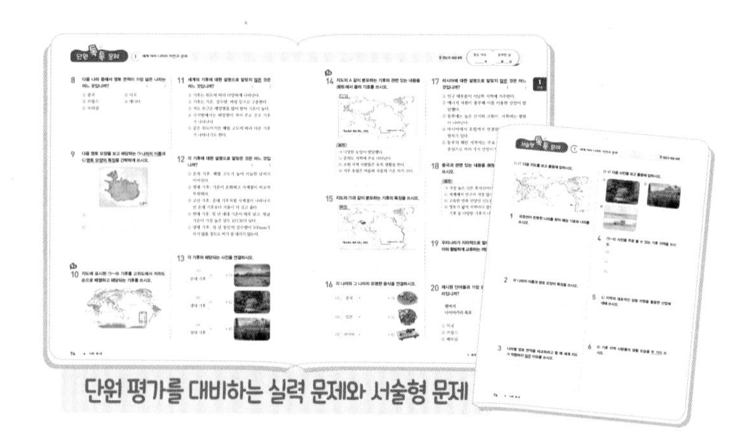

단원 평가를 대비하는 실력 문제와 서술형 문제

BOOK 2 문제 톡톡

학교 시험 완벽 대비

다양한 유형의 문제를 풀면서 시험에 자주 출제되는 내용을 알아볼 수 있습니다.

교과서 핵심 정리

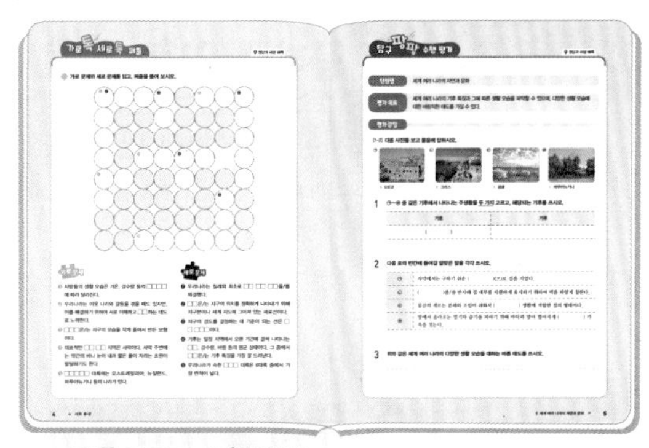

퍼즐 퀴즈와 수행 평가

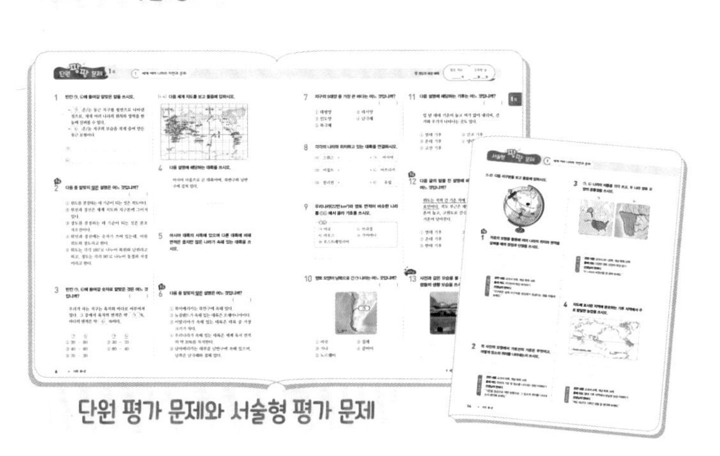

단원 평가 문제와 서술형 평가 문제

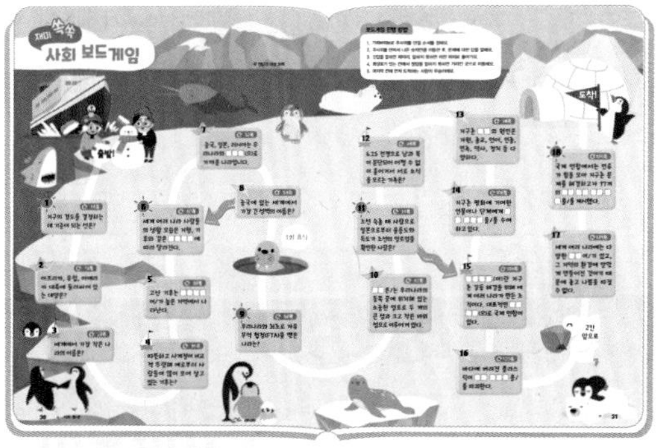

사회 보드 게임

BOOK 3 정답 톡톡

정확한 정답과 친절한 해설

정답과 해설로 실력을 점검하고 부족한 개념은 한눈에 쏙쏙 으로 보충할 수 있습니다.

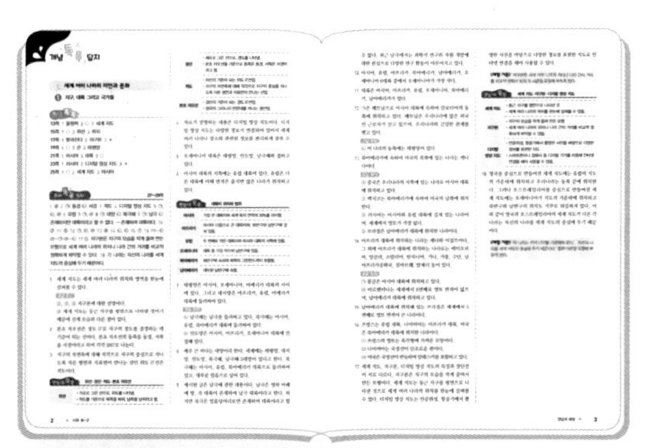

개념 톡톡 정답과 해설

문제 톡톡 정답과 해설

사회와 나를 친한 사이로 만드는

공부 비법

비법 1 사회 공부를 위한 맞춤 계획표를 작성해요!

공부를 시작하기 전에 나만의 맞춤 계획표를 작성하여 실천할 약속을 정해요.
내가 만든 맞춤 계획표를 따라 공부하다 보면 어느새 사회와 친한 사이가 되어 있을 거예요.

비법 2 배움 영상을 활용해요!

'개념 톡톡'에 있는 QR 코드를 스마트폰이나 태블릿 PC로 찍으면
교과서의 핵심 내용이 담긴 배움 영상을 볼 수 있어요.
공부를 시작하기 전에 배움 영상을 보며 중요한 개념을 쉽게 파악해요.

비법 3 학교 진도에 맞춰 꾸준히 공부해요!

교과서와 똑같은 순서와 구성으로 개념을 정리하고 활동을 풀이했어요.
학교 진도에 맞춰 공부하다 보면 체계적으로 자기 주도 학습을 실천할 수 있어요.

비법 4 '문제 톡톡'으로 시험을 대비해요!

학교 시험이 다가오면 '문제 톡톡'에 있는 단원 핵심 정리 내용과
다양한 문제를 풀어 보며 실력을 확인해요.

비법 5 맞은 문제는 빠르게, 틀린 문제는 꼼꼼히 다시 봐요!

공부를 마친 후에 맞은 문제는 빠르게, 틀린 문제는 꼼꼼히 되돌아봐요.
특히 틀린 문제는 꼭 표시해 두었다가 다시 풀어 봐야 해요.
사회와 친해지기 위해서는 복습하는 습관을 들이는 것이 매우 중요해요.

꾸준한 사회 공부를 위한 **맞춤 계획표**

공부 약속:

스스로 공부할 분량과 날짜를 적고,
계획표에 맞춰 공부한 후에 표시를 합니다.

○ 1일차	○ 2일차	○ 3일차	○ 4일차	○ 5일차
월 일	월 일	월 일	월 일	월 일
~ 쪽	~ 쪽	~ 쪽	~ 쪽	~ 쪽
○ 6일차	○ 7일차	○ 8일차	○ 9일차	○ 10일차
월 일	월 일	월 일	월 일	월 일
~ 쪽	~ 쪽	~ 쪽	~ 쪽	~ 쪽
○ 11일차	○ 12일차	○ 13일차	○ 14일차	○ 15일차
월 일	월 일	월 일	월 일	월 일
~ 쪽	~ 쪽	~ 쪽	~ 쪽	~ 쪽
○ 16일차	○ 17일차	○ 18일차	○ 19일차	○ 20일차
월 일	월 일	월 일	월 일	월 일
~ 쪽	~ 쪽	~ 쪽	~ 쪽	~ 쪽
○ 21일차	○ 22일차	○ 23일차	○ 24일차	○ 25일차
월 일	월 일	월 일	월 일	월 일
~ 쪽	~ 쪽	~ 쪽	~ 쪽	~ 쪽
○ 26일차	○ 27일차	○ 28일차	○ 29일차	○ 30일차
월 일	월 일	월 일	월 일	월 일
~ 쪽	~ 쪽	~ 쪽	~ 쪽	~ 쪽
○ 31일차	○ 32일차	○ 33일차	○ 34일차	○ 35일차
월 일	월 일	월 일	월 일	월 일
~ 쪽	~ 쪽	~ 쪽	~ 쪽	~ 쪽
○ 36일차	○ 37일차	○ 38일차	○ 39일차	○ 40일차
월 일	월 일	월 일	월 일	월 일
~ 쪽	~ 쪽	~ 쪽	~ 쪽	~ 쪽
○ 41일차	○ 42일차	○ 43일차	○ 44일차	○ 45일차
월 일	월 일	월 일	월 일	월 일
~ 쪽	~ 쪽	~ 쪽	~ 쪽	~ 쪽
○ 46일차	○ 47일차	○ 48일차	○ 49일차	○ 50일차
월 일	월 일	월 일	월 일	월 일
~ 쪽	~ 쪽	~ 쪽	~ 쪽	~ 쪽

차례

1 세계 여러 나라의 자연과 문화

공부 계획표

• 자신의 일정에 맞게 계획을 세워보고, 실제 학습일을 적어봅시다.
• 학습을 마무리한 후 얼마나 학습 목표를 달성하였는지 스스로 점검해 봅시다.

	주제	쪽수	계획일	달성
단원 열기	세계 여러 나라의 자연과 문화	8~11쪽	월 일	
1 지구, 대륙 그리고 국가들	세계 여러 나라는 어디에 있을까요?	12~13쪽	월 일	
	세계 여러 나라의 위치와 영역이 궁금할 때 무엇을 활용하나요?	14~17쪽	월 일	
	지구의 땅과 바다를 어떻게 구분할까요?	18~19쪽	월 일	
	각 대륙에 어떤 나라가 있는지 찾아볼까요?	20~21쪽	월 일	
	세계 여러 나라의 면적과 모양을 알아볼까요?	22~23쪽	월 일	
	세계 일주 경로로 세계 여러 나라를 소개해 볼까요?	24~25쪽	월 일	
	즐겁게 정리해요, 주제 톡톡 문제	26~29쪽	월 일	
2 세계의 다양한 삶의 모습	세계의 다양한 기후를 알아볼까요?	32~33쪽	월 일	
	기후에 따른 사람들의 생활 모습을 조사해 볼까요?	34~37쪽	월 일	
	기후와 사람들의 생활 모습이 어떤 관계에 있는지 정리해 볼까요?	38~39쪽	월 일	
	세계 여러 나라의 다양한 생활 모습을 조사해 볼까요?	40~43쪽	월 일	
	다양한 생활 모습이 공존하는 세계 모습을 표현해 볼까요?	44~45쪽	월 일	
	즐겁게 정리해요, 주제 톡톡 문제	46~49쪽	월 일	
3 우리나라와 가까운 나라들	우리나라와 가까운 나라들을 알아볼까요?	52~53쪽	월 일	
	이웃 나라의 지리적 특성과 생활 모습을 알아볼까요?	54~57쪽	월 일	
	우리나라와 이웃 나라의 교류 모습을 살펴볼까요?	58~59쪽	월 일	
	우리나라와 관계 깊은 나라를 살펴볼까요?	60~61쪽	월 일	
	우리나라와 관계 깊은 나라에 대해 발표해 볼까요?	62~63쪽	월 일	
	즐겁게 정리해요, 주제 톡톡 문제	64~67쪽	월 일	
단원 마무리	단원을 마무리해요, 쪽지 시험	70~72쪽	월 일	
	단원 톡톡 문제, 서술형 톡톡 문제	73~76쪽	월 일	

단원 열기 1. 세계 여러 나라의 자연과 문화

친구들과 세계 여러 나라의 지리적 특성을 알아보기 위해 세계 문화 박람회에 왔어요. 함께 세계 여행 계획을 세워 볼까요?

인도에서는 소를 신성시해서 소고기를 먹지 않고, 돼지고기나 닭고기를 이용한 음식을 많이 먹어.
친구들을 세계 여행을

치파오는 중국의 전통 복장이야.
친구들을 세계 여행을

그리스에선 전통적으로 집의 벽 색깔을 하얗게 칠하지.
친구들을 세계 여행을

친구들을 세계 여행을
멕시코 남자들은 챙이 넓은 모자를 쓰고는 해.

우아, 정말 다양한 나라의 친구들이 있는걸.

세계 여러 나라의 친구들이 자기 나라의 문화에 대해 말해주고 있어. 어서 빨리 친구들의 설명을 듣고 싶어.

어서 우릴 안내해 줄 친구들과 함께 세계 여행을 떠나자.

속 시원한 활동 풀이

교과서 9~10쪽

? 친구들이 입고 있는 전통 의상과 같이 세계 여러 나라 사람들의 생활 모습이 어떻게 다른지 그림에서 찾아 이야기해 봅시다.

예 음식의 모습이 다릅니다. 건물의 모습이 다릅니다.

도움 친구들이 입고 있는 전통 의상을 먼저 찾은 후, 세계 여러 나라의 다른 생활 모습을 찾아보아요.

이 단원에서 나는

교과서 11쪽

	특성을	알고 싶어요.
세계 여러 나라의	삶의 모습을	탐구하고 싶어요.
	상호 의존 관계를	조사하고 싶어요.

도움 제시된 낱말을 연결해 나만의 학습 계획을 세워 보아요.

예
- 세계 여러 나라의 특성을 탐구하고 싶어요.
- 세계 여러 나라의 삶의 모습을 조사하고 싶어요.
- 세계 여러 나라의 상호 의존 관계를 알고 싶어요.

공부한 날
___월 ___일

1 단원

미리 맛보는 교과서 흐름

세계 여러 나라의 자연과 문화

지구, 대륙 그리고 국가들		세계의 다양한 삶의 모습		우리나라와 가까운 나라들	
세계 지도, 지구본, 디지털 영상 지도의 특징 이해하기	세계 주요 대륙과 대양, 나라의 위치와 범위 탐색하기	세계 주요 기후의 특징 이해하기	환경과 인간 생활과의 관계 탐구하기	이웃 나라의 자연환경과 인문환경 조사하기	우리나라와 관계 깊은 나라의 특성 탐색하기
세계 지도, 지구본, 위도, 경도, 본초 자오선, 북위, 남위, 디지털 영상 지도	5대양, 6대륙, 북반구, 남반구, 러시아, 바티칸 시국	열대 기후, 건조 기후, 온대 기후, 냉대 기후, 한대 기후, 고산 기후	사파리 관광 산업, 유목, 사계절, 침엽수림, 남극 과학 기지, 고대 문명	중국, 일본, 러시아, 경제적 교류, 이웃 나라의 문자와 운동	교류, 미국, 베트남, 사우디아라비아, 원유, 자유 무역 협정(FTA)

- 세계 지도, 지구본, 디지털 영상 지도를 활용해 지구, 대륙, 국가들의 특징과 위치를 알 수 있어요.
- 세계의 다양한 기후를 통해 기후에 따른 사람들의 생활 모습을 알 수 있어요.
- 우리나라와 이웃 나라, 관계 깊은 나라와의 교류 모습을 보며 상호 의존 관계를 알 수 있어요.

미리 맛보는 핵심 용어

❶ **적**(赤) 붉을 적 **도**(道) 길 도

❶ 지구의 자전축에 대해 직각으로 지구의 중심을 지나도록 자른 평면과 지표면이 만나는 선(위도 0°)입니다.

❷ **기**(氣) 기운 기 **후**(候) 기후 후

❷ 기온, 비, 눈, 바람 등의 대기 상태를 말하는 것으로, 한 지역에서 거의 매년 되풀이되어 나타납니다.

❸ **교**(交) 사귈 교 **류**(流) 흐를 류

❸ 문화나 사상 따위가 서로 통하는 것을 뜻합니다.

세계 여러 나라는 어디에 있을까요?

1 세계 여러 나라

(1) 우리가 사는 세계의 모습을 살펴보는 방법

① 세계 지도나 지구본을 활용해 볼 수 있다.

② 위성 사진이나 디지털 영상 지도로 볼 수 있다.

③ 인터넷 검색을 활용해 살펴볼 수 있다.

(2) 전 세계 나라의 수: 전 세계에는 200개 이상의 많은 나라가 있다. 시험 대비 핵심 자료

(3) 올림픽 개막식에서 볼 수 있는 것 보충 ❶

① 많은 선수와 관중을 볼 수 있다.

② 많은 나라의 국기를 볼 수 있다.

③ 올림픽 성화를 볼 수 있다.

(4) 올림픽 개막식을 본 생각과 느낌

① 세계에는 수많은 나라가 있다는 것을 알 수 있다.

② 수많은 나라가 어디에 있을지 호기심이 생길 수 있다.

③ 세계 전체의 모습을 살펴보는 방법을 생각해 볼 수 있다.

보충 ❶

◉ **올림픽과 오륜기**

4년마다 개최하는 국제 스포츠 대회로 올림픽 회원국의 선수들이 모여 스포츠 경기를 하는 행사를 말한다. 제1회 올림픽 경기 대회는 1896년 그리스 아테네에서 열렸다. 오륜기는 근대 올림픽을 상징하는 다섯 개의 원으로 이루어져 있다. 오륜기의 원에 사용된 색은 세계 어느 나라 국기에도 최소한 한 가지 이상씩 사용된다.

2 세계 전체의 모습을 살펴보는 방법 속 시원한 활동 풀이

(1) 김찬삼이 세계 여행을 할 때 활용한 자료: ❶세계 지도를 활용했다. 보충 ❷

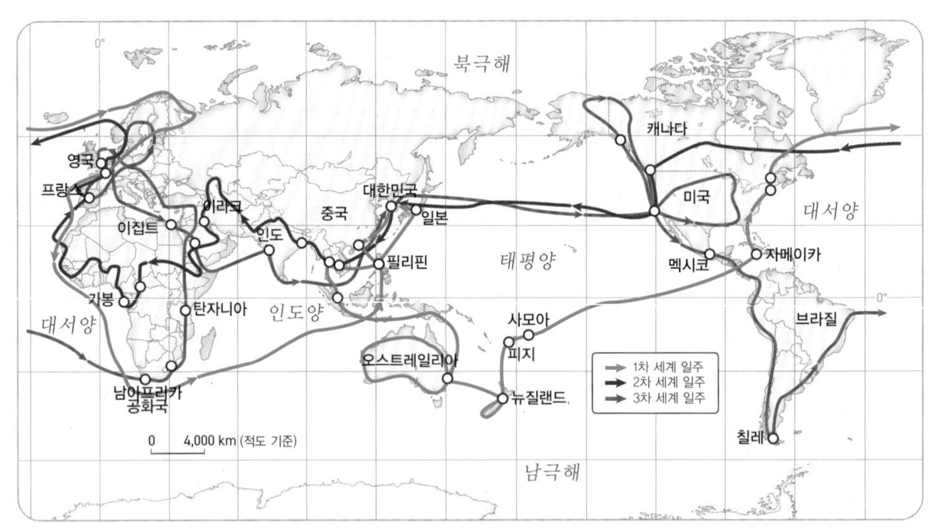

▲ 김찬삼의 세계 일주 경로를 나타낸 세계 지도

(2) 김찬삼이 세계 지도에서 얻을 수 있는 정보

① 세계 여러 나라의 위치를 알 수 있다.

② 세계에 수많은 나라가 있음을 알 수 있다.

③ 세계 일주 경로를 볼 수 있다.

(3) 세계 전체의 모습을 살펴볼 수 있는 자료

세계 지도 ❷지구본 디지털 영상 지도 위성 사진

(4) 세계 지도나 지구본 활용: 세계 지도나 지구본을 활용해 올림픽에 참가한 나라를 찾아본다.

보충 ❷

◉ **동양의 마르코 폴로 김찬삼**

김찬삼은 우리나라 최초의 세계 여행가라고 불리는 지리학자이다. 그는 세 차례에 걸쳐 세계 일주를 해 160여 개의 나라를 방문했다.

용어 사전

❶ **세계 지도**(世: 인간 세, 界: 지경 계, 地: 땅 지, 圖: 그림 도): 세계를 그린 지도이다.

❷ **지구본**(地: 땅 지, 球: 공 구, 本: 근본 본): 지구를 본떠 만든 모형이다.

교과서 12~13쪽

배움 영상

공부한 날 월 일

시험 대비 핵심 자료

전 세계의 나라 수

지구상에 모두 몇 개의 나라가 있는지는 기준에 따라 다를 수 있다. 유엔 가입 기준으로는 195개의 나라가 있다. 정회원국 193개, 참관 회원국인 교황청으로 대표되는 바티칸 시국과 팔레스타인을 합쳐 195개이다.
올림픽 회원국 수로 따지면 206개의 나라가 있다. 올림픽 국가 수가 유엔 국가 수보다 많은 것은 독립 국가만 참가 신청을 할 수 있는 것이 아니라 부분적인 자치를 하는 속령들과 일부 나라들에 의해서만 독립 국가로 인정받는 나라들도 국제 올림픽 위원회(IOC)로부터 올림픽 참가 승인을 받기 때문이다.
월드컵 출전 국제 축구 연맹(FIFA) 국가는 211개이다. 국제 표준화 기구(ISO) 기준으로는 전 세계 국가 목록에 249개국이 등재되어 있다.

속 시원한 활동 풀이

다 함께 활동

1 올림픽에 참가한 나라가 어디에 있는지 세계 지도나 지구본을 활용해 찾아봅시다.

예

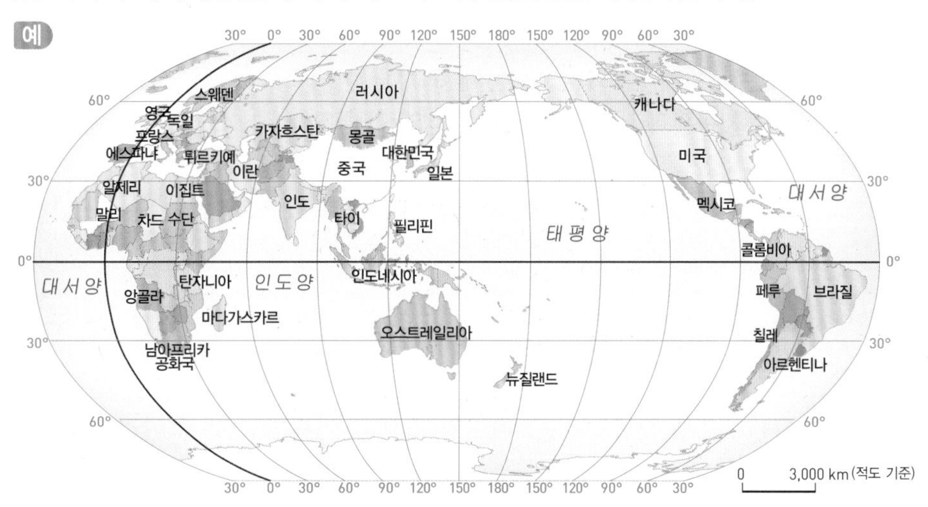

2 세계 전체의 모습을 살펴보기 위한 방법에는 어떤 것들이 있는지 이야기해 봅시다.

예 세계 지도를 활용해 살펴보았다. 지구본을 활용해 살펴보았다. 인터넷 검색을 활용해 찾아보았다.

확인 톡! 톡!

정답과 해설 2쪽

1 1896년 제1회 대회가 그리스 아테네에서 열린 이후로 4년마다 개최하는 국제 스포츠 대회는? (   )

2 올림픽 개막식에서 보듯이 세계에는 우리나라를 비롯한 많은 나라가 있다. (O | X)

3 세계 전체의 모습을 살펴보기 위해서는 (   ), 지구본, 책, 인터넷 검색을 활용하는 등의 방법이 있다.

세계 여러 나라의 위치와 영역이 궁금할 때 무엇을 활용하나요?(1)

1 세계 지도

(1) 세계 지도에서 보이는 것

① 지구의 땅과 바다가 보인다.

② 가로선(❶위선)과 세로선(❷경선)이 보인다.

③ 나라와 바다의 이름을 볼 수 있다.

(2) 세계 지도의 특징 시험 대비 핵심 자료

① 둥근 지구를 평면, 주로 사각형 모양으로 나타낸 것이다.

② 세계 여러 나라의 위치와 영역을 한눈에 살펴볼 수 있다.

③ 둥근 지구를 평면으로 나타냈기 때문에 세계 지도에 나타나는 세계 여러 나라의 위치와 면적은 실제와 조금씩 다르다.

2 지구본

(1) 지구본의 특징

① 실제 지구처럼 생김새가 둥글기 때문에 세계 여러 나라의 위치나 나라 간의 거리를 비교적 정확하게 파악할 수 있다. 시험 대비 핵심 자료

② 전 세계의 모습을 한눈에 보기도 어렵다.

(2) 지구본과 세계 지도의 같은 점과 다른 점

① 세계 지도와 지구본 모두 경선과 위선이 있다.

② 세계 지도는 세계의 모습을 평면으로 나타냈고, 지구본은 실제 지구처럼 생김새가 둥글다.

3 위도와 경도

(1) 위도와 경도의 이용: 위도와 경도를 이용하면 세계 여러 나라의 위치를 숫자로 정확하게 나타낼 수 있다. 속 시원한 활동 풀이

(2) 적도의 의미

① 위선의 기준이 되는 위도 0°선이다.

② 지구의 자전축에 대해 직각으로 지구의 중심을 지나도록 자른 평면과 지표면이 만나는 선이다.

③ 적도를 기준으로 북극까지를 북위, 남극까지를 남위라고 한다.

(3) 본초 자오선의 의미 보충 ①

① 경선의 기준이 되는 경도 0°선이다.

② 본초 자오선을 기준으로 동쪽은 동경, 서쪽은 서경이라고 한다.

(4) 위도와 경도를 이용해 나라의 위치를 나타내는 방법

❶ 나타내고 싶은 나라를 정하고 그 나라의 동, 서, 남, 북 끝 지점을 찾는다.
❷ 남쪽과 북쪽 끝 지점에 가장 가까운 위선을 찾는다.
❸ 동쪽과 서쪽 끝 지점에 가장 가까운 경선을 찾는다.
❹ 각 위선과 경선에 표시된 수치(위도, 경도)를 확인한다. 보충 ②

보충 ①

◉ **본초 자오선**

경선은 국가마다 다른 기준을 가지고 있었기 때문에 불편한 점이 많았다. 이를 극복하기 위하여 1884년 당시 영국의 그리니치 천문대를 지나는 경선을 본초 자오선(경도 0°선)으로 정하고 동서 방향으로 각각 180°씩 분할하는 경선 체계를 정하였다.

보충 ②

◉ **위도**

위도는 적도를 기준으로 남쪽과 북쪽의 위치를 나타내는 것으로, 지도나 지구본에서 위치를 찾을 때 사용한다. 즉, 지구의 중심에서 지표면의 한 점을 이은 선이 적도 면과 이루는 각도를 그 지점의 위도라고 하는데, 도(°), 분(′), 초(″)로 표시한다.

용어 사전

❶ **위선**(緯: 씨 위, 線: 줄 선): 지구 적도에 평행하게 지구의 표면을 남북으로 자른 가상의 선으로 위도를 나타낸다.

❷ **경선**(經: 지날 경, 線: 줄 선): 지구를 남극과 북극을 지나는 평면으로 잘랐을 때, 그 평면과 지구 표면이 만나는 가상적인 선이다.

시험 대비 핵심 자료

● 세계 지도

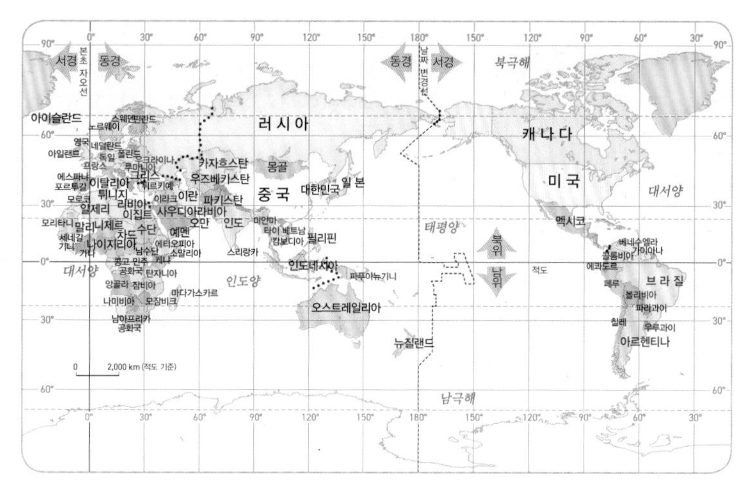

세계 지도는 둥근 지구를 평면으로 나타낸 것으로, 세계 여러 나라의 위치와 영역을 한눈에 살펴볼 수 있다. 그러나 세계 지도는 둥근 지구를 평면으로 나타낸 것이기 때문에 실제 모습과 다른 점이 있다.

● 지구본

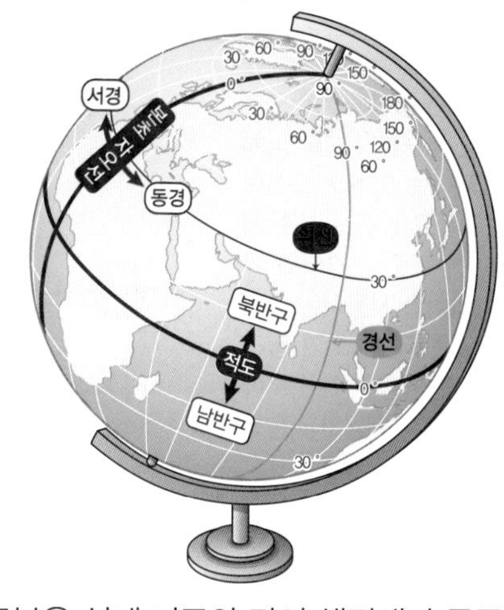

지구본은 실제 지구와 같이 생김새가 둥글기 때문에 세계 여러 나라의 위치나 나라 간의 거리를 비교적 정확하게 파악할 수 있다.

속 시원한 활동 풀이

다 함께 활동 위도와 경도를 이용해 여러 나라의 위치를 나타내 봅시다.

1 위도와 경도로 나라의 위치를 나타내는 방법을 살펴보고, 빈칸에 우리나라의 위치를 써 봅시다.

- 남쪽과 북쪽 끝 지점에 가까운 위선과 동쪽과 서쪽 끝 지점에 가까운 경선을 찾는다.
- 우리나라는 북위 33°~43°, 동경 124°~132°이다.

2 표의 위도와 경도에 위치한 나라 이름을 찾아 써 봅시다.

- 북위 8°~37°, 동경 68°~97°에 위치한 나라는 인도이다.
- 남위 21°~52°, 서경 54°~73°에 위치한 나라는 아르헨티나이다.

3 위도와 경도로 내가 찾고 싶은 나라의 위치를 나타내 보고 친구와 비교해 봅시다.

예 캐나다는 북위 41°~84°, 서경 52°~141°에 있다.
예 베트남은 북위 8°~23°, 동경 103°~109°에 있다.

확인 톡! 톡!

정답과 해설 2쪽

1 세계 지도는 둥근 지구를 평면으로 나타낸 것으로 세계 여러 나라의 위치와 영역을 한눈에 살펴볼 수 있다. (O | X)

2 적도는 (　　　)의 기준이 되는 위도 0°선이다.

3 위도와 경도를 이용하면 세계 여러 나라의 (면적 , 위치)을/를 숫자로 정확하게 나타낼 수 있다.

세계 여러 나라의 위치와 영역이 궁금할 때 무엇을 활용하나요?(2)

보충 ❶

◉ **표준시**

각 나라나 지역에서 기준이 되는 시간으로, 표준 경선을 기준으로 같은 시간을 사용한다. 그리니치 천문대를 지나는 본초 자오선이 세계에서 기준으로 삼는 표준 시간대이다. 이 표준 시간대와 별도로 각 나라마다 사용하는 표준시가 따로 있는데, 경도가 달라도 한 나라에서 정한 표준시에 따라 시간을 통일해 사용하게 된다.

보충 ❷

◉ **날짜 변경선**

본초 자오선의 정반대에 있는 경도 180°선을 말한다. 이 선의 서쪽에서 동쪽으로 갈 때는 하루를 빼야 하고, 동쪽에서 서쪽으로 넘어가면 하루를 더해야 한다. 날짜 변경선은 태평양 한가운데를 지나며, 직선이 아닌 구불구불한 모양이다.

용어 사전

❶ **시차**(時: 때 시, 差: 다를 차): 세계 표준시를 기준으로 하여 정한 세계 각 지역의 시간 차이이다.

❷ **인공위성**(人: 사람 인, 工: 장인 공, 衛: 지킬 위, 星: 별 성): 지구 따위의 행성 둘레를 돌도록 로켓을 이용하여 쏘아 올린 인공의 장치를 말한다.

④ 시차의 이해

(1) **세계의 시간:** 경도는 나라의 표준시를 정하는 기준으로 사용되며, 세계 여러 나라의 시간은 위치에 따라 다르다. 보충 ❶, ❷

(2) ❶**시차의 의미:** 본초 자오선을 기준으로 동쪽으로 경도 15°를 가면 1시간이 빨라지고, 서쪽으로 경도 15°를 가면 1시간이 느려진다.

⑤ 디지털 영상 지도

(1) **디지털 영상 지도의 의미:** ❷인공위성이나 항공기에서 촬영한 사진 등을 바탕으로 다양한 정보를 표현한 지도이다.

(2) **디지털 영상 지도**

❶ 검색창에 찾고자 하는 장소를 입력하면 그 장소의 지도 화면이 바로 나타난다.
❷ 자동차, 대중교통, 도보, 자전거의 경로를 찾을 수 있다.
❸ 현재 나의 위치를 검색할 수 있다.
❹ 지도를 확대하거나 축소할 수 있다.
❺ 특정 장소의 실제 거리 모습을 여러 각도에서 살펴볼 수 있고 특정 지역의 이미지를 불러 올 수 있다.

(3) **디지털 영상 지도의 특징** (시험 대비 핵심 자료)

① 디지털 정보로 표현되어 스마트폰이나 컴퓨터 등의 디지털 기기로 이용할 수 있다.
② 종이 지도와 달리 확대와 축소, 거리 계산, 검색 기능 등이 포함되어 있다.
③ 다양한 정보가 연결되어 있어 지리 정보를 편리하게 찾을 수 있다.

(4) **디지털 영상 지도가 세계 지도나 지구본과 다른 점**

① 보다 편리하게 특정 나라나 지역을 찾을 수 있다.
② 세계 여러 나라의 모습을 더 자세하게 살펴볼 수 있다.
③ 다양한 기능을 활용해 알고 싶은 지역의 정보를 쉽게 얻을 수 있다.

⑥ 세계 지도, 지구본, 디지털 영상 지도의 특징 비교 (속 시원한 활동 풀이)

세계 지도

❶ 세계 여러 나라의 위치를 한눈에 살펴볼 수 있다.
❷ 나라와 바다의 모양, 거리가 실제와 다르게 표현되기도 한다.
❸ 인터넷 사용이 불가능한 곳에서 사용하기 편리하다.

지구본

❶ 지구의 실제 모습처럼 생김새가 둥글다.
❷ 전 세계의 모습을 한눈에 보기 어렵고, 가지고 다니기 불편하다.
❸ 세계 여러 나라의 위치와 영토 등의 지리 정보가 세계 지도보다 더 정확하다.

디지털 영상 지도

❶ 세계 지도나 지구본에서 찾기 어려운 다양한 정보를 얻을 수 있다.
❷ 스마트폰, 컴퓨터 등이 필요하며, 인터넷을 연결해야 다양한 기능을 사용할 수 있다.

시험 대비 핵심 자료

● 디지털 영상 지도의 기능

- 여행할 때 출발지와 목적지를 지정하고 그 사이에 여러 경유지를 추가로 입력할 수 있어 효율적인 동선 계산이 가능하다.
- '위치 공유'를 누르면 특정 기간 동안 본인이 선택한 사람에게 자신의 위치를 공유할 수 있다. 목적지까지의 여정을 공유할 수도 있다.
- 자신의 여행 일정을 미리 '내 지도'로 만들어 여행 중 이동 거리, 이동 방법, 주변의 관광지 등을 찾을 때 쉽게 활용할 수 있다.
- 자신의 여행지 지도를 내려받아 두면 인터넷이 연결이 되지 않는 곳에서도 지도를 이용할 수 있다.

속 시원한 활동 풀이

스스로 활동 세계 지도, 지구본, 디지털 영상 지도의 특징을 비교해 봅시다.

1 대화를 보고 빈칸에 들어갈 낱말을 본문에서 찾아 써 봅시다.

위 빈칸에서부터 차례대로 세계 지도, 지구본, 디지털 영상 지도이다.

2 세계 지도, 지구본, 디지털 영상 지도의 특징을 정리해 봅시다.

예
- 세계 지도: 인터넷을 사용할 수 없을 때 편리하다. 나라와 바다의 모양, 거리가 실제와 다르게 표현되기도 한다.
- 지구본: 특정 나라의 위치나 나라 간의 위치를 찾기 쉽다. 전 세계를 한눈에 보기 어렵고, 가지고 다니기 불편하다.
- 디지털 영상 지도: 다양한 정보를 얻을 수 있다. 인터넷을 연결해야 사용할 수 있다.

3 세계 지도, 지구본, 디지털 영상 지도를 활용한 경험을 친구들과 이야기해 봅시다.

예 가족 여행으로 경주에 갔을 때 디지털 영상 지도로 관광지를 검색하며 여행했다.

□□□□은/는 세계 여러 나라를 한눈에 살펴보기에 편리하다. (세계 지도)

확인 톡!톡!

정답과 해설 2쪽

1 본초 자오선을 기준으로 동쪽으로 경도 15°를 가면 1시간이 (빨라진다 , 느려진다).

2 (　　　　)은/는 세계 여러 나라의 위치와 영토 등의 지리 정보가 세계 지도보다 더 정확하다.

3 디지털 영상 지도는 스마트폰이나 컴퓨터 등의 디지털 기기에서 이용할 수 없다. (O | X)

지구의 땅과 바다를 어떻게 구분할까요?

① 지구에서의 대륙과 대양 (속 시원한 활동 풀이)

(1) **지구:** 육지와 바다로 이루어져 있다. 육지의 면적은 약 30%이고, 바다의 면적은 약 70%이다.

(2) **❶대륙:** 대륙은 바다로 둘러싸인 큰 땅덩어리이다. 아시아, 아프리카, 유럽, 오세아니아, 북아메리카, 남아메리카 6개가 있다. 보충 ①

(3) **❷대양:** 대양은 큰 바다이다. 태평양, 대서양, 인도양, 북극해, 남극해 5개가 있다.

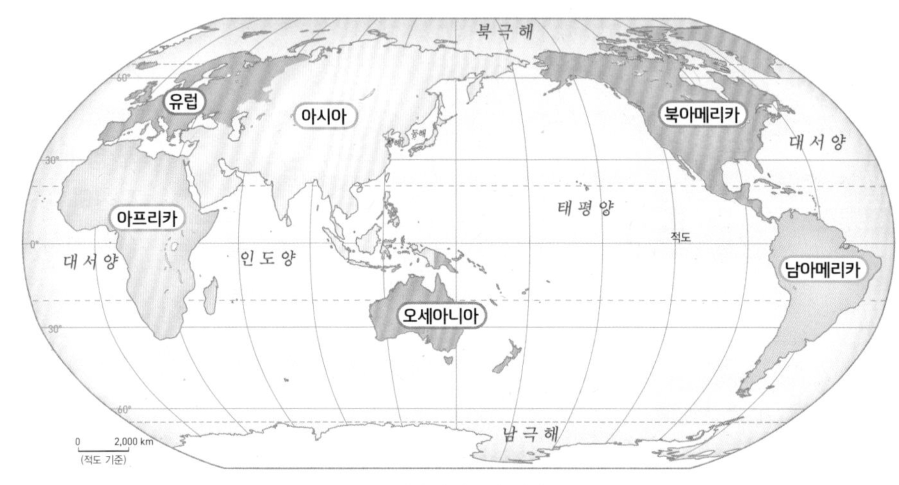

▲ 세계의 대륙과 대양

② 대륙과 대양의 위치와 범위

(1) **대륙의 위치와 범위**

① 아시아는 가장 큰 대륙이며, 세계 육지 면적의 약 30%를 차지한다.
② 아프리카는 아시아 다음으로 큰 대륙이며, 북반구와 남반구에 걸쳐 있다.
③ 유럽은 두 번째로 작은 대륙이며 아시아 대륙의 서쪽에 있다.
④ 오세아니아는 대륙 중 가장 작으며 남반구에 있다.
⑤ 북아메리카는 북반구에 속하며 북쪽은 북극해와 접한다.
⑥ 남아메리카는 대부분 남반구에 속해 있으며 남쪽은 남극해와 접한다.

(2) **대양의 위치와 범위** (시험 대비 핵심 자료)

① 태평양은 북아메리카, 남아메리카, 아시아, 오세아니아 대륙의 사이에 있다.
② 대서양은 아프리카, 유럽, 아메리카 대륙으로 둘러싸여 있다.
③ 인도양은 아시아, 아프리카, 오세아니아 대륙에 인접해 있다.
④ 북극해는 아시아, 유럽, 북아메리카 대륙에 둘러싸여 있다. 보충 ②
⑤ 남극해는 남극을 둘러싸고 있다.

(3) **대양의 특징**

① 태평양은 가장 큰 대양이고 북극해는 가장 작은 대양이다.
② 태평양, 대서양, 인도양은 북반구와 남반구에 걸쳐 있고, 북극해는 북반구에 있고 남극해는 남반구에 있다.
③ 대서양은 S자 형태를 이루고 있다.

보충 ①

◉ **아시아**
아시아는 고대 그리스 사람들이 그들 나라의 동쪽을 가리킬 때 쓴 '아수(asu, 동쪽)'라는 아시리아어에서 유래하였다고 한다. 즉 그들이 해가 뜨는 동쪽을 '아수(Asu)'라고 불렀던 것이 후에 이 일대를 지칭하는 고유 명사가 되었다.

보충 ②

◉ **북극해**
북극해는 지구 전체의 기후를 조절하는 지구의 심장과 같은 곳이다. 북극에서 기후 변화가 일어나면 대기 중의 온실가스 농도가 안정되기까지 수 세기가 걸린다. 북극의 장기적인 기후 변화는 대륙의 빙하를 녹아내리게 하고 지구 전체의 해류 순환 시스템뿐만 아니라 해수면 상승에도 영향을 미치게 된다. 이로 인해 지구 전체의 기후에도 큰 변화가 있게 된다.

용어 사전

❶ **대륙**(大: 큰 대, 陸: 뭍 륙): 넓은 면적을 가지고 해양의 영향이 내륙부까지 직접적으로 미치지 않는 육지이다.
❷ **대양**(大: 큰 대, 洋: 큰 바다 양): 세계의 해양 가운데에서 특히 넓은 해역을 차지하는 대규모의 바다이다.

시험 대비 핵심 자료

● 대양의 위치와 범위

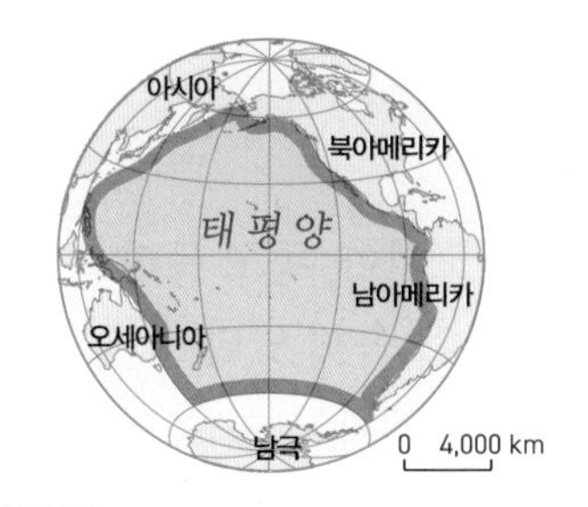

태평양 아시아, 오세아니아, 아메리카 대륙의 사이에 있다.

대서양 아프리카, 유럽, 아메리카 대륙에 둘러싸여 있다.

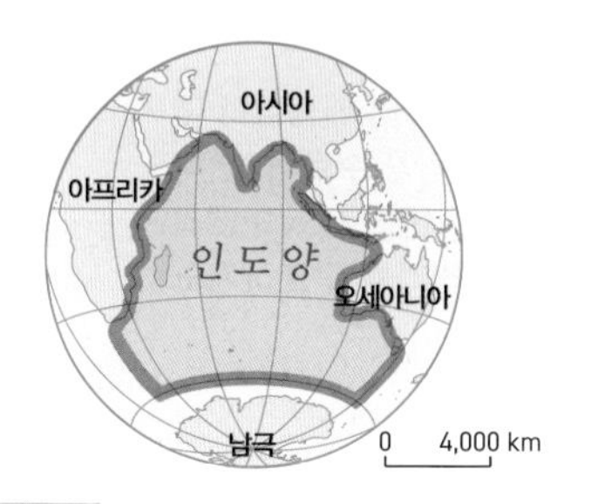

인도양 아시아, 아프리카, 오세아니아 대륙에 인접해 있다.

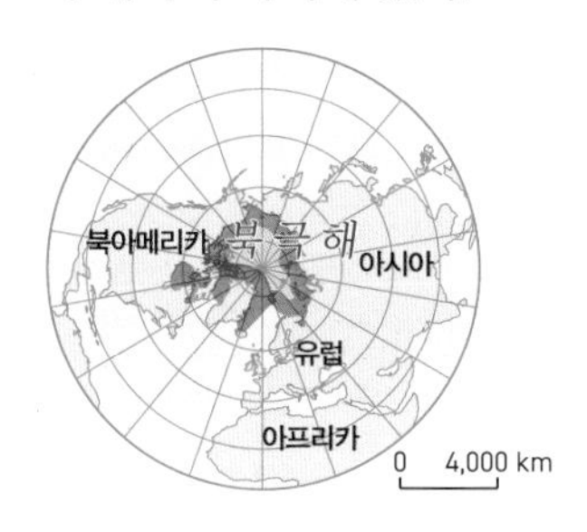

북극해 북극 주변에 있는 바다로 대부분 얼음에 덮여 있다. 아시아, 유럽, 북아메리카 대륙에 둘러싸여 있다.

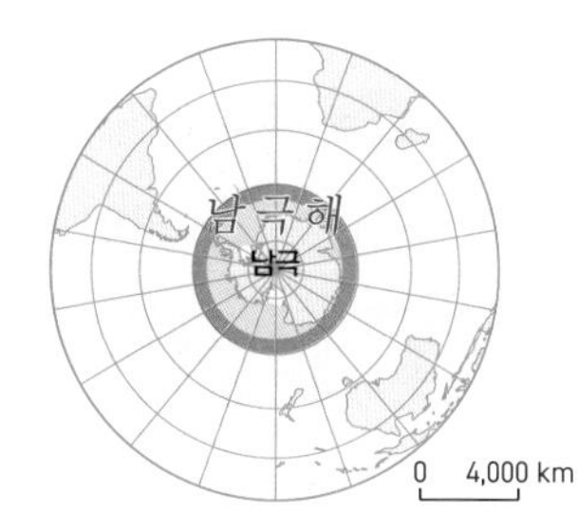

남극해 남극을 둘러싸고 있으며, 2001년부터 남대양으로 불리기도 한다.

속 시원한 활동 풀이

스스로 활동 대륙과 대양의 위치와 범위를 살펴봅시다.

1 백지도의 빈칸에 알맞은 대륙과 대양의 이름을 써 봅시다.

예

북극해, 유럽, 아시아, 북아메리카, 대서양, 아프리카, 태평양, 적도, 대서양, 인도양, 남아메리카, 오세아니아, 남극해, 남극

0 2,000 km (적도 기준)

2 각 대륙을 다른 색으로 색칠해 보고 그 특징을 이야기해 봅시다.

예 아시아는 대륙 중 가장 크고, 오세아니아는 대륙 중 가장 작다.

잠깐! 확인해요

태평양은 대양 중에서 크기가 가장 크다. (◯O | X)

확인 톡!톡!

정답과 해설 2쪽

1 대륙은 바다로 둘러싸인 큰 땅덩어리이며, 대양은 큰 바다를 말한다. (O | X)

2 아시아는 가장 (큰 , 작은) 대륙이며 육지 면적의 약 30%를 차지한다.

3 가장 큰 바다로 우리나라와 인접해 있는 대양은 (   )이다.

각 대륙에 어떤 나라가 있는지 찾아볼까요?

① 대륙별 여러 나라 (시험 대비 핵심 자료)

(1) **아시아:** 대한민국, 중국, 일본, 몽골, 베트남, 이라크, 미얀마, 인도 등이 속해 있다.

(2) **유럽:** 영국, 프랑스, 독일, 스위스, 이탈리아, 스페인, 헝가리, 네덜란드 등이 속해 있다.

(3) **아프리카:** 남아프리카 공화국, 이집트, 나이지리아, 에티오피아, 콩고 등이 속해 있다.

(4) **북아메리카:** 미국, 캐나다, 멕시코, 과테말라, 파나마 등이 속해 있다. 보충 ①

(5) **남아메리카:** 브라질, 아르헨티나, 콜롬비아, 페루, 칠레, 에콰도르, 우루과이, 파라과이 등이 속해 있다.

(6) **오세아니아:** 오스트레일리아, 뉴질랜드, 바누아투, 키리바시, 투발루, 파푸아뉴기니, 피지, 팔라우 등이 속해 있다.

내용+ 러시아(아시아–유럽)나 튀르키예(아시아–유럽)처럼 두 대륙에 걸쳐 있는 나라도 있다. 보충 ②

② 대륙별 나라의 위치와 영역

(1) 대륙별 나라의 위치를 설명하는 방법

① 나라가 속한 대륙을 살펴보기: 예 중국은 아시아 대륙에 있다.

② 나라별로 위도와 경도의 범위를 비교하기: 예 뉴질랜드는 ❶남위 34°~47°, 동경 166°~179°에 있고, 프랑스는 ❷북위 41°~51°, 서경 5°~ 동경 8°에 있다.

(2) 대륙별 나라의 범위를 설명하는 방법

① 북반구에 속해 있는지 남반구에 속해 있는지 찾아보기: 예 노르웨이는 북반구에 속한다.

② 주변에 있는 대양을 알아보기: 예 미국의 동쪽에는 대서양이 있다.

③ 위도와 경도의 범위를 알아보기: 예 사우디아라비아는 북위 16°~32°, 동경 34°~55°에 있다.

(3) 대륙별 나라의 위치와 영역 (속 시원한 활동 풀이)

국가명	베트남	캐나다	오스트레일리아
국기			
위치한 대륙	아시아	북아메리카	오세아니아
위도와 경도	북위 8°~23°, 동경 103°~109°	북위 41°~84°, 서경 52°~141°	남위 9°~43°, 동경 112°~153°
주변 대양	동쪽에 태평양을 인접하고 있다.	동쪽에 대서양을 접하고 있다.	동쪽에 태평양을 접하고 있다.
주변 나라	서쪽에 캄보디아가 있다.	남쪽에 미국이 있다.	동쪽에 뉴질랜드가 있다.

(4) **우리나라의 위치와 영역:** 우리나라는 아시아 대륙에 있으며, 북위 33°~43°, 동경 124°~132°에 있다. 또한 동쪽으로 태평양과 접하고 서쪽에는 중국이 있다.

보충 ①

◉ **파나마 운하**

파나마를 가로질러 태평양과 대서양을 잇는 인공 수로이다. 파나마 운하를 기준으로 북아메리카와 남아메리카를 구분하기도 한다.

보충 ②

◉ **두 대륙에 걸쳐 있는 나라**

튀르키예는 아시아와 유럽에 걸쳐 있는 나라이다. 러시아는 전통적으로 아시아와 유럽의 경계로 볼 수 있는 우랄산맥을 기준으로 보면 러시아 영토의 많은 부분이 아시아에 속한다. 하지만 대부분의 도시와 인구는 유럽에 집중되어 있다. 이집트는 아프리카와 아시아에 걸쳐 있는 나라이다.

▲ 보스포루스 대교 아시아와 유럽을 잇는 튀르키예의 이스탄불에 있는 다리이다.

용어 사전

❶ **남위**(南: 남녘 남, 緯: 씨 위): 적도로부터 남극에 이르기까지의 위도로, 적도를 0°로 하여 남극의 90°에 이른다.

❷ **북위**(北: 북녘 북, 緯: 씨 위): 적도로부터 북극에 이르기까지의 위도로, 적도를 0°로 하여 북극의 90°에 이른다.

공부한 날 월 일

● 대륙별 나라

각 대륙에는 많은 나라가 속해 있다. 세계 지도, 사회과 부도, 지구본, 인터넷 지도 등을 통해 각 대륙에 속해 있는 다양한 나라를 찾아본다. 각 대륙에 속한 나라를 정리하면 다음과 같다.

아시아	아프리카	유럽
대한민국, 일본, 인도, 베트남, 필리핀, 부탄, 사우디아라비아, 이라크 등	소말리아, 케냐, 이집트, 탄자니아, 짐바브웨, 모잠비크, 나미비아, 앙골라, 차드 등	폴란드, 벨기에, 영국, 프랑스, 스위스, 라트비아, 세르비아, 바티칸 시국, 에스파냐 등
오세아니아	**북아메리카**	**남아메리카**
뉴질랜드, 솔로몬 제도, 오스트레일리아, 피지, 투발루, 마셜 제도, 팔라우 등	미국, 캐나다, 멕시코, 온두라스, 과테말라, 쿠바, 아이티, 코스타리카 등	브라질, 칠레, 우루과이, 아르헨티나, 수리남, 에콰도르, 볼리비아, 콜롬비아 등

속 시원한 활동 풀이

다 함께 활동 나라 카드놀이로 각 대륙에 속한 나라의 위치와 영역을 소개해 봅시다.

1 친구들에게 소개하고 싶은 나라 카드를 만들어 봅시다.

예

2 나라 카드를 활용해 나라 찾기 문제를 만들고 친구들과 나라 찾기 놀이를 해 봅시다.

예
- 이 나라는 남아메리카 대륙에 있다.
- 이 나라의 서쪽에는 볼리비아가 있다.
- 이 나라의 동쪽에는 대서양이 있다.
- 남위 5°~33°, 서경 34°~74° 사이에 있다.
- 답은 브라질이다.

잠깐! 확인해요

유럽에는 캐나다, 미국, 멕시코 등의 나라가 속해 있다. (○ | ✗)

정답과 해설 2쪽

1 대한민국, 중국, 일본, 몽골, 베트남 등이 속한 대륙은 (아시아 , 유럽)이다.

2 대륙별 나라의 위치를 설명하려면 나라가 속한 (　　　　)을/를 살펴보고, 나라별 위도와 경도의 범위를 비교한다.

3 각 대륙에 속한 나라는 세계 지도, 사회과 부도, 지구본, 인터넷 등을 이용해 살펴본다. (○ | ×)

세계 여러 나라의 면적과 모양을 알아볼까요?

1 세계 여러 나라의 영토 면적

(1) 세계의 여러 나라가 다른 점: ❶영토 면적과 모양이 다르다.

(2) 세계에서 영토 면적이 가장 넓은 나라 (속 시원한 활동 풀이)

① 러시아는 세계에서 영토 면적이 가장 넓은 나라이다.

② 러시아는 우리나라 면적의 약 78배이다.

(3) 면적이 넓은 나라 순위 보충 ❶, ❷

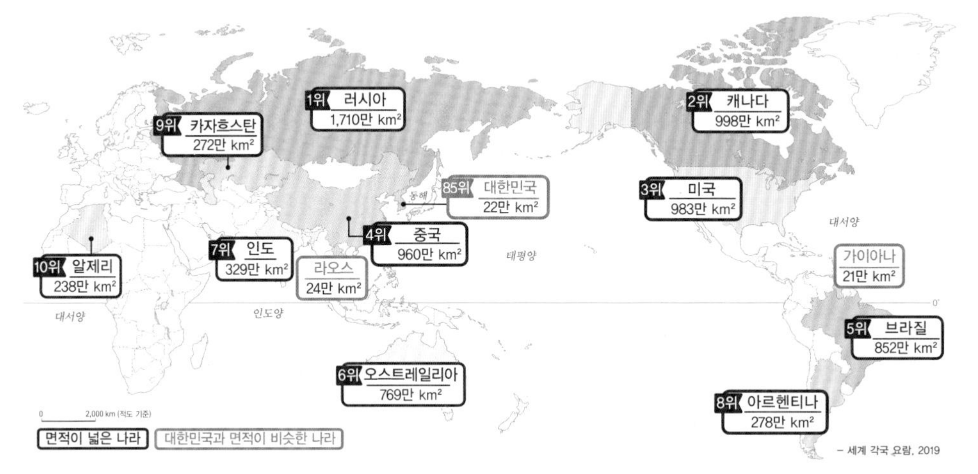

– 세계 각국 요람, 2019

내용+ 실제 영토 면적을 정확하게 비교하는 방법에는 디지털 영상 지도를 이용하거나 영토 면적을 비교해 주는 누리집을 활용한다.

2 우리나라의 영토 면적

(1) 우리나라의 영토 면적

① 우리나라의 영토 면적은 약 22만 km²이다.

② 우리나라의 영토는 세계에서 85번째로 넓다.

(2) 우리나라와 영토 면적이 비슷한 나라

① 유럽 대륙의 루마니아가 있다.

② 아시아 대륙의 라오스가 있다.

③ 남아메리카 대륙의 가이아나가 있다.

3 세계 여러 나라의 영토 모양

(1) 나라마다 다른 영토 모양 (속 시원한 활동 풀이)

① 해안선이 복잡하거나 단조롭기도 하다.

② 영토의 길이가 위아래로 길쭉하거나 좌우로 길쭉하기도 하다.

③ ❷국경선의 모양이 복잡하거나 단조롭다.

④ 영토 모양이 특정한 도형이나 동물을 닮았거나, 울퉁불퉁하기도 하다.

(2) 특징적인 영토를 가진 나라 (시험 대비 핵심 자료) (속 시원한 활동 풀이) 보충 ❸

① 이집트 영토는 사각형과 비슷하다.

② 레소토 영토는 원과 비슷하다.

③ 노르웨이 영토는 해안선이 복잡하다.

④ 이탈리아 영토는 장화와 닮았다.

보충 ❶

◉ 바티칸 시국

이탈리아 로마의 시내에 있는 바티칸 시국은 세계에서 가장 면적이 작은 나라이다. 면적은 우리나라 경복궁보다 약간 크고, 인구는 약 800명 내외로 알려져 있다. 바티칸 시국은 면적이 작은 나라이지만, 전 세계 가톨릭교의 중심지이다.

보충 ❷

◉ 대륙별로 영토의 면적이 가장 넓은 나라

아시아	중국
유럽	러시아
아프리카	알제리
북아메리카	캐나다
남아메리카	브라질

보충 ❸

◉ 각국 영토 모양의 특징

유럽의 이탈리아 영토는 장화를 닮았고, 아프리카 이집트 영토는 사각형과 비슷하다. 아시아의 인도네시아는 1만 7,500여 개나 되는 섬으로 이루어진 나라이다.

용어 사전

❶ **영토**(領: 거느릴 령, 土: 흙 토): 국가의 통치권이 미치는 구역으로, 토지로 이루어진 국가의 영역을 이르나 영해와 영공을 포함하는 경우도 있다.

❷ **국경선**(國: 나라 국, 境: 지경 경, 線: 줄 선): 나라와 나라 사이의 경계선을 말한다.

● 세계 여러 나라의 영토 모양

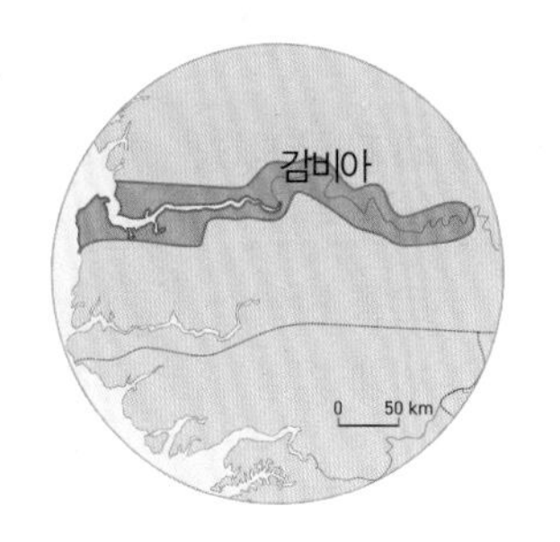

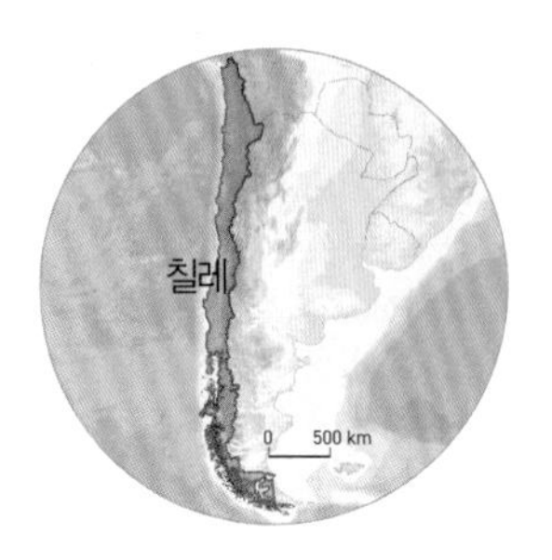

속 시원한 활동 풀이

스스로 활동

1 지도의 빈칸에 알맞은 나라의 이름을 써 보고, 면적이 넓은 나라를 찾아봅시다.

1위 러시아(1,710만 km²), 2위 캐나다(998만 km²), 3위 미국(983만 km²), 4위 중국(960만 km²), 5위 브라질(852만 km²), 6위 오스트레일리아(769만 km²), 7위 인도(329만 km²), 8위 아르헨티나(278만 km²), 9위 카자흐스탄(272만 km²), 10위 알제리(238만 km²)

2 다음과 같은 특징을 가진 나라를 찾아 써 봅시다.

예

• 아이슬란드처럼 해안선이 복잡한 나라 우리나라, 인도네시아, 일본 등	• 미국처럼 국경선이 반듯한 나라 캐나다, 나미비아, 사우디아라비아 등
• 감비아처럼 영토 모양이 동서로 길게 뻗은 나라 러시아, 중국 등	• 칠레처럼 영토 모양이 남북으로 길게 뻗은 모양의 나라 아르헨티나, 노르웨이 등

3 영토 모양이 독특한 나라를 지도에서 찾아보고, 그 나라의 면적과 모양을 알아봅시다.

예

나라 이름	우리나라	소말리아	이탈리아
대륙	아시아	아프리카	유럽
면적	약 22만 km²(한반도 전체)	약 64만 km²	약 30만 km²
영토 모양	호랑이와 닮음.	부메랑과 닮음.	장화와 닮음.

잠깐! 확인해요

노르웨이, 칠레의 영토 모양은 남북으로 길게 뻗어 있다. (ⓞ | X)

확인 톡!톡!

정답과 해설 2쪽

1 세계에서 영토 면적이 가장 넓은 나라는 (중국 , 러시아)이다.

2 ( )와/과 영토 면적을 비교해 주는 누리집을 활용하면 영토의 면적을 정확하게 비교할 수 있다.

3 칠레의 영토 모양은 동서로 길게 뻗은 모양이다. (O | X)

세계 일주 경로로 세계 여러 나라를 소개해 볼까요?

❶ 세계 일주 경로 만들기

(1) 세계 일주 경로 만드는 방법

❶ 각 대륙에 있는 나라 중 가고 싶은 나라를 하나씩 선정한다.
❷ 세계 지도, 지구본, 디지털 영상 지도 중 하나 이상의 자료를 활용해 세계 일주 ❶경로를 만든다. 보충 ❶
❸ 세계 일주 경로를 친구들에게 소개한다.

(2) 여행해 보고 싶은 나라: 예 아시아의 인도, 유럽의 프랑스, 아프리카의 케냐, 북아메리카의 캐나다, 남아메리카의 페루, 오세아니아의 뉴질랜드 등

(3) 세계 일주 경로를 만들 때 활용할 자료

① 세계 지도를 활용하여 전 세계의 모습을 한눈에 살펴본다.
② 지구본을 활용하여 세계를 한 바퀴 돌아오는 길을 먼저 짚어보고 가고 싶은 나라를 정한다.
③ 디지털 영상 지도를 활용하여 여행할 곳의 주요 관광지를 알아본다.

❷ 세계 일주 경로 발표하기 (속 시원한 활동 풀이)

(1) 세계 지도 살펴보기: 예 세계 지도에 방문할 도시를 표시하고 선으로 이어 보면 세계 일주 경로를 한눈에 볼 수 있다.

북극해
유럽
아시아
북아메리카
대서양
아프리카
태평양
인도양
대서양
오세아니아
남아메리카
남극해
0 2,000 km (적도 기준)

▲ 나의 세계 일주 경로

① 서울
↓
② 시드니
↓
③ 뉴델리
↓
④ 바르셀로나
↓
⑤ 케이프타운
↓
⑥ 부에노스아이레스
↓
⑦ 뉴욕

(2) 세계 지도, 지구본, 디지털 영상 지도를 활용해 세계 일주 경로를 만들면서 느낀 점

① 지구본을 이용하니 남아메리카의 우루과이가 우리나라의 반대편에 있다는 것을 쉽게 이해할 수 있다.
② 디지털 영상 지도를 활용하니 세계 여러 나라의 주요 관광지에 대해 자세히 알아볼 수 있다.
③ 세계 지도는 지구를 한눈에 볼 수 있어 세계 일주 경로를 나타내기에 좋다.

(3) 디지털 영상 지도를 활용하며 새롭게 알게 되거나 소개하고 싶은 기능: 예 길 찾기 기능, 스트리트 뷰, ❷경유지 추가, 내 위치 공유하기, 나만의 지도 만들기, 지도 다운받기 등 다양한 기능이 있다. 보충 ❷

보충 ❶

◉ **디지털 영상 지도**
인공위성에서 촬영한 영상을 이용하여 만든 지도이다. 이 지도는 컴퓨터나 스마트폰 화면에서 자유롭게 확대하고 축소하여 곳곳을 살펴볼 수 있을 뿐만 아니라 장소와 관련된 정보도 담고 있어서 다양한 용도로 사용할 수 있다.

보충 ❷

◉ **내 위치 공유하기**
여행 중에 흩어져 있을 때 서로의 위치를 확인하는 데 도움이 되는 기능이다. '위치 공유'를 누르면 특정 기간 동안 본인이 선택한 사람에게 자신의 위치를 공유할 수 있다.

용어 사전

❶ **경로**(經: 지날 경, 路: 길 로): 지나가는 길을 말한다.
❷ **경유지**(經: 지날 경, 由: 말미암을 유, 地: 땅 지): 거쳐 지나가는 곳을 말한다.

속 시원한 활동 풀이

확인 톡!톡!

정답과 해설 2쪽

1 세계 지도, 지구본, 디지털 영상 지도를 활용하면 세계 여러 나라의 다양한 정보를 얻을 수 있다. (O | X)

2 (   )을/를 활용하면 세계 일주 경로를 한눈에 알아볼 수 있다.

3 뉴델리는 (아시아 , 유럽) 대륙에 위치해 있는 도시이다.

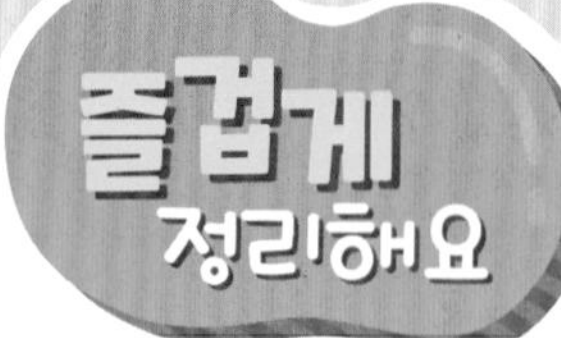

교과서 35쪽

'지구, 대륙 그리고 국가들'에서 배운 내용을 떠올리며 낱말 퍼즐 놀이를 해 봅시다.

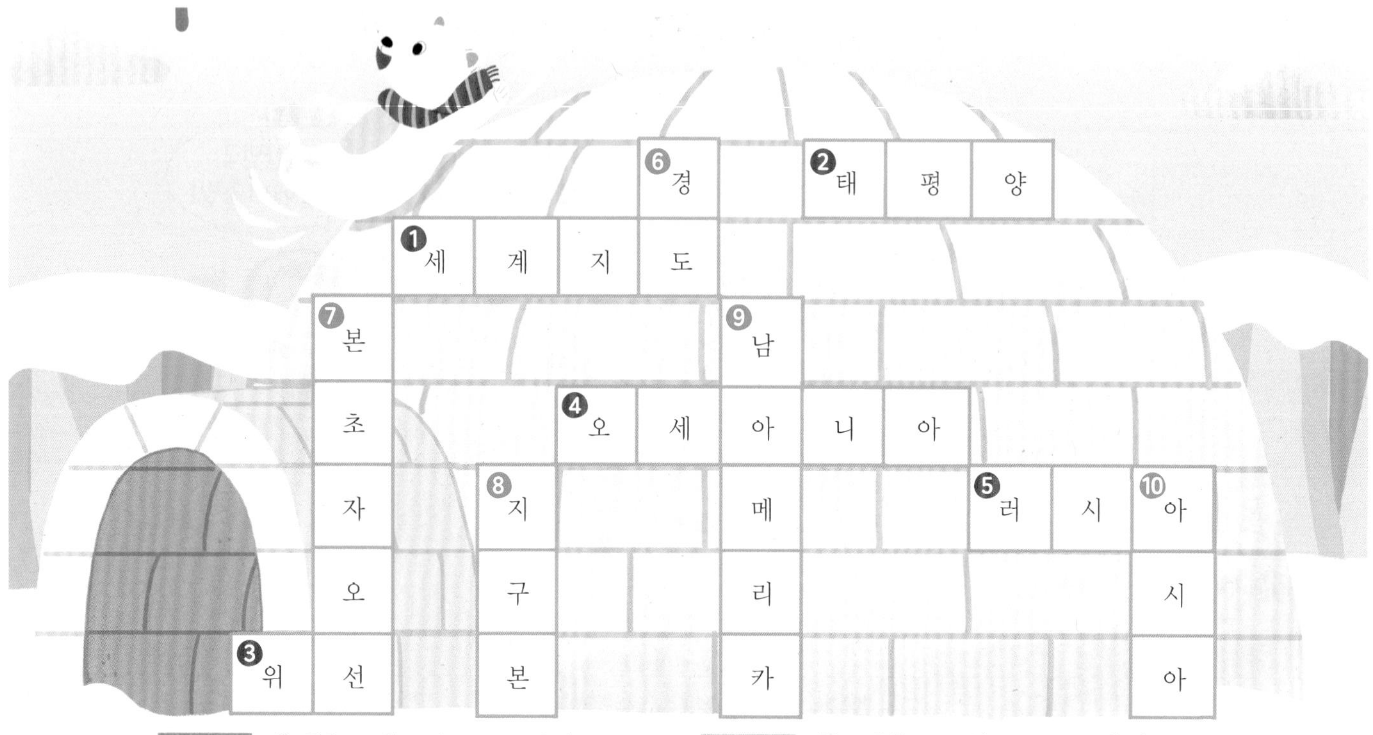

가로 길잡이

1. 둥근 지구를 평면으로 나타낸 것이다.
2. 대양 중에 가장 큰 대양이다.
3. 지구본의 가로선이다.
4. 대륙 중 가장 크기가 작으며 남반구에 위치해 있는 대륙이다.
5. 세계 여러 나라 중 영토 면적이 가장 넓은 나라이다.

세로 길잡이

6. 지구본의 세로선에 표시되어 있는 숫자이다.
7. 동경과 서경의 기준이 되는 선이다.
8. 지구의 모습을 작게 줄여 만든 모형이다.
9. 브라질, 칠레 등의 나라가 속해 있는 대륙이다.
10. 대륙 중 면적이 가장 넓고 우리나라가 속해 있다.

핵심 꿀꺽 질문

세계 지도, 지구본, 디지털 영상 지도의 특성을 알고 활용할 수 있나요?

세계 여러 대륙과 대양의 위치와 범위를 알고 있나요?

세계 여러 나라의 위치와 영토의 특징을 설명할 수 있나요?

중요
1 세계 지도에 대한 설명으로 알맞은 것은 어느 것입니까? ( )

① 실제 지구처럼 생김새가 둥글다.
② 지구의 모습을 작게 줄여 만든 모형이다.
③ 실제 지구의 모습과 다른 점이 거의 없다.
④ 세계 여러 나라의 위치와 영역을 한눈에 살펴볼 수 있다.
⑤ 세계 여러 나라의 위치나 나라 간의 거리를 비교적 정확하게 파악할 수 있다.

2 빈칸 ㉠, ㉡에 들어갈 알맞은 말을 쓰시오.

본초 자오선을 기준으로 동쪽을 ㉠, 서쪽을 ㉡이라고 하며 각각 180°로 나누어 동쪽과 서쪽의 위치를 나타낸다.

㉠:

㉡:

3 다음 글에서 설명하는 것이 무엇인지 쓰시오.

지구의 자전축에 대해 직각으로 지구의 중심을 지나도록 자른 평면과 지표면이 만나는 선(위도 0°)이다.

4 다음 글에서 설명하는 것이 무엇인지 쓰시오.

인공위성이나 항공기에서 촬영한 사진 등을 바탕으로 다양한 정보를 표현한 지도이다. 디지털 정보로 표현되었기 때문에 스마트폰이나 컴퓨터 등의 디지털 기기에서 이용할 수 있다.

5 오세아니아 대륙이 접하고 있는 대양을 보기 에서 골라 기호를 쓰시오.

보기
㉠ 태평양 ㉡ 인도양 ㉢ 대서양
㉣ 남극해 ㉤ 북극해

6 다음 설명에 해당하는 대륙을 쓰시오.

아시아 대륙의 서쪽에 있다. 다른 대륙에 비해 면적은 좁지만 많은 나라가 속해 있다.

중요
7 지도에 표시된 대양을 알맞게 설명한 것을 보기 에서 골라 기호를 쓰시오.

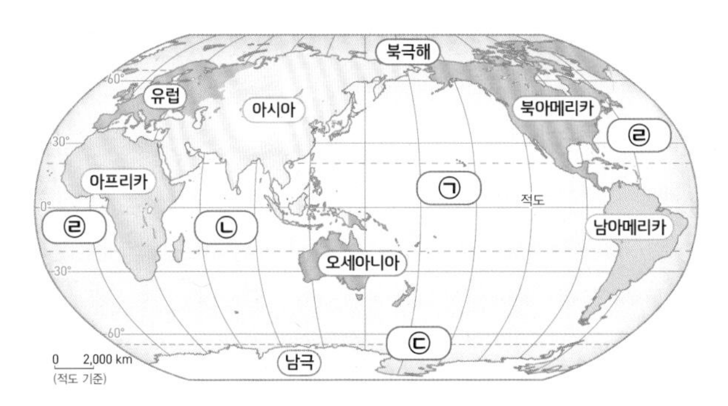

보기
㉠ 태평양 : 아시아, 오세아니아, 아메리카 대륙의 사이에 있다.
㉡ 남극해 : 아시아, 유럽, 남아메리카 대륙으로 둘러싸여 있다.
㉢ 인도양 : 아프리카, 유럽, 아시아 대륙에 인접해 있다.
㉣ 대서양 : 아프리카, 유럽, 아메리카 대륙에 둘러싸여 있다.

8 **빈칸 ㉠, ㉡에 들어갈 알맞은 말을 쓰시오.**

- (㉠)은/는 큰 바다를 말하는데, 태평양, 대서양, 인도양, 북극해, 남극해가 있다.
- (㉡)은/는 아시아, 유럽, 북아메리카 대륙에 둘러싸여 있는 바다이다.

㉠:

㉡:

9 **다음 글에서 설명하는 ㉠'이곳'과 ㉡틀린 부분을 찾아 쓰시오.**

'이 곳'은 유럽 대륙과 오세아니아 대륙보다 넓고, 전체 면적의 약 98%는 일 년 내내 얼음과 눈으로 덮여 있다. 빙하 아래에는 땅이 존재하지만 대륙이라고 할 수 없다. 우리나라는 세종 과학 기지와 장보고 과학 기지를 통해 '이 곳'에 관한 여러 연구를 한다.

㉠:

㉡:

중요

10 **다음 설명 중 알맞지 않은 것은 어느 것입니까?** (　　　)

① 대양은 큰 바다를 말한다.
② 유럽은 대륙 중 가장 작다.
③ 태평양은 대양 중에서 가장 크다.
④ 아프리카는 아시아 다음으로 큰 대륙이다.
⑤ 북아메리카는 북반구에 속해 있으며, 북쪽은 북극해와 접해 있다.

11 **다음 설명 중 알맞지 않은 것은 어느 것입니까?** (　　　)

① 대륙은 바다로 둘러싸인 땅덩어리를 말한다.
② 우리가 사는 지구는 육지와 바다로 이루어져 있다.
③ 육지의 면적은 약 30%, 바다의 면적은 약 70%이다.
④ 세계 지도를 보면 대륙과 대양의 위치와 범위를 알 수 있다.
⑤ 세계 지도를 보면 아시아, 아프리카, 유럽, 오세아니아, 북아메리카 5대륙이 있다.

12 **㉠ 나라에 대한 설명으로 알맞은 것을 보기 에서 골라 기호를 쓰시오.**

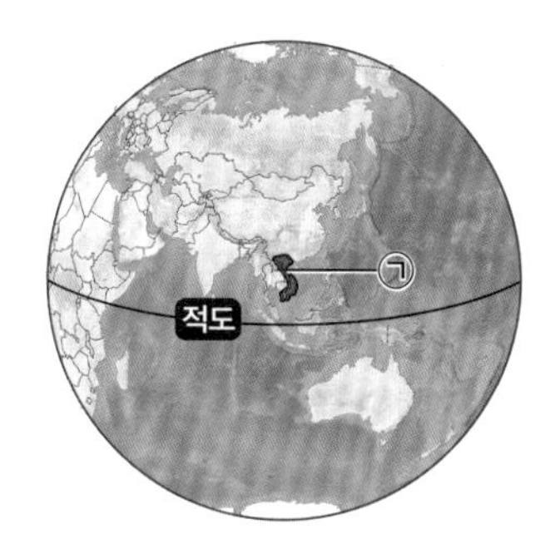

보기
㉠ 이 나라는 아시아 대륙에 속해 있다.
㉡ 이 나라의 동쪽에는 인도양이 있다.
㉢ 이 나라의 서쪽에는 캄보디아가 있다.
㉣ 북위 8°~23°, 동경 103°~109°에 위치한다.

13 **다음 설명에 해당하는 나라는 어느 곳입니까?** (　　　)

북아메리카 대륙에 위치하며 동쪽에 대서양을 접하고 있다. 남쪽에 미국이 있고, 영토가 큰 편이다.

① 중국　② 멕시코　③ 러시아
④ 캐나다　⑤ 브라질

14 아프리카 대륙에 위치하는 나라를 보기 에서 골라 기호를 쓰시오.

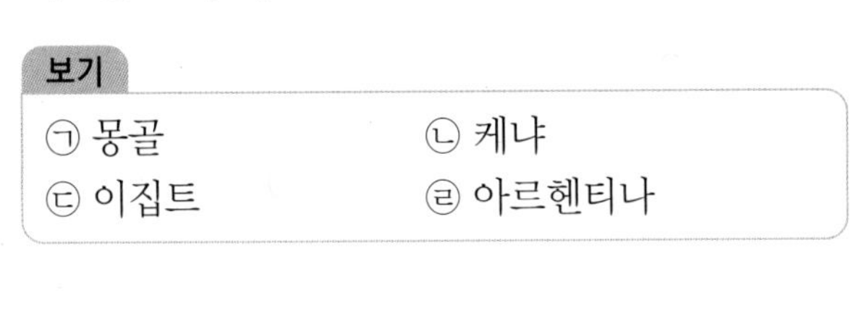
보기
㉠ 몽골 ㉡ 케냐
㉢ 이집트 ㉣ 아르헨티나

15 다음 설명 중 알맞지 않은 것은 어느 것입니까? (　　　)

① 브라질은 세계에서 5번째로 면적이 작다.
② 러시아는 세계에서 영토 면적이 가장 넓다.
③ 세계 여러 나라의 영토 면적과 모양은 서로 다르다.
④ 카자흐스탄은 세계에서 9번째로 영토가 큰 나라이다.
⑤ 우리나라와 영토 면적이 비슷한 나라로는 라오스가 있다.

16 각 나라와 해당되는 영토를 연결하시오.

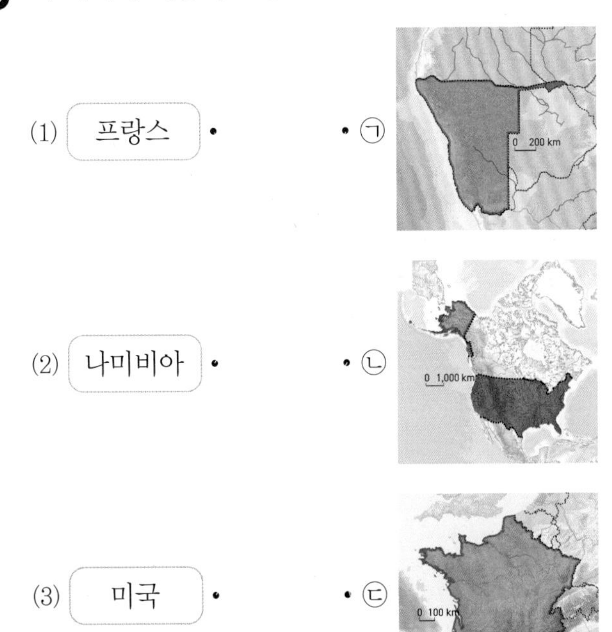

워드 클라우드와 함께하는 서술형 문제

[17-18] 워드 클라우드의 단어를 이용하여 서술형 문제의 답을 쓰시오.

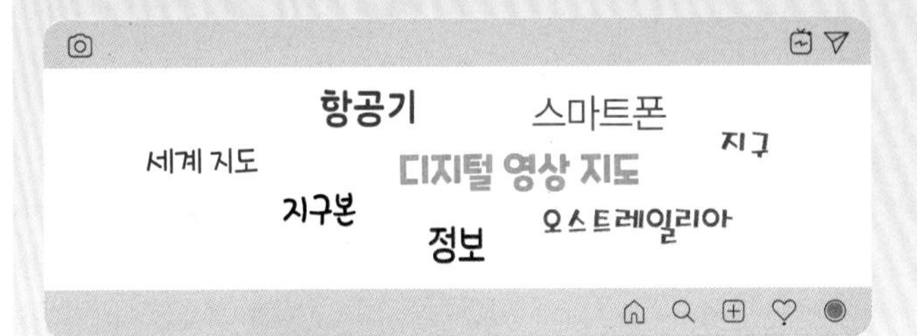

17 지구본의 특징을 쓰시오.

18 영국과 오스트레일리아의 세계 지도가 다른 까닭은 무엇인지 쓰시오.

▲ 영국의 세계 지도

▲ 오스트레일리아의 세계 지도

톡톡 튀는 이야기

영토 모양이 특이한 세계 여러 나라

세계 여러 나라의 영토 모양은 매우 다양합니다. 영토의 모양이 사물이나 동물의 모습을 닮은 독특한 나라들도 있습니다. 특이한 모양의 영토를 가진 나라들을 찾아봅니다.

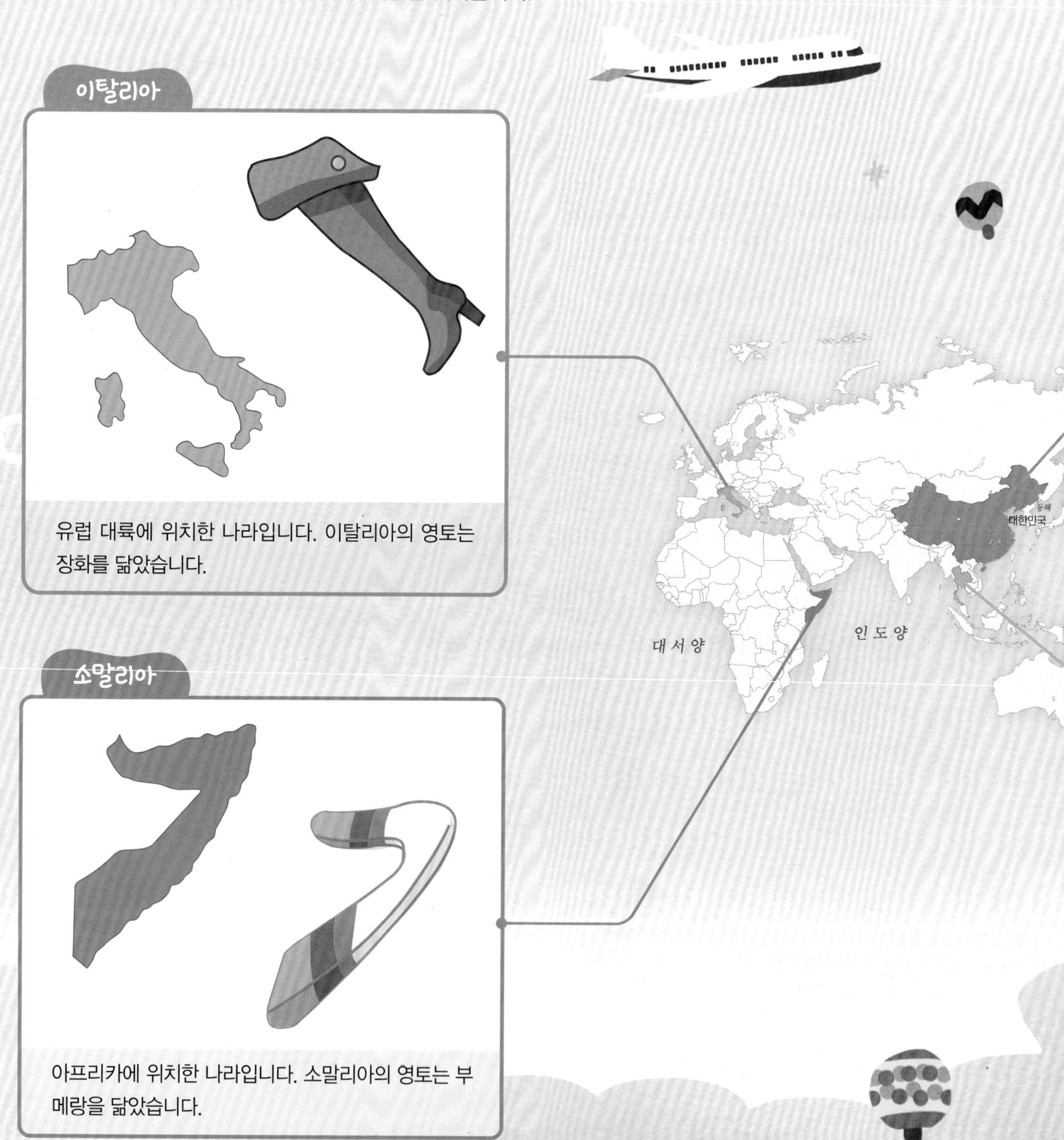

이탈리아

유럽 대륙에 위치한 나라입니다. 이탈리아의 영토는 장화를 닮았습니다.

소말리아

아프리카에 위치한 나라입니다. 소말리아의 영토는 부메랑을 닮았습니다.

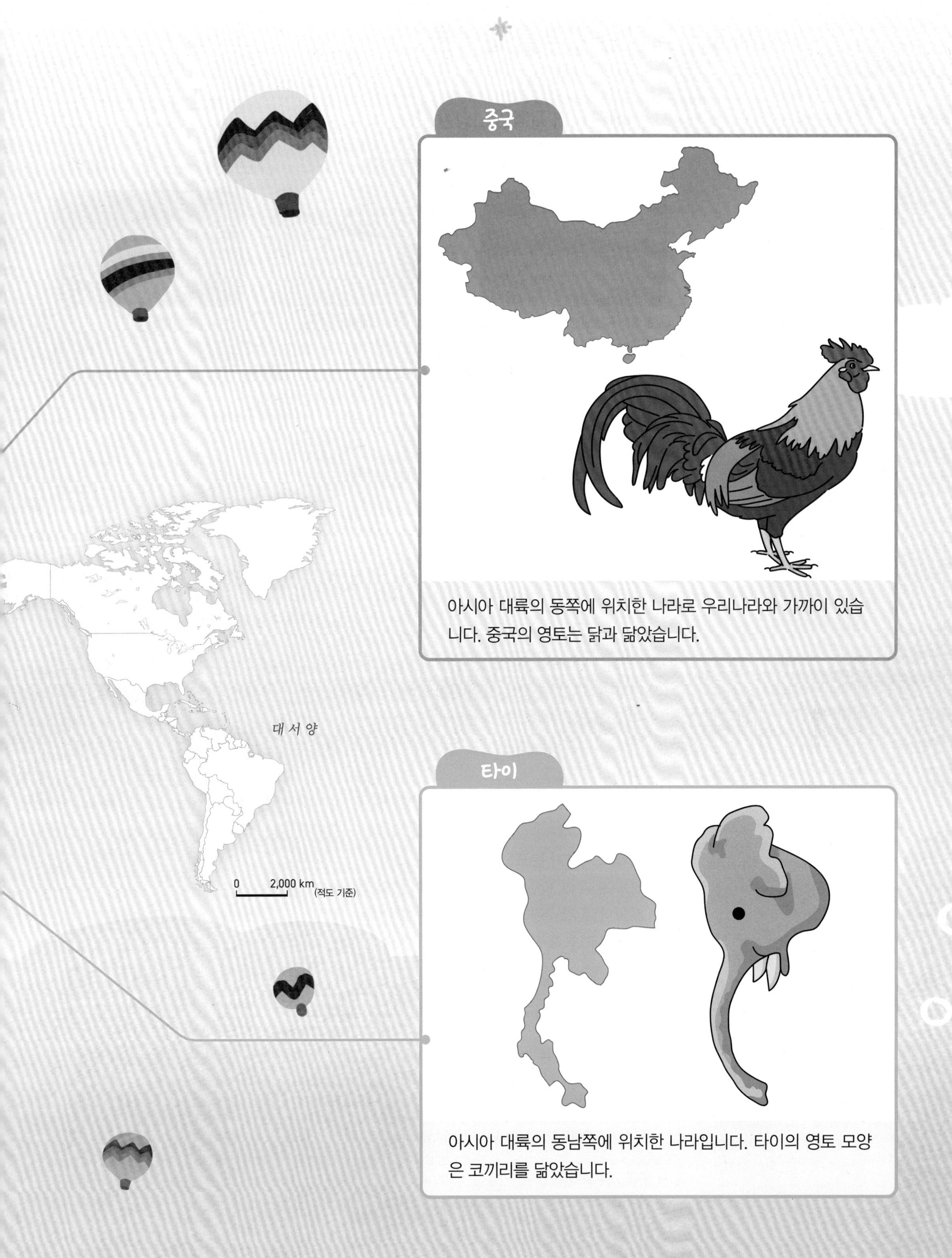

아시아 대륙의 동쪽에 위치한 나라로 우리나라와 가까이 있습니다. 중국의 영토는 닭과 닮았습니다.

아시아 대륙의 동남쪽에 위치한 나라입니다. 타이의 영토 모양은 코끼리를 닮았습니다.

세계의 다양한 기후를 알아볼까요?

보충 ❶

◉ **기후와 기후에 영향을 미치는 요인**

지구상의 어느 장소에서 1년을 주기로 매년 반복되는 대기의 종합 상태를 기후라고 한다. 기후를 구성하는 기온, 강수량, 바람 등의 기후 요소에는 위도, 해발 고도, 해류, 바다와 육지의 분포와 같은 기후 요인이 크게 영향을 미친다.

보충 ❷

◉ **위도별 햇빛의 양**

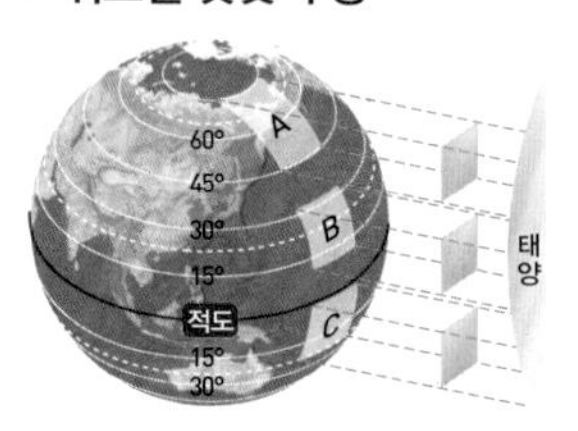

지구본을 보면 태양 에너지를 가장 많이 받는 지역과 태양 에너지를 가장 적게 받는 지역을 파악할 수 있다. 적도 부근은 태양열을 많이 받아 기온이 높고, 고위도로 갈수록 태양열이 적어져 기온이 낮아진다.

용어 사전

❶ **냉대 기후**(冷: 찰 랭, 帶: 띠 대, 氣: 기운 기, 候: 기후 후): 온대 기후와 한대 기후 사이에 발달하는 기후이다.

❷ **강수량**(降: 내릴 강, 水: 물 수, 量: 헤아릴 량): 비, 눈, 우박, 안개 등 일정 기간 동안 일정한 곳에 내린 물의 총량이다.

1 세계 여러 지역의 다양한 모습

(1) 세계 여러 지역의 모습 (속 시원한 활동 풀이)

▲ 열대 기후(초원)

▲ 건조 기후(모래사막)

▲ 온대 기후(가을)

▲ ❶냉대 기후(침엽수림)

▲ 한대 기후(빙하)

(2) 세계 여러 지역의 모습이 다른 까닭

① 기온이 다르기 때문이다.

② 비가 많이 오거나 적게 오기 때문이다.

③ 세계는 지역마다 다양한 기후가 나타나기 때문이다.

2 세계의 기후 분포

(1) 기후의 의미: 일정한 지역에서 오랜 기간에 걸쳐 나타나는 기온, 비, 눈, 바람 등의 평균 상태를 말한다.

(2) 기후를 구분하는 기준: 그 지역의 기온이나 ❷강수량으로 구분하고, 바람도 영향을 미친다. 보충 ❶

(3) 세계의 기후 분포: 적도 부근에서 고위도로 가면서 열대 기후, 건조 기후, 온대 기후, 냉대 기후, 한대 기후가 나타난다. (시험 대비 핵심 자료)

(4) 세계의 기후가 분포하는 까닭

① 위도에 따라 받는 햇빛의 양이 다르기 때문이다. 보충 ❷

② 지역마다 강수량과 증발량이 다르기 때문이다.

(5) 세계의 기후 특징

열대 기후	건조 기후	온대 기후
• 일 년 내내 기온이 높고 연 강수량이 많은 편임. • 건기와 우기가 나타나는 곳도 있음.	• 강수량보다 증발량이 많음. • 일 년 동안의 강수량을 합쳐도 500mm 이하로 비가 잘 내리지 않음.	• 기온이 온화하며 사계절이 비교적 뚜렷하게 나타남. • 계절별 강수량은 지역마다 차이가 있음.
냉대 기후	**한대 기후**	**고산 기후**
• 온대 기후처럼 사계절이 나타남. • 온대 기후보다 춥고 긴 겨울이 나타남.	• 일 년 내내 기온이 매우 낮음. • 평균 기온이 가장 높은 달도 10℃보다 낮음.	• 해발 고도가 높아 서늘한 기후가 나타남. • 월평균 기온이 15℃ 내외로 우리나라 봄철과 같음.

시험 대비 핵심 자료

● 세계의 기후 분포

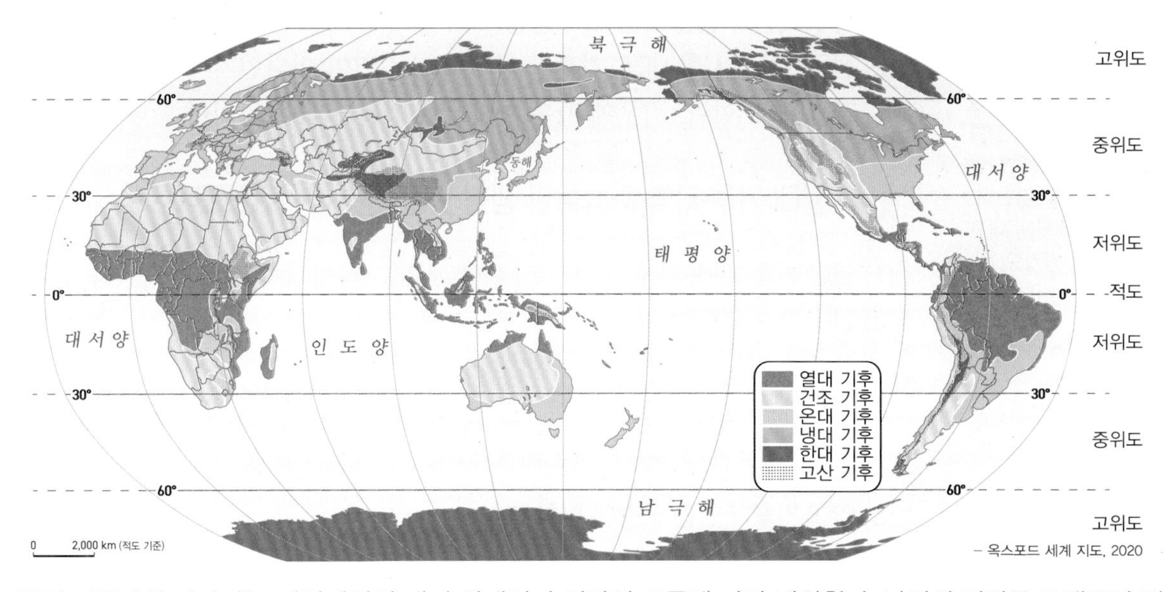

– 옥스포드 세계 지도, 2020

날씨는 특정 지역에서 나타나는 매일매일의 대기 상태이며 시간의 흐름에 따라 변화한다. 날씨의 변화를 오랫동안 관찰하면 그것이 일정한 주기를 가지고 규칙적으로 반복됨을 알 수 있다. 이와 같이 오랜 시간 동안의 날씨를 평균하여 일반화한 것을 기후라고 한다. 기후 구분 지도를 보면 적도를 중심으로 남북으로 가면서 열대 기후, 건조 기후, 온대 기후, 냉대 기후, 한대 기후가 대칭적으로 분포한다. 그리고 해발 고도가 높은 지역에서는 고산 기후도 나타난다.

속 시원한 활동 풀이

스스로 활동

1 다음 문장에서 옳은 내용을 골라 ○표해 봅시다.

- 적도 부근에서는 주로 ((㉠ 열대)/ ㉡ 한대) 기후가 나타난다.
- 극지방에서는 주로 (㉠ 온대 /(㉡ 한대)) 기후가 나타난다.

2 각 기후에 어울리는 모습의 사진을 36~37쪽에서 찾아보고 사진 제목을 완성해 봅시다.

예 (열대) 기후 초원, (건조) 기후 모래사막, (온대) 기후 가을, (냉대) 기후 침엽수림, (한대) 기후 빙하

확인 톡!톡!

정답과 해설 4쪽

1 일정한 지역에서 오랜 기간에 걸쳐 나타나는 기온, 비, 눈, 바람 등의 평균 상태를 일컫는 말은? ( )

2 기후는 그 지역의 기온이나 강수량, 바람 등으로 구분한다. (O | X)

3 세계의 기후가 다르게 분포하는 까닭은 ( )에 따라 받는 햇빛의 양이 다르기 때문이다.

기후에 따른 사람들의 생활 모습을 조사해 볼까요?(1)

❶ 기후 특성과 생활 모습 조사 (속 시원한 활동 풀이)

(1) 기후 특성과 생활 모습 조사 방법: 기후별 전문가를 정하여 조사한다.

(2) 전문가가 조사할 내용: 기후가 나타나는 지역이 어디인지 알아야 한다. 기후의 특성을 알아야 한다. 기후에 따른 사람들의 생활 모습을 알아야 한다.

❷ 열대 기후 지역 사람들의 생활 모습 (시험 대비 핵심 자료)

(1) 열대 기후 지역: 적도를 중심으로 한 저위도 지역에서 주로 나타난다.

(2) 열대 기후의 특성

① 적도와 가장 가까이 있는 지역의 기후이다.

② 계절의 변화가 거의 없으며, 연중 기온이 높고 연 강수량이 많은 편이다.

내용+ 우기와 건기가 번갈아 나타나며 초원이 넓게 나타나는 곳도 있다.

(3) 열대 기후가 인간 생활에 미친 영향

① 전통적으로 숲을 태워 화전 농업으로 얌, 카사바, 타로감자, 옥수수를 재배했다.

② 기름야자, 바나나, 커피, 카카오 등을 대규모로 재배하기도 한다. 보충 ❶

③ 밀림이 나타나며, 초원에는 사파리 관광 등 생태 ❶관광 산업이 발달했다.

▲ 대규모 작물 재배

▲ 사파리 관광 산업

❸ 건조 기후 지역 사람들의 생활 모습 (시험 대비 핵심 자료)

(1) 건조 기후 지역: 위도 20°~30° 일대와 바다에서 멀리 떨어진 지역에 주로 나타난다.

(2) 건조 기후의 특성

① 내리는 비의 양보다 증발하는 물의 양이 많다.

② 강수량이 적어 끝없이 펼쳐진 모래사막이 나타나는 곳이 있다. 보충 ❷

(3) 건조 기후가 인간 생활에 미친 영향

① 오아시스나 하천 주변을 중심으로 마을이 형성된다.

② 구하기 쉬운 진흙으로 벽이 두껍고 창문이 작은 집을 짓는다.

③ 초원 지역에서는 가축에게 먹일 물과 풀을 찾아 이동하는 ❷유목 생활을 한다.

▲ 사막에서의 이동

▲ 초원의 유목민

보충 ❶

◉ **플랜테이션**

열대 기후 지역에서 선진국이나 다국적 기업의 자본 및 기술과 원주민의 값싼 노동력이 결합되어 상품 작물을 대규모로 단일 경작하는 농업 방식을 말한다. 플랜테이션으로 경작되는 대표적인 작물에는 커피, 카카오, 차, 사탕수수, 천연고무, 바나나 등이 있다.

보충 ❷

◉ **사막**

건조 기후는 북회귀선과 남회귀선 주변에 나타나며 바다에서 멀리 떨어진 곳에 주로 나타난다. 바다 근처에 위치한 사막도 있는데, 한류의 영향을 받은 남아메리카의 아타카마 사막이 대표적이다.

용어 사전

❶ **관광 산업**(觀: 볼 관, 光: 빛 광, 産: 낳을 산, 業: 업 업): 관광객에게 교통, 숙박, 오락 등을 제공하는 산업을 말한다.

❷ **유목**(遊: 놀 유, 牧: 칠 목): 일정한 거처를 정하지 않고 물과 풀을 찾아 옮겨 다니면서 목축을 하며 사는 것을 말한다.

시험 대비 핵심 자료

● 열대 기후 지역

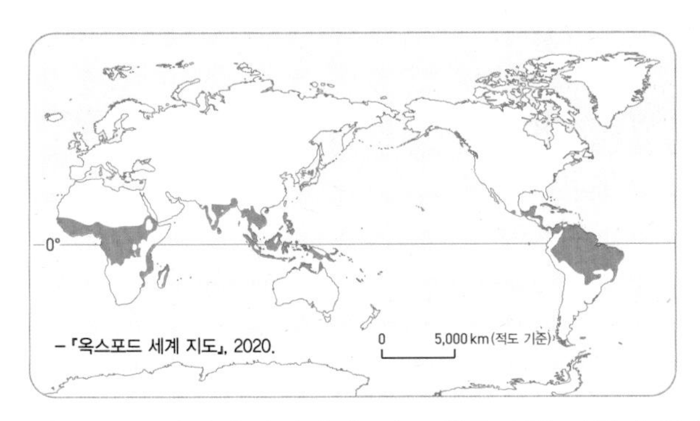

적도 부근 지역에 나타나며, 지구 생물의 반 이상이 열대 기후 지역에 살고 있을 정도이다. 열대 기후에는 일 년 내내 비가 많이 내리는 열대 우림 기후와 비가 오는 계절과 비가 오지 않는 계절의 구분이 뚜렷한 사바나 기후가 있다.

● 건조 기후 지역

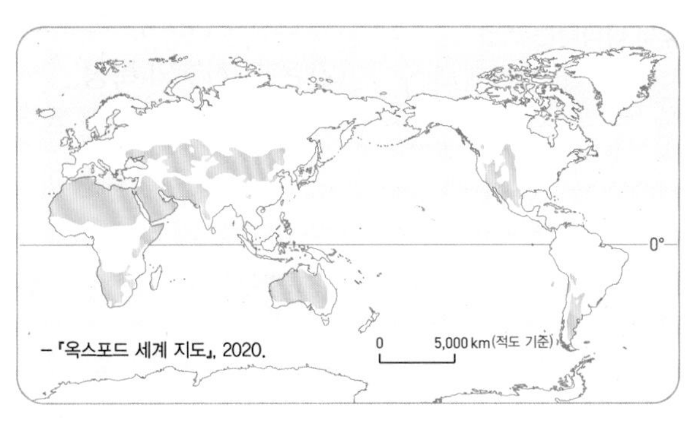

열대 기후 지역을 지나 회귀선에 가까워지면 건조 기후가 나타난다. 건조 기후에서는 강수량보다 증발량이 많아 식물이 자라기 어려워 주로 사막이나 키가 작은 풀들이 자라는 초원이 발달한다.

속 시원한 활동 풀이

다 함께 활동 세계 주요 기후의 특성과 이에 따른 사람들의 생활 모습을 조사해 봅시다.

예

기후	열대 기후	건조 기후
기후 특징	• 적도를 중심으로 한 저위도 지역에서 주로 나타남. • 햇빛이 강하고 비가 많이 내려 열대 식물이 빽빽한 밀림이 형성되어 있음. • 건기와 우기가 번갈아 나타나 초원이 넓게 펼쳐진 지역도 있음.	• 위도 20°~30° 일대와 바다에서 멀리 떨어진 곳에 나타남. • 건조 기후 지역에서는 사막이 형성되기도 함. • 사막 주변에는 짧은 풀이 자라는 초원이 발달하기도 함.
사람들의 생활 모습	• 전통적으로 화전 농업을 함. • 바나나, 기름야자, 커피 등의 작물을 대규모로 재배하기도 함. • 초원에서는 사파리 관광 등 생태 관광 산업도 발달하고 있음.	• 오아시스 주변에서는 마을이 형성되고 대추야자나 채소를 재배하기도 함. • 초원에서는 물과 풀을 찾아 이동하며 가축을 기르는 유목 생활을 함.

확인 톡!톡!

정답과 해설 4쪽

1 열대 기후 지역에서 비가 많이 오는 시기를 우기라고 한다. (O | X)

2 열대 기후 지역의 초원에서는 사파리 관광 등 (   ) 산업도 발달한다.

3 위도 20°~30° 일대와 바다와 멀리 떨어진 곳에는 (열대 , 건조) 기후가 나타난다.

기후에 따른 사람들의 생활 모습을 조사해 볼까요?(2)

4 온대 기후 지역 사람들의 생활 모습

(1) 온대 기후 지역: 중위도 지역에 주로 나타난다.

(2) 온대 기후의 특성

① 사계절이 비교적 뚜렷하고, 계절별로 기온과 강수량이 다르다. 보충 ①

② 서부 유럽은 여름과 겨울의 기온차가 크지 않고 연중 비가 고르게 내린다.

③ 지중해 지역은 고온 건조한 여름보다 겨울에 강수량이 많다.

내용+ 온대 기후는 지형, ❶해류, 바람 등의 영향으로 지역에 따라 기온과 강수량에 차이가 있다.

(3) 온대 기후가 인간 생활에 미친 영향

① 유럽과 아메리카에서는 주로 밀농사, 아시아에서는 벼농사를 주로 한다.

② 지중해 주변 지역에서는 올리브, 포도 등을 재배한다.

5 냉대 기후 지역 사람들의 생활 모습

(1) 냉대 기후 지역: 북반구 중위도와 고위도 지역에 널리 분포한다.

(2) 냉대 기후의 특성: 사계절이 있으나 겨울이 춥고 길며 연교차가 크다.

(3) 냉대 기후가 인간 생활에 미친 영향: 침엽수림이 널리 분포해 목재와 펄프를 많이 생산한다. 보충 ②

▲ 침엽수림

6 고산 기후 지역 사람들의 생활 모습

(1) ❷고산 기후 지역: 높은 산지에서 주로 나타난다.

(2) 고산 기후의 특성

① 위도가 같은 지역의 해발 고도가 낮은 지역에 비해 기온이 현저히 낮다.

② 일 년 내내 서늘하여 연교차가 작다.

(3) 고산 기후가 인간 생활에 미친 영향: 감자와 옥수수를 주로 재배하며, 사람들이 살기 좋아 일찍부터 고대 문명이 발달했다. 시험 대비 핵심 자료

7 한대 기후 지역 사람들의 생활 모습

(1) 한대 기후 지역: 고위도 지역인 북극해 주변과 남극 중심으로 나타난다.

(2) 한대 기후의 특성

① 일 년 내내 평균 기온이 매우 낮고 얼음과 눈이 덮여 있다.

② 짧은 여름이 나타나는 곳에서는 이끼류의 식물이 자라기도 한다.

내용+ 여름철에 지표가 녹으면서 송유관이 파손되는 것을 막기 위해 지면에서 띄워 거치대를 설치했다.

(3) 한대 기후가 인간 생활에 미친 영향 시험 대비 핵심 자료

① 사람들은 순록을 키우며 유목 생활을 한다. 보충 ③

② 이 지역의 자연환경을 연구하기 위한 여러 나라의 연구소나 기지가 있다.

보충 ①

◉ **사계절이 나타나는 까닭**

지구는 자전축이 기울어진 채 태양 주위를 공전한다. 따라서 지구의 위치에 따라 낮의 길이가 변화하며 계절의 변화가 나타난다.

보충 ②

◉ **침엽수림**

가늘고 뾰족한 잎을 가진 침엽수종으로 이루어진 숲을 말한다. 겨울이 길고 연 강수량이 적당한 전 세계의 곳곳에서 나타나며 주로 냉대 기후 지역에 분포한다.

보충 ③

◉ **순록**

아시아, 유럽, 북아메리카의 북극 지역에 서식하는 사슴과의 동물로 유목민들에게 길들여져 왔다. 인기 애니메이션 '겨울왕국'에 나와 어린이들에게 친숙하다.

용어 사전

❶ **해류**(海: 바다 해, 流: 흐를 류): 일정한 방향과 속도로 이동하는 바닷물의 흐름을 말한다.

❷ **고산**(高: 높을 고, 山: 메 산): 높은 산을 말한다.

시험 대비 핵심 자료

잉카 문명

▲ 마추픽추(페루)

안데스산맥의 고산 지역은 평균 기온 15℃ 이내로 항상 봄과 같은 날씨가 이어진다. 이 지역은 사람들이 살기 좋아 일찍부터 고대 문명이 발달했다. 그 중 페루 중남부 안데스산맥의 고지에 있는 마추픽추를 건설한 잉카 문명도 있다.

극지방의 생활 모습

▲ 남극 과학 기지

북극에서는 이누이트 등 소수 민족이 수렵하고 순록을 기르며 생활하고 있다. 두꺼운 빙하로 뒤덮인 남극은 펭귄과 같은 동물이 살고 있다. 최근 남극 대륙은 지하자원의 보고로 떠오르면서 많은 나라의 연구 기지가 세워지고 있다.

속 시원한 활동 풀이

다 함께 활동 세계 주요 기후의 특성과 이에 따른 사람들의 생활 모습을 조사해 봅시다.

예

기후	온대 기후	냉대 기후	고산 기후	한대 기후
기후 특징	• 사계절이 나타남. • 인구 밀도가 높음. • 지형, 해류, 바람 등의 영향으로 지역마다 기후에 차이가 있음.	• 북반구의 중위도와 고위도 지역에 분포함. • 겨울이 춥고 길. • 침엽수림이 널리 분포하고 있음.	• 높은 산지에서 나타남. • 같은 위도대의 해발 고도가 낮은 지역과 비교하면 기온이 현저히 낮음.	• 북극해 주변과 남극 중심으로 분포함. • 일 년 내내 영하의 기온이나 짧은 여름이 나타나는 곳도 있음.
사람들의 생활 모습	• 계절별 특성이 다양하게 나타남. • 지역에 따라 다양한 농업이 발달함.	• 여름에는 밀, 감자, 옥수수를 재배함. • 침엽수림을 이용해 목재를 생산함.	• 서늘한 기후를 이용해 감자나 옥수수와 같은 작물을 주로 재배함. • 고대 문명이 발달함.	• 순록을 키우며 유목 생활을 함. • 최근에는 이곳에 연구소나 기지를 세움.

잠깐! 확인해요

☐☐ 기후는 주로 고위도 지역인 북극해와 남극을 중심으로 나타난다. (한대)

확인 톡!톡!

정답과 해설 4쪽

1 온대 기후는 사계절이 비교적 뚜렷한 기후로 (중위도 , 고위도) 지역에 나타난다.

2 냉대 기후 지역에는 (   )이/가 널리 분포해 목재와 펄프를 많이 생산한다.

3 고산 기후 지역은 일 년 내내 평균 기온이 매우 낮고 얼음과 눈이 덮여 있다. (O | X)

기후와 사람들의 생활 모습이 어떤 관계에 있는지 정리해 볼까요?

1 기후가 인간 생활에 미치는 영향

(1) 기후와 인간 생활과의 관계: 기후에 따라 자연에서 얻을 수 있는 ❶자원이 다르기 때문에 사람들의 생활 모습도 다르게 나타난다. (시험 대비 핵심 자료)

(2) 사람이 살기 좋은 기후 지역

① 온대 기후 지역은 기온이 온화하고 사계절이 뚜렷하여 사람들이 많이 모여 살고 다양한 농업이 발달했다.

② 고산 기후 지역은 항상 봄과 같은 날씨로 사람이 살기 좋아 일찍부터 고대 문명이 발달했다. 보충 ❶

(3) 세계의 기후 분포

① 세계의 기후 특성: 적도에서 극지방으로 갈수록 기온이 점차 낮아진다.

② 세계의 기후 분포 특성: 적도에서 극지방으로 갈수록 열대 기후, 건조 기후, 온대 기후, 냉대 기후, 한대 기후가 분포해 있다.

③ 고산 기후는 해발 고도가 높은 곳에 나타난다.

보충 ❶

◉ **기후와 인간 문명**

열대 기후 지역이나 눈과 얼음으로 뒤덮인 극지방에서는 고대 문명이 발달하지 않았다. 인간 생활에 가장 적합한 기온은 18~20℃라고 한다. 고대 문명의 발상지와 오늘날 세계 주요 도시들이 연평균 등온선 21℃선 부근에 있다.

2 기후에 따른 사람들의 생활 모습 (속 시원한 활동 풀이)

기후	열대 기후	건조 기후	온대 기후
기후와 사람들의 생활 모습	• 계절의 변화가 거의 없으며 연중 기온이 높고 연강수량이 많은 편임. • 숲을 태워 농사지을 땅을 마련하기도 함.	• 내리는 비의 양보다 증발하는 물의 양이 더 많음. • 초원 지역에서는 가축에게 먹일 풀을 찾아 이동 생활을 함.	• 사계절이 뚜렷하고 계절별 기온과 강수량이 다름. • 다양한 농업 및 의식주 문화가 발달함.
기후	냉대 기후 보충 ❷	고산 기후	한대 기후
기후와 사람들의 생활 모습	• 온대 기후처럼 사계절이 있으나 겨울이 춥고 길. • 여름에는 밀, 옥수수, 감자 등 밭농사를 함. • 세계적인 산림 지대	• 일 년 내내 서늘하고 ❷연교차가 작아 살기 좋음. • 예로부터 고대 문명이 발달함.	• 일 년 내내 평균 기온이 매우 낮고 얼음과 눈이 덮여 있음. • 거주하기 어렵고, 연구소들이 있음.

보충 ❷

◉ **냉대 기후의 특징**

냉대 기후의 여름에는 밀, 옥수수 등 밭농사를 짓는다. 하지만, 겨울에는 농사를 지을 수 없고 나무만 울창해서 세계적인 산림 지대를 이루고 있다. 냉대 기후 지역에 있는 대규모의 침엽수림은 '타이가'라고 부른다.

용어 사전

❶ **자원**(資: 재물 자, 源: 근원 원): 인간 생활 및 경제 생산에 이용되는 원료로서의 광물, 산림, 수산물 등을 이르는 말이다.

❷ **연교차**(年: 해 년, 較: 견줄 교, 差: 다를 차): 1년 동안 측정한 기온, 습도 따위의 최댓값과 최솟값의 차이를 말한다.

시험 대비 핵심 자료

● 세계 주요 기후대의 생활 모습

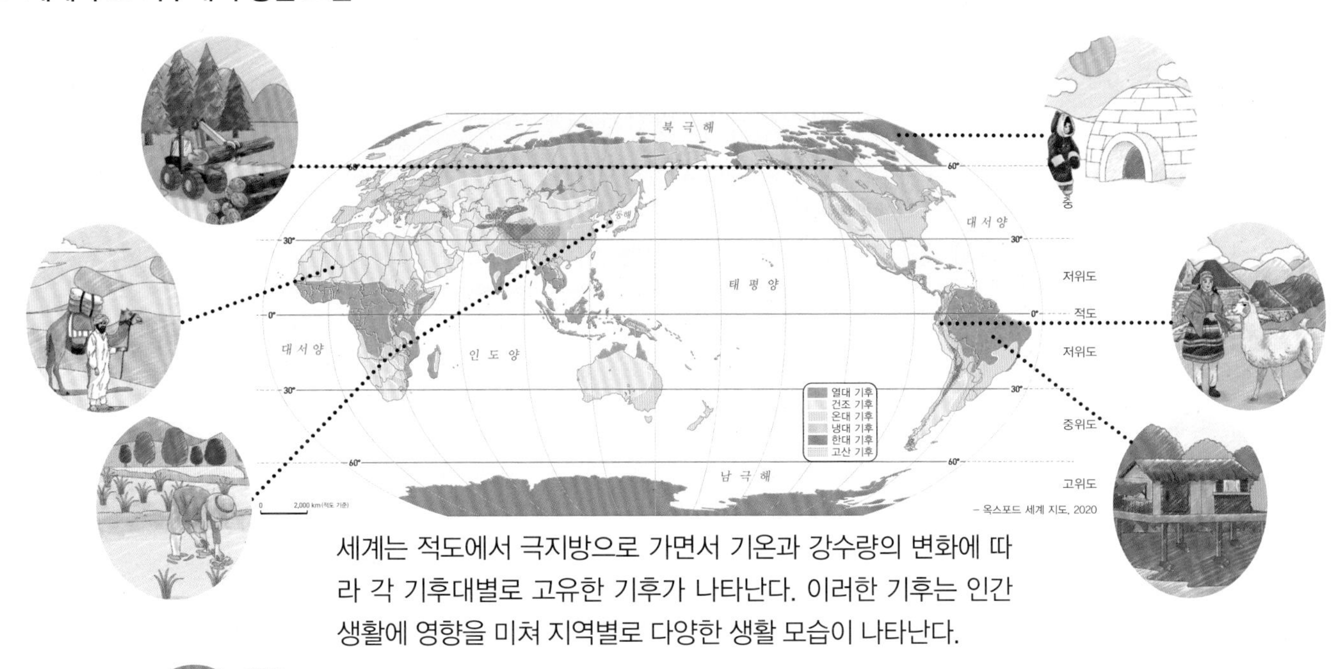

세계는 적도에서 극지방으로 가면서 기온과 강수량의 변화에 따라 각 기후대별로 고유한 기후가 나타난다. 이러한 기후는 인간 생활에 영향을 미쳐 지역별로 다양한 생활 모습이 나타난다.

속 시원한 활동 풀이

스스로 활동 기후에 따른 다양한 생활 모습을 색칠해 보고, 각 기후의 이름과 생활 모습을 붙임 딱지에 정리해 그림 카드 위에 붙여 봅시다.

예

열대 기후	
기후 특성	연중 기온이 높고 연 강수량이 많은 편임.
생활 모습	땅에서 올라오는 열기와 습기를 피하고 바람이 잘 통하게 하려고 바닥과 땅이 떨어지게 집을 지음.

잠깐! 확인해요

기후에 따라 서로 다른 생활 모습이 나타난다. (O | X)

확인 톡!톡!

정답과 해설 4쪽

1 기후에 따른 사람들의 생활 모습은 모두 똑같이 나타난다. (O | X)

2 기후는 (   )에서 극지방으로 가면서 열대 기후, 건조 기후, 온대 기후, 냉대 기후, 한대 기후가 나타난다.

3 일 년 내내 서늘하여 예로부터 고대 문명이 발달한 기후는 (고산 , 한대) 기후이다.

탐구해요

세계 여러 나라의 다양한 생활 모습을 조사해 볼까요?(1)

❶ 나라마다 다양한 생활 모습

(1) 세계 여러 나라의 생활 모습: 입는 옷, 먹는 음식, 사는 곳 등 생활 모습이 다양하다.

(2) 나라마다 다양한 생활 모습이 나타나는 까닭

① 지형, 기후와 같은 자연환경이 다르기 때문이다.

② 같은 자연환경이라도 종교, 전통, 문화와 같은 인문환경의 영향을 받아 독특한 생활 모습이 나타나기도 한다.

(3) 세계 여러 나라의 의생활 모습: 이란의 히잡, 인도의 사리, 그리스의 튜닉, 멕시코의 판초와 모자인 솜브레로 등이 있다. 보충 ❶

(4) 세계 여러 나라의 식생활 모습: 튀르키예의 케밥, 인도의 카레, 우리나라의 김치, 이탈리아의 피자, 베트남의 쌀국수, 멕시코의 토르티야, 영국의 피시앤드칩스 등이 있다.

(5) 세계 여러 나라의 주생활 모습: 몽골의 게르, 페루의 갈대 집, 그리스의 하얀 벽집, 모로코의 진흙집, 핀란드의 통나무집, 파푸아뉴기니의 ❶고상 가옥 등이 있다. 보충 ❷

❷ 의식주 생활에 특색 있는 나라

(1) 의생활 모습과 영향을 미치는 요인 (시험 대비 핵심 자료)

① 알래스카: 한대 기후 지역에서는 순록의 털과 가죽을 이용해 옷을 만들어 입는다.

② 멕시코: 챙이 넓은 전통 모자는 햇빛을 막기 위해서이다.

③ 알제리: 터번을 쓰는 이유는 강한 햇빛과 땅에서 올라오는 뜨거운 열기로부터 머리를 보호하기 위해서이다.

(2) 식생활 모습과 영향을 미치는 요인 (시험 대비 핵심 자료)

① 영국: ❷수산물이 풍부하고 감자 농사가 발달해 이를 이용한 음식을 즐겨 먹는다.

② 튀르키예: 양고기를 넣은 케밥을 먹는 이유는 돼지고기를 금기시하는 이슬람교의 영향 때문이다.

③ 인도: 종교의 영향으로 소고기를 피하고 닭고기를 이용한 음식을 많이 먹는다.

(3) 주생활 모습과 영향을 미치는 요인 (시험 대비 핵심 자료)

① 그리스: 전통 집의 벽 색깔이 하얀 이유는 태양을 반사해 집 내부를 시원하게 유지할 수 있기 때문이다.

② 몽골: 천막으로 집을 짓는 이유는 분해와 조립이 쉬워 가축과 함께 이동해야 하는 유목 생활에 유리하기 때문이다.

③ 파푸아뉴기니: 땅에서 올라오는 열기와 습기를 피하기 위해 바닥과 땅이 떨어지게 집을 짓는다.

▲ 그리스의 전통 가옥

▲ 파푸아뉴기니의 전통 가옥

보충 ❶

◉ 인도의 사리

인도 여성의 전통 복장인 사리는 길고 넓은 천 한 장으로 만들어졌다. 천의 한쪽은 허리에 감아 매고, 다른 한쪽은 어깨에 걸쳐 밑으로 늘어뜨려 입는다. 그리고 두르는 방법에 따라 입는 방법이 다양하다.

보충 ❷

◉ 냉대 기후의 통나무집

통나무집은 삼림이 풍부한 북유럽이나 북아메리카 지역에서 많이 볼 수 있다. 통나무집은 오래 사용할 수 있고 습기에 강하다.

용어 사전

❶ **고상 가옥**(高: 높을 고, 床: 평상 상, 家: 집 가, 屋: 집 옥): 가옥이 지면으로부터 떨어져 지어진 집을 말한다.

❷ **수산물**(水: 물 수, 産: 낳을 산, 物: 물건 물): 바다나 강 등의 물에서 나는 산물을 말한다.

시험 대비 핵심 자료

● 특색 있는 의식주

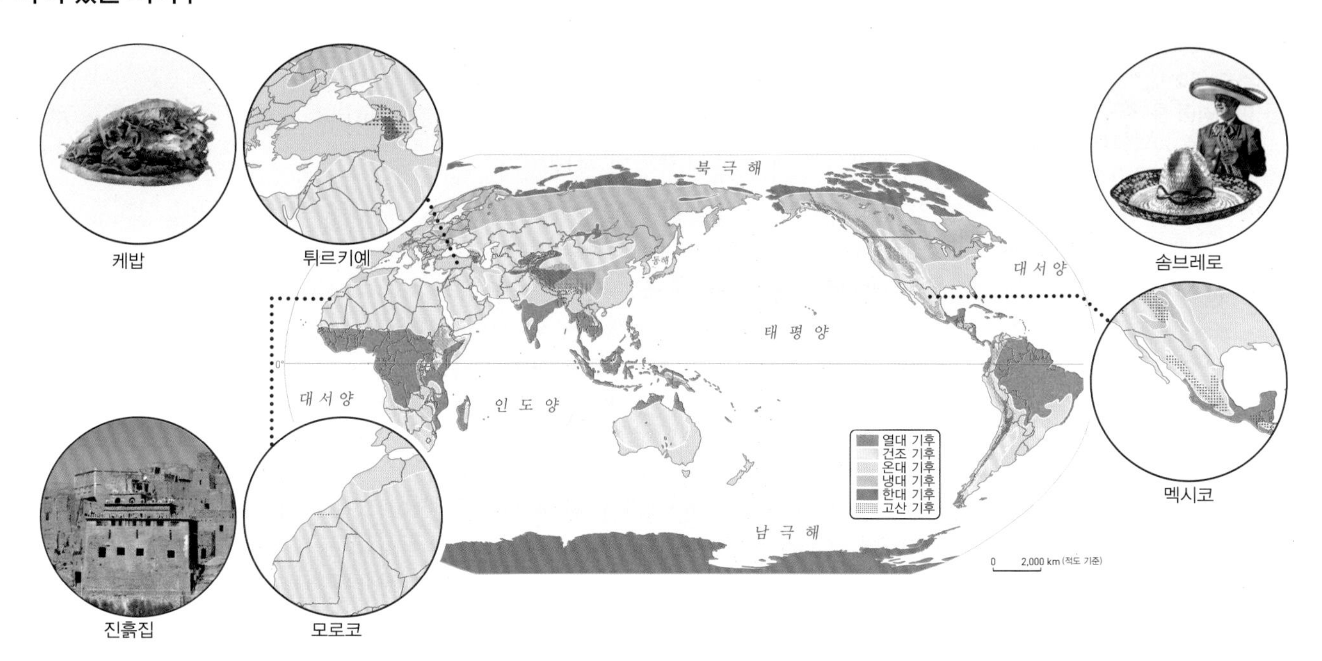

의(衣) 멕시코

소개 솜브레로는 챙이 넓은 멕시코의 전통 모자이다. 판초는 가운데에 난 구멍으로 머리를 넣어서 입는 멕시코의 전통 의상이다.

영향을 준 요인 햇빛이 강렬한 멕시코에서는 모자로 그늘을 만들기 위해 챙이 넓은 모자를 쓴다. 멕시코의 전통 복장은 낮에는 뜨거운 햇빛을 막고, 밤에는 추위를 막는 데 적합하다.

식(食) 튀르키예

소개 케밥은 얇게 썬 고기 조각을 구워 먹는 튀르키예의 대표적인 요리이다. 튀르키예에서는 주로 양고기로 케밥을 만든다.

영향을 준 요인 초원 지대와 사막 지역에서 유목 생활을 하던 유목민들이 육류를 쉽고 간단하게 조각내어 구워 먹던 것에서 발달했다.

주(住) 모로코

소개 나무를 구하기가 쉽지 않아서 사막에서 구하기 쉬운 진흙으로 집을 짓는다.

영향을 준 요인 비가 거의 내리지 않으므로 지붕을 평평하게 만든다. 일교차가 크고 건조하기 때문에 벽은 두껍고 창문을 작게 만든다. 이는 한낮의 바깥 열기가 집 안으로 들어오지 못하게 하고, 밤에는 집 안의 온기가 밖으로 나가지 못하게 한다. 또한 그늘이 생기게 집들을 촘촘하게 붙여서 짓는다.

확인 톡!톡!

정답과 해설 4쪽

1 알제리 사람들이 (터번 , 솜브레로)을/를 쓰는 이유는 강한 햇빛과 땅에서 올라오는 뜨거운 열기로부터 머리를 보호하기 위해서이다.

2 주로 얇게 썬 양고기 조각을 구워 먹는 (   )은/는 튀르키예의 대표적인 음식이다.

3 그리스의 하얀 벽은 강한 햇빛을 반사시켜 내부를 시원하게 유지시켜 준다. (O | X)

세계 여러 나라의 다양한 생활 모습을 조사해 볼까요?(2)

③ 세계 여러 나라의 특색 있는 의식주 생활 조사 방법 (속 시원한 활동 풀이)

(1) **주제 정하기:** 특색 있는 의식주 생활을 찾아 질문을 만듭니다. → 예 몽골에서 천막으로 집을 짓는 이유는 무엇일까?
(2) **조사하기:** 책이나 인터넷 자료를 활용해 답을 찾는다. → 예 유목 생활을 하는 몽골 사람들에게 적합한 ❶주거 형태이다.
(3) **결과 정리하기:** 사람들의 의식주 생활에 영향을 미치는 요인을 찾아 정리한다.

④ 주생활 – 몽골의 게르

(1) **게르:** 몽골 유목민들이 사는 전통 가옥이다.
(2) **게르의 특징**
① 분해와 조립이 쉬워 가축과 함께 이동해야 하는 유목 생활에 유리하다.
② 출입문은 남쪽으로 내고 집 가운데에는 ❷난방 시설을 둔다.
(3) **몽골의 게르에 영향을 준 요인**
① 겨울이 길고 비가 적게 내려 농사짓기가 어렵기 때문에 초원에서 유목 생활을 하고, 이동하기 편리한 천막 형태의 집을 지었다. 보충❶
② 더 많은 햇볕을 받으려고 항상 남쪽으로 향하게 출입문을 만든다.

⑤ 의생활 – 알제리 터번

(1) **터번:** 건조 기후 지역 사람들이 사용하는 머리 장식이다. 보충❷
(2) **터번의 특징:** 얇고 긴 천에 주름을 잡으면서 머리에 둘러 감는다.
(3) **알제리의 터번에 영향을 준 요인:** 건조 기후 지역에 내리쬐는 강렬한 햇볕과 땅에서 올라오는 뜨거운 열기로부터 머리를 보호하기 위해 터번을 쓴다.

⑥ 식생활 – 튀르키예의 케밥

(1) **케밥:** 양고기, 소고기 등의 얇게 썬 조각을 불에 구워 채소와 함께 먹는 튀르키예의 대표적인 요리이다.
(2) **케밥의 특징:** 유목 생활을 하던 유목민들이 육류를 쉽고 간단하게 먹기 위해 조각내어 구워 먹던 것에서 발전했다.
(3) **튀르키예의 케밥에 영향을 준 요인:** 돼지고기를 금기시하는 이슬람교의 영향으로 국민 대다수가 이슬람교 신자인 튀르키예에서는 주로 양고기로 만든 케밥을 먹는다.

내용+ 종교는 음식 문화에 영향을 미치기도 한다. 국민 대다수가 힌두교를 믿는 인도 사람들은 종교의 영향으로 소고기가 들어간 음식을 피하고 닭고기를 이용한 음식을 많이 먹는다.

⑦ 의식주 생활에 영향을 미치는 요인

(1) **자연환경:** 지형, 기후 등과 같은 자연환경이다. → 예 베트남의 쌀국수, 파푸아뉴기니의 고상 가옥 등이 있다. 보충❸
(2) **인문환경:** 종교, 풍습 등과 같은 인문환경이다. → 예 이슬람교를 믿는 튀르키예 사람들은 주로 양고기로 케밥을 만들어 먹는다.

보충 ❶

◉ **가옥의 건축 재료**
냉대 기후 지역에서는 침엽수림 목재를 이용하여 통나무집을 짓는다. 열대 기후 지역에서는 활엽수림이나 대나무를 이용하여 만든 개방적인 구조의 고상식 가옥이 나타난다. 북극권에서는 흔히 구할 수 있는 얼음을 이용해 이글루를 만든다. 사막에서는 나무가 귀해 흙집을 짓는다.

보충 ❷

◉ **터번**
건조 기후 지역 사람들이 사용하는 머리 장식이다. 터번을 감아올린 모습이 튤립 모양을 닮았기 때문에 튤립의 어원은 터번에서 유래되었다고 한다.

▲ 알제리의 터번

보충 ❸

◉ **아오자이와 논**
아오자이는 '긴 옷'이라는 뜻으로 현대에는 주로 여성이 입는 옷을 가리킨다. 옆이 트인 긴 상의와 품이 넉넉한 바지로 구성되어 있다. 논은 원뿔형 모자로 햇볕을 가리고 비를 피하는 데 사용한다.

용어 사전

❶ **주거**(住: 살 주, 居: 살 거): 일정한 곳에 머물러 살거나 또는 그런 집을 말한다.
❷ **난방**(暖: 따뜻할 난, 房: 방 방): 실내의 온도를 높여 따뜻하게 하는 일을 말한다.

속 시원한 활동 풀이

스스로 활동 세계 여러 나라의 특색 있는 의식주 생활을 조사하고, 그러한 생활 모습이 나타나는 까닭을 발표해 봅시다.

주제 정하기	특색 있는 의식주 생활을 찾아 질문을 만듭니다. 예 • 그리스 산토리니의 전통 집의 벽 색깔이 하얀 까닭은 무엇일까요? • 알제리 사람들이 터번을 쓰게 된 까닭은 무엇일까요? • 베트남 사람들이 쌀국수를 많이 먹는 까닭은 무엇일까요? • 멕시코 사람들이 챙이 넓은 모자를 쓰는 까닭은 무엇일까요? • 파푸아뉴기니 사람들이 고상 가옥에 사는 까닭은 무엇일까요?
조사하기	책이나 인터넷 자료를 활용해 답을 찾습니다. 예 • 벽 색깔이 하얀 것은 태양을 반사해 집 내부를 시원하게 유지할 수 있기 때문이다. • 터번은 햇빛과 열기로부터 머리를 보호하기 위해 쓴다. • 베트남은 고온 다습하여 1년에 2~3번의 쌀 수확이 가능해 쌀을 이용한 음식이 발달했다. • 햇볕이 강렬한 멕시코에서는 모자로 그늘을 만들기 위해 챙이 넓은 모자를 쓴다. • 고상 가옥에서 사는 것은 땅에서 올라오는 열기와 습기를 피하기 위해서이다.
결과 정리하기	사람들의 의식주 생활에 영향을 미치는 요인을 찾아 정리합니다. 예 • 소개: 파푸아뉴기니의 고상 가옥은 열대 우림 기후가 나타나는 지역에서 볼 수 있는 가옥 구조이다. • 영향을 준 요인: 열대 우림 기후 지역에서 쉽게 구할 수 있는 나무와 풀로 집을 짓는다. 땅에서 올라오는 열기와 습기를 피하고 바람이 잘 통하게 하려고 나무 기둥을 세우고 바닥이 땅으로부터 떨어지게 집을 짓는다. 창문도 많이 만들고 지붕은 빗물이 고이지 않도록 경사가 가파르게 만든다.

잠깐! 확인해요

세계 여러 나라의 의식주 생활 모습은 □□□□와/과 인문환경의 영향을 받는다. (자연환경)

확인 톡!톡!

정답과 해설 4쪽

1 몽골 유목민들이 사는 전통 가옥으로 이동하기 편리한 천막 형식의 집은 (   )이다.

2 베트남은 고온 다습하여 1년에 2~3번의 수확이 가능한 (쌀 , 밀)을 이용한 음식이 발달했다.

3 사람들의 생활 모습은 그들이 사는 자연환경과 인문환경의 영향을 받는다. (O | X)

다양한 생활 모습이 공존하는 세계 모습을 표현해 볼까요?

보충 ①

◉ **시에스타**

'시에스타'는 에스파냐, 그리스 등에서 볼 수 있는 낮잠을 자는 풍습이다. 남부 유럽의 에스파냐는 낮이 길며 한낮에는 매우 더워 사람들이 활동하기 어렵다. 사람들은 점심 식사 후 한두 시간 동안 낮잠을 자거나 휴식을 취하고 상점이나 음식점 등은 문을 닫기도 한다.

보충 ②

◉ **문화 상대주의**

문화의 다양성을 인정하고 한 사회의 문화를 그 사회가 처한 특수한 환경과 역사적·사회적 맥락 속에서 이해하려는 태도이다. 즉, 그 문화를 공유한 사람들의 입장에서 문화를 바라보고 이해하는 태도이다.

1 세계의 다양한 문화 탐색

(1) 세계 여러 나라: 세계 여러 나라에는 우리와 다른 생활 모습이 나타난다.

(2) 다양한 생활 모습이 공존하는 ❶지구촌: 세계 여러 나라의 생활 모습은 환경에 따라 다양하며 고유한 가치를 지니고 있다.

(3) 지구촌의 다양한 생활 모습

① 나라마다 전통 의상이 다르다.

② 나라마다 음식의 재료도 다르고, 음식을 먹는 방법도 다르다.

③ 나라마다 집을 짓는 재료도 다르고, 집의 모양도 다르다.

2 다양한 생활 모습이 공존하는 세계 모습을 표현하는 방법

❶ 세계 지도 위에 세계 여러 나라의 전통 의상과 집, 음식 등을 배치하며 다양한 생활 모습이 공존하는 세계 모습을 표현해 본다.

❷ 세계의 다양한 생활 모습을 표현하며 느낀 점을 이야기해 본다.

❸ 세계 여러 나라의 다양한 생활 모습을 존중하는 태도를 이야기해 본다.

3 다양한 생활 모습이 공존하는 세계 모습 표현 (속 시원한 활동 풀이)

(1) 세계 여러 나라의 다양한 생활 모습

① 영국이나 일본의 자동차 운전석은 오른쪽에 있다.

② 에스파냐, 그리스 등에서는 낮잠을 자는 풍습이 있다. 보충 ①

③ 유럽, 아메리카에서는 음식을 먹을 때 포크와 칼을 사용한다.

(2) 세계 여러 나라의 생활 모습이 다른 까닭

① 세계 여러 나라의 자연환경이 다양하기 때문이다.

② 같은 자연환경이라도 인문환경이 다르게 나타나기 때문이다.

▲ 일본의 자동차 운전석

▲ 포크와 칼을 사용하는 경우

▲ 맨손으로 먹는 경우

(3) 세계 여러 나라의 생활 모습을 대할 때 가져야 할 바람직한 태도

① 각 나라의 생활 모습이 다양함을 알아야 한다. 보충 ②

② 서로 다른 모습을 이해하고 존중해야 한다.

③ ❷입장을 바꿔 생각할 수 있어야 한다.

용어 사전

❶ **지구촌**(地: 땅 지, 球: 공 구, 村: 마을 촌): 지구 전체를 한 마을처럼 여겨 이르는 말이다.

❷ **입장**(立: 설 립, 場: 마당 장): 바로 눈앞에 처해 있는 상황을 말한다.

속 시원한 활동 풀이

다양한 생활 모습이 공존하는 세계 모습을 표현해 보기

▲ 세계 여러 나라의 전통 의상, 집, 음식

예

그리스	여름에 매우 무덥고 건조한 날씨이다. 그래서 뜨거운 햇빛을 반사하기 위해 벽을 흰색으로 칠하고 햇빛이 많이 들어오지 않도록 창문을 작은 크기로 만들며, 주택과 주택의 간격을 좁게 해 그늘을 최대한 확보한 독특한 주생활 모습이 나타난다.
튀르키예	소고기, 양고기 등을 꼬챙이에 꽂아 굽는 요리인 케밥이 유명하다.
멕시코	강렬한 햇빛을 가릴 수 있는 챙이 넓은 모자인 '솜브레로'를 즐겨 쓴다. 이들은 햇살이 쏟아지는 낮에 솜브레로로 얼굴을 가리고 시에스타(Siesta, 낮잠)를 즐기기도 한다.
파푸아뉴기니	땅에서 올라오는 열기와 습기를 피하기 위해 바닥과 땅이 떨어지게 집을 짓는다.

확인 톡!톡!

정답과 해설 4쪽

1 세계의 나라마다 음식 재료나 음식을 먹는 방법이 다르다. (O | X)

2 세계 여러 나라의 생활 모습은 (생각 , 환경)에 따라 다양하며 고유한 가치를 지니고 있다.

3 세계 여러 나라 사람들이 어울려 살기 위해서는 서로 다른 모습을 (   )하고 존중해야 한다.

교과서 55쪽

'세계의 다양한 삶의 모습'에서 배운 내용을 떠올리며 바르게 설명한 창문의 번호를 열쇠의 빈칸에 순서대로 써 비밀번호를 알아봅시다.

핵심 꿀꺽 질문

세계 여러 나라의 기후 분포와 기후에 따른 생활 모습을 설명할 수 있나요?

환경에 따라 달라지는 의식주 생활 모습을 조사할 수 있나요?

세계 여러 나라의 다양한 생활 모습을 이해하고 존중하는 태도를 갖게 되었나요?

1 단원

1 다음 설명에 해당하는 단어를 쓰시오.

일정한 지역에서 오랜 기간에 걸쳐 나타나는 기온, 비, 눈, 바람 등의 평균 상태를 말한다.

중요
2 빈칸 ㉠, ㉡에 들어갈 알맞은 말을 쓰시오.

- 지역 간의 기온 차에 가장 큰 영향을 주는 요인은 ㉠ 이다.
- 적도 부근은 태양열을 많이 받아 기온이 높고, ㉡ 로 갈수록 태양열이 적어져 기온이 낮아진다.

㉠:

㉡:

3 다음과 같은 사진을 찍을 수 있는 기후 지역은 어느 곳입니까? ( )

① 온대 기후 ② 건조 기후
③ 냉대 기후 ④ 열대 기후
⑤ 고산 기후

4 다음 설명에 해당하는 기후를 쓰시오.

따뜻하고 사계절이 비교적 뚜렷하다. 계절별 강수량은 지역마다 차이가 있다. 우리나라의 대부분의 지역은 이 기후에 속한다.

[5-6] 다음 지도를 보고 물음에 답하시오.

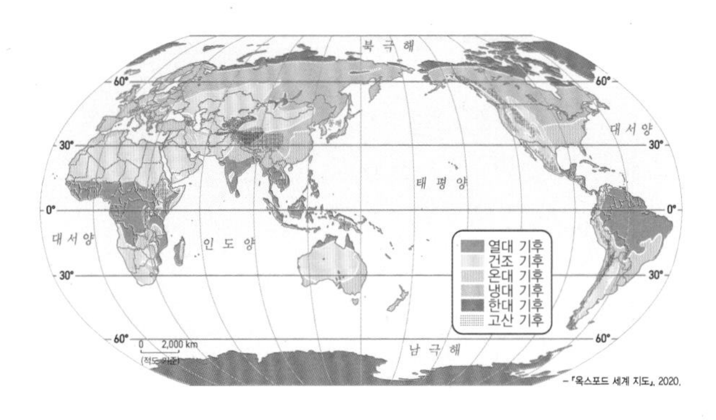

5 위 지도를 참고하여 고위도 지방에서 주로 나타나는 기후를 두 가지 쓰시오.

중요
6 위 지도의 고산 기후에 대한 설명으로 알맞은 것은 어느 것입니까? ( )

① 기온이 온화하며 사계절이 뚜렷하다.
② 해발 고도가 낮은 지역에서 나타난다.
③ 강수량보다 증발량이 많은 지역에서 나타난다.
④ 온대 기후보다 기온이 낮으며 추운 날씨가 계속된다.
⑤ 기후 변화가 크지 않고 일 년 내내 서늘한 기후가 나타난다.

7 열대 기후의 특징으로 알맞지 않은 것은 어느 것입니까? ( )

① 계절의 변화가 거의 없다.
② 건기는 전혀 나타나지 않는다.
③ 연중 기온이 높고 강수량이 많다.
④ 적도를 중심으로 한 저위도 지역에서 주로 나타난다.
⑤ 햇볕이 강하게 내리 쬐어 열대 식물들이 밀림을 이룬다.

8 지도의 A 기후 지역에서 볼 수 있는 것을 보기 에서 골라 기호를 쓰시오.

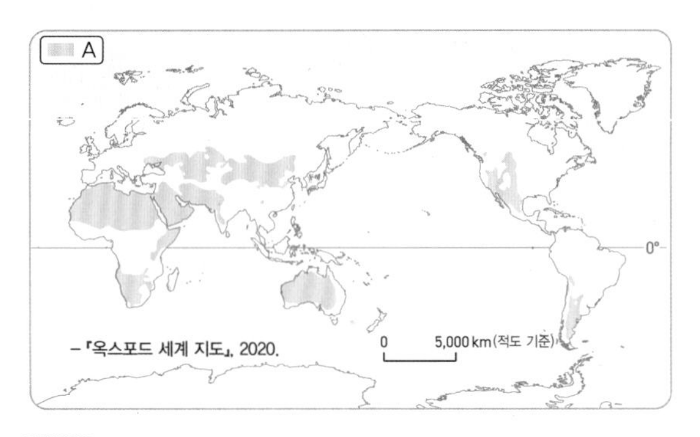

–『옥스포드 세계 지도』, 2020.

보기
㉠ 사막 ㉡ 진흙집
㉢ 오아시스 ㉣ 올리브 농장

9 빈칸에 들어갈 말로 알맞은 것은 어느 것입니까? ( )

이집트의 나일강과 같은 하천이나 오아시스 주변에서는 사람들이 [ ](이)나 채소를 재배하기도 한다.

① 밀 ② 벼
③ 옥수수 ④ 카사바
⑤ 대추야자

10 열대 기후 지역에서 발달한 산업을 보기 에서 골라 기호를 쓰시오.

보기
㉠ 공업 ㉡ 목축업
㉢ 화전 농업 ㉣ 생태 관광 산업

11 온대 기후 지역에 대한 설명으로 알맞지 않은 것은 어느 것입니까? ( )

① 온대 기후 지역은 사계절이 비교적 뚜렷하다.
② 온대 기후는 계절별로 기온과 강수량이 달라진다.
③ 지중해 주변의 온대 기후 지역은 여름보다 겨울에 강수량이 많다.
④ 온대 기후는 주로 위도 20° 일대와 바다에서 멀리 떨어진 지역에서 많이 나타난다.
⑤ 같은 온대 기후라도 지형, 해류, 바람 등의 영향으로 지역에 따라 기후 차이도 나타난다.

12 사진과 같은 자연환경을 주로 볼 수 있는 기후를 쓰시오.

13 사진과 같은 유적지를 볼 수 있는 지역의 기후는 어느 것입니까? ( )

① 열대 기후 ② 건조 기후
③ 온대 기후 ④ 고산 기후
⑤ 한대 기후

중요

14 ㉠, ㉡과 같은 사진을 찍을 수 있는 기후 지역을 각각 쓰시오.

㉠ 

㉡ 

15 자연환경의 영향으로 나타나는 의식주 생활 모습이 아닌 것은 무엇입니까? ( )

① 몽골의 게르
② 베트남의 쌀국수
③ 영국의 피시앤드칩스
④ 튀르키예의 양고기 케밥
⑤ 멕시코의 챙이 넓은 모자

16 다음 그림과 관련 있는 내용을 찾아 보기 에서 골라 기호를 쓰시오.

보기
㉠ 연중 기온이 높고, 강수량이 많은 기후
㉡ 일 년 내내 서늘하여 연교차가 작은 기후
㉢ 여름철 햇빛이 강하고 뜨거우며 건조한 기후

워드 클라우드와 함께하는 서술형 문제

[17-18] 워드 클라우드의 단어를 이용하여 서술형 문제의 답을 쓰시오.

생활 모습 종교 지형 기후 건조 기후 냉대 기후 한대 기후 풍습 고산 기후 열대 기후 온대 기후 자연환경 의식주 인문환경

17 알제리 사람들이 다음과 같이 터번을 쓰는 이유를 기후 특징과 관련지어 쓰시오.

18 튀르키예 사람들이 주로 양고기 케밥을 먹는 이유를 간략하게 쓰시오.

톡톡 튀는 이야기

세계 여러 나라의 다양한 축제

세계 여러 나라의 의식주 생활 모습이 다양하듯이 축제의 모습도 다양하게 나타납니다. 세계적으로 유명한 축제를 알아봅니다.

독일 뮌헨 옥토버페스트

유럽에서 가장 유명한 축제로, 우리나라의 추석처럼 한 해 열심히 농사지은 것에 대한 수고를 잊고 즐기는 축제입니다. 10월을 뜻하는 'October'와 축제라는 뜻의 'Fest'가 합해진 말이 바로 '옥토버페스트' 입니다. 음악과 춤, 그리고 독일의 전통 맥주가 어우러진 이 축제는 수천 명이 들어갈 수 있는 천막촌이 들어서게 되고, 뮌헨 시내의 맥주집과 광장은 유럽에서 가장 즐거운 맥주 축제의 장소가 됩니다.

스페인 토마토 축제

'라 토마티나'라고 불리는 이 축제는 서로에게 토마토를 던지며 즐기는 행사입니다. 토마토 축제는 스페인 발렌시아 지방의 소도시 부뇰에서 매년 8월 마지막 주 수요일 오전 11시부터 오후 1시까지 2시간 동안 열립니다. 발렌시아 지방은 온대 기후 중 지중해성 기후로 과일과 채소가 잘 자라고 토마토가 특히 많이 난다고 합니다. 그런데 1944년 토마토 값이 폭락하자 부뇰의 농부들이 항의의 표시로 시 의원들에게 토마토를 던졌던 사건에서 이 축제가 유래했다고 합니다.

일본 삿포로 눈 축제

일본의 삿포로 지역은 눈이 매우 많이 오는 자연환경입니다. 한번 눈이 내리면 우리의 키를 훨씬 넘는 정도로 온다고 하니 정말 많이 오지요? 이러한 자연환경을 이용해서 삿포로 지역에서는 매년 2월 눈 축제를 엽니다. 눈 축제는 일주일 간 개최되는데 세계 곳곳의 눈, 얼음 조각가들이 다양한 눈 조각상을 만들고 음악회, 스키 쇼, 눈의 여왕 선발 대회 등의 각종 행사를 합니다. 중국의 하얼빈 빙등제, 캐나다의 윈터 카니발과 함께 세계 3대 겨울 축제로 불립니다.

브라질 리우 카니발

매년 2월 말에서 3월 초의 나흘 동안 열리는 이 축제의 하이라이트는 삼바 퍼레이드입니다. 삼바 무용수들이 퍼레이드를 할 수 있도록 설계된 거리를 '삼바드로모'라고 하는데, 이 거리를 약 6만 명 정도 되는 사람들이 행진하며 춤을 춘다니 어느 정도의 열기일지 상상이 되지요? 해마다 리우 카니발이 열릴 때면 전 세계에서 약 6만 명의 관광객이 찾아 온다고 합니다.

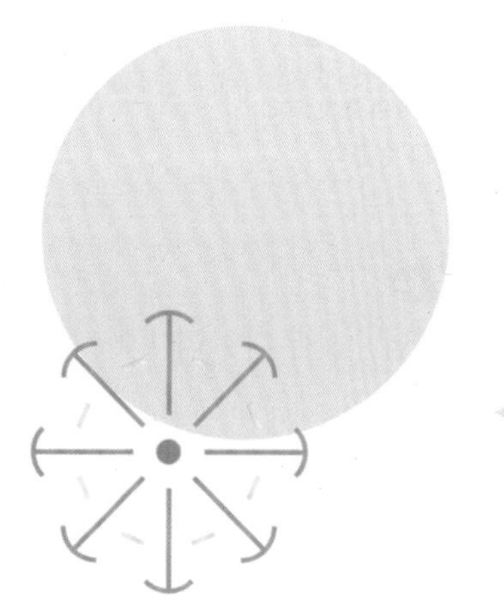

우리나라와 가까운 나라들을 알아볼까요?

1 우리나라와 가까운 나라 찾아보기

(1) 우리 주변에서 볼 수 있는 우리나라와 가까운 나라의 모습

① 건물 전광판 뉴스에서 한미 정상 ❶회담 모습을 볼 수 있다.
② 중국 유학생, 베트남 음식점을 볼 수 있다.
③ 영화관에서 상영하는 인도 영화를 볼 수 있다.
④ 인도네시아에서 생산된 가구를 볼 수 있다.

(2) 우리나라와 가까운 나라 정리하기

① 우리 생활에 영향을 미치는 나라: 미국, 중국, 일본, 러시아, 인도, 인도네시아, 베트남 등이 있다.
② 우리나라의 주변 나라: 중국, 일본, 러시아 등이 있다.
③ 우리나라와 국경을 접하고 있는 나라: 중국, 일본, 러시아이다.

(3) 우리나라와 세계 여러 나라의 관계: 서로 ❷교류하고 있다. 서로 도움을 주고받고 있다. 서로 밀접한 관계를 맺고 있다.

보충 ❶

◉ **경제적 교류**
재화나 서비스를 서로 교환하여 이익을 얻거나 서비스 효용을 누리는 것을 의미한다. 우리나라는 중국, 미국, 일본, 베트남 등과 경제적 교류를 맺고 있다.

보충 ❷

◉ **우리나라와 이웃한 나라들**
우리나라는 아시아의 북동쪽에 있고 우리나라의 서쪽에는 중국, 남동쪽에는 일본, 북쪽에는 러시아가 있다. 중국과 일본은 옛날부터 우리나라와 교류가 많았기 때문에 문화적으로 비슷한 점이 많다. 러시아는 우리나라와 이웃해 있지만, 주로 유럽의 나라들과 교류했고 그 영향으로 인종이나 생활 문화도 유럽과 비슷하다.

2 우리나라와 가까운 나라 지도에 표시하기 (속 시원한 활동 풀이)

(1) 우리나라와 가까운 나라의 위치

① 우리나라의 서쪽에는 중국, 남동쪽에는 일본, 북쪽에는 러시아가 있다.
② 아시아 대륙에 있는 베트남과 인도네시아가 있다.
③ 유럽에 있는 프랑스가 있다.
④ 남아메리카 대륙에 있는 브라질이 있다.

(2) 우리나라의 주요 수입국과 수출국: 우리나라는 중국, 미국, 일본, 베트남 등과 경제적 교류가 많다. 보충 ❶

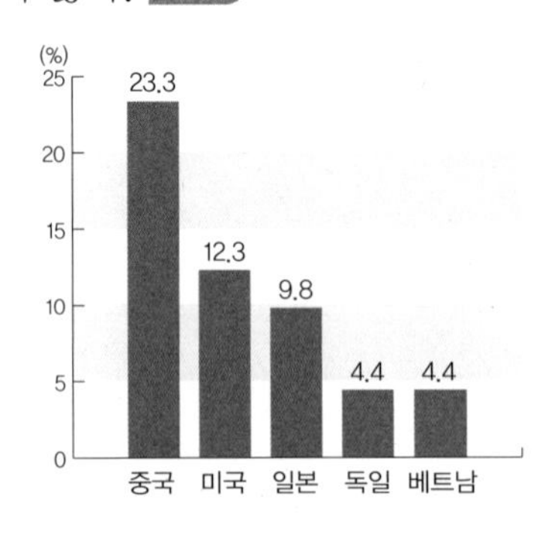

▲ 우리나라의 주요 수입국

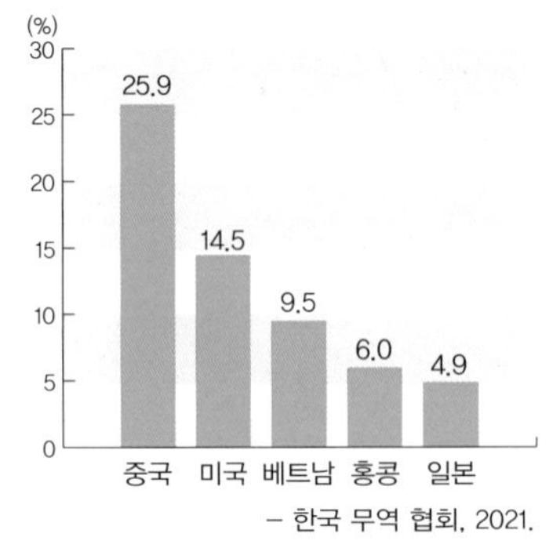

▲ 우리나라의 주요 수출국

(3) 이웃 나라와 관계 깊은 나라 탐구 계획 세우기

① 우리나라와 이웃한 나라: 중국, 일본, 러시아 등이 있다. 보충 ❷
② 우리나라와 이웃하지는 않지만 관계 깊은 나라: 미국, 베트남, 사우디아라비아, 인도, 프랑스 등이 있다.
③ 조사할 내용: 자연환경(위치, 지형, 기후 등)과 인문환경(정치, 경제, 문화 등)을 조사해야 한다.

용어 사전

❶ **회담**(會: 모일 회, 談: 말씀 담): 어떤 문제를 가지고 거기에 관련된 사람들이 한자리에 모여서 토의하는 것을 말한다.
❷ **교류**(交: 사귈 교, 流: 흐를 류): 서로 다른 개인, 지역, 나라 사이에서 물건이나 문화, 사상 등을 주고받는 것을 의미한다.

스스로 활동

1 56~57쪽의 그림에 나타난 나라의 국기를 찾아 지도에 붙여 보고 우리나라와 가까운 나라의 위치를 확인해 봅시다.

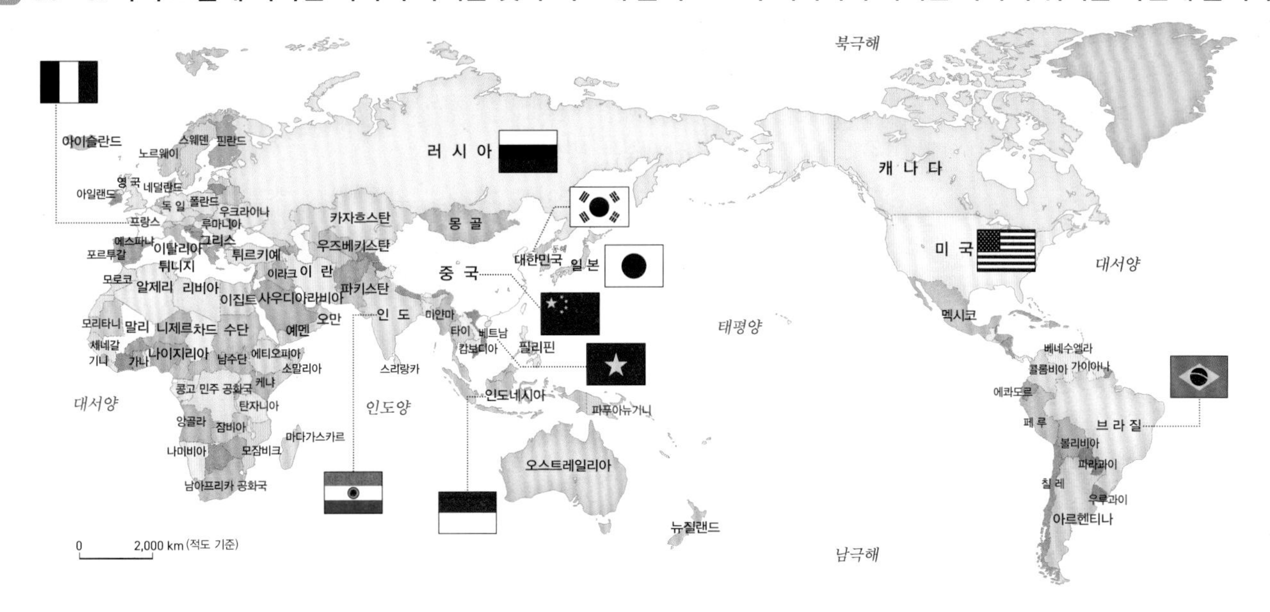

2 우리나라와 이웃한 나라 또는 이웃하지는 않지만 관계 깊은 나라를 쓰고, 이를 탐구하기 위한 계획을 세워 봅시다.

	프로젝트 활동 1	프로젝트 활동 2
프로젝트명	예 이웃 나라 조사하기	예 관계 깊은 나라 여행 상품 개발하기
해당 국가	예 중국, 일본, 러시아	예 미국, 베트남, 사우디아라비아, 인도, 프랑스 등
탐구 내용	예 이웃 나라와의 교류, 이웃 나라의 자연환경과 인문환경, 이웃 나라의 생활 모습	예 정치·경제·문화적 교류 현황, 자연환경(위치, 지형, 기후 등), 인문환경(정치, 경제, 문화 등)

확인 톡!톡!

정답과 해설 6쪽

1 우리나라와 국경을 접하고 있는 나라는 (　　　), 일본, 러시아이다.

2 우리나라와 세계 여러 나라는 서로 밀접한 관계를 맺고 있다. (O | X)

3 우리나라와 정치·경제적으로 긴밀한 관계를 맺고 있는 미국이 위치한 대륙은? (　　　　)

이웃 나라의 지리적 특성과 생활 모습을 알아볼까요?(1)

보충 ①

◉ **중국의 기후**

광대한 영토로 인해 지역별로 다양한 기후대가 분포한다. 북쪽에서 남쪽으로 내려갈수록 냉대 기후, 온대 기후, 아열대 기후, 열대 기후의 순으로 위도에 따라 기후대가 다르게 나타난다. 또한 남북의 기온 차가 큰 편이다.

보충 ②

◉ **만리장성**

세계에서 가장 길이가 긴 성벽으로, 유네스코 세계문화유산으로 지정되어 있다. 현재 남아 있는 성벽은 약 2,700km라고 한다.

보충 ③

◉ **중국의 음식 문화**

중국은 영토가 넓어 각 지방의 기후, 풍토, 산물 등에 따라 특색 있는 요리가 발달했다. 베이징의 오리 요리, 상하이의 게 요리, 쓰촨의 마파두부, 광둥의 딤섬이 유명하다.

용어 사전

❶ **문화권**(文: 글월 문, 化: 될 화, 圈: 우리 권): 지표상의 다른 지역과 구별되는 동질적 문화 유형이 나타나는 지리적 범위를 말한다.

❷ **고원**(高: 높을 고, 原: 언덕 원): 해발 고도가 높으면서 지대가 평탄한 지역을 말한다. 보통 해발 고도 600m 이상에 있는 넓은 벌판을 말한다.

❶ 이웃 나라의 특성 조사하기

(1) 우리나라와 지리적으로 가까운 이웃 나라: 중국, 일본, 러시아

(2) 지리적으로 인접한 나라끼리 서로 미치는 영향

① 서로 방문하기 쉽고, 교류하기 쉽다.

② 지리적으로 가까우면 같은 ❶문화권을 형성하기 쉽다.

(3) 이웃 나라의 특성을 조사하는 방법

① 사회과 부도나 지도를 이용해 이웃 나라의 위치나 지형을 살펴본다.

② 사진이나 인터넷 등으로 이웃 나라의 기후를 조사한다.

③ 통계 자료 등을 활용해 이웃 나라의 영토 크기, 주요 산, 강의 위치를 알아본다.

❷ 이웃 나라의 영토 크기와 모양, 위치 비교하기 (속 시원한 활동 풀이)

(1) 우리나라와 국경을 맞대고 있는 나라: 중국, 일본, 러시아

(2) 우리나라와 이웃 나라의 영토 크기와 국경선 모양 (시험 대비 핵심 자료)

① 우리나라: 이웃 나라에 비해 영토가 가장 작고, 남북으로 긴 모양이다.

② 중국: 영토가 우리나라보다 훨씬 크고, 동서로 긴 모양이다.

③ 일본: 영토가 우리나라보다 크고, 남북으로 긴 모양이다.

④ 러시아: 세계에서 영토 크기가 가장 크고, 동서로 길게 뻗은 모양이다.

(3) 이웃 나라의 위치

① 중국: 북위 23°~53°, 동경 73°~135°이고, 우리나라의 서쪽에 있다.

② 일본: 북위 24°~46°, 동경 121°~146°이고, 우리나라의 남동쪽에 있다.

③ 러시아: 북위 43°~82°, 동경 27°~169°이고, 우리나라의 북쪽에 있다.

❸ 중국 (시험 대비 핵심 자료)

▲ 중국

(1) 지형: 영토가 넓어서 다양한 지형이 나타난다.

① 서쪽에는 ❷고원과 산지가 발달했다.

② 동쪽 해안가에는 평야가 발달했다.

(2) 기후: 위도의 차이가 커서 다양한 기후가 나타난다. 보충 ①

① 열대 기후, 온대 기후가 나타난다.

② 큰 사막이 있는 곳은 건조 기후가 나타난다.

내용+ 냉대 기후, 한대 기후가 나타나는 곳도 있고, 티베트고원에는 고산 기후가 나타난다.

(3) 인문적 특성 보충 ②

① 세계에서 인구가 가장 많은 나라이고, 수도는 베이징, 언어는 중국어를 쓴다.

② 큰 강 유역에는 농업이, 동부 해안가 지역에는 항구와 대도시를 중심으로 다양한 산업이 발달했다.

③ 다양한 자연환경으로 식재료가 풍부하여 여러 가지 음식 문화가 발달했다. 보충 ③

시험 대비 핵심 자료

우리나라의 이웃 나라

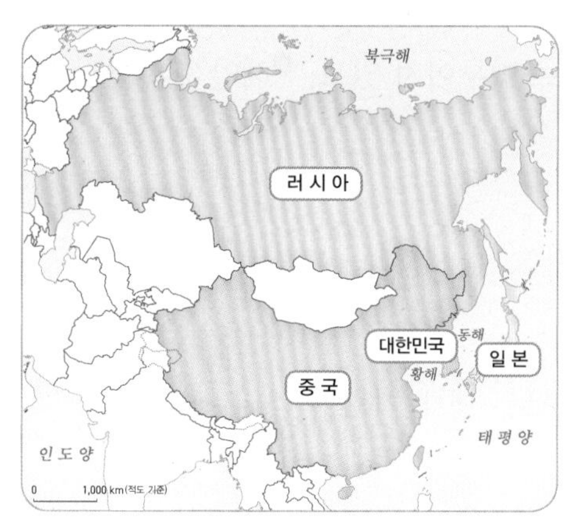

지도에서 보는 것과 같이 우리나라와 지리적으로 가까우며 국경을 맞대고 있는 나라는 중국, 일본, 러시아이다.

중국의 국가 정보

구분	지리적 특성
민족(인종)	한족과 다양한 소수 민족으로 이루어져 있다.
언어	중국어
종교	불교, 도교 등
면적	960만 km^2
지형	'서고동저'가 가장 큰 특징이다. 동남부 지역에서 서부 내륙으로 이동할수록 강수량과 지형의 차이로 삼림, 초원, 사막 지대가 차례로 나타난다.
기후	영토가 광대하기 때문에 지역별로 다양한 기후대가 분포한다. 최남단 지역에는 열대 기후, 서부 지역에는 건조 기후, 동북 지역에는 한대 기후 등이 나타난다.

속 시원한 활동 풀이

다 함께 활동 이웃 나라인 중국, 일본, 러시아의 지리적 특성을 조사해 봅시다.

1 친구들과 함께 다양한 방법으로 이웃 나라의 자연환경과 인문환경을 조사해 봅시다.

예
- 중국의 영토는 동서로 긴 모양이다.
- 일본은 주로 해산물을 이용한 음식 문화가 발달하였다.
- 러시아의 영토는 세계에서 가장 크며, 동서로 길게 뻗어 있다.

2 이웃 나라의 국경선을 따라 그리면서 영토의 크기와 모양을 살펴봅시다.

3 이웃 나라의 위치를 위도와 경도로 나타내 봅시다.

	우리나라	중국	일본	러시아
위도	북위 33°~43°	북위 23°~53°	북위 24°~46°	북위 43°~82°
경도	동경 124°~132°	동경 73°~135°	동경 121°~146°	동경 27°~169°

확인 톡! 톡!

정답과 해설 6쪽

1 우리나라와 국경을 맞대고 있는 나라는 중국, 필리핀, 러시아이다. (O | X)

2 일본의 영토 모양은 남북으로 (짧은 , 긴) 모양이다.

3 우리나라의 서쪽에 위치하며 세계에서 인구가 가장 많은 나라는? (   )

이웃 나라의 지리적 특성과 생활 모습을 알아볼까요?(2)

4 일본 (시험 대비 핵심 자료)

(1) 지형

① 네 개의 큰 섬과 수천 개의 작은 섬으로 이루어져 있고, ❶해안선이 복잡하다.

② 국토 대부분이 산지이며, 환태평양 조산대에 속해 화산과 지진이 많이 일어난다. 보충 ❶

(2) 기후

① 남북으로 길어 기후 차이가 많이 난다.

② 습하고 비나 눈이 많이 내린다.

③ 주로 온대 기후에 속해 있으나 북쪽으로는 냉대 기후가 나타난다.

(3) 인문적 특성

① 원료 수입과 제품 수출에 유리한 태평양 연안을 따라 공업 지역이 발달했다.

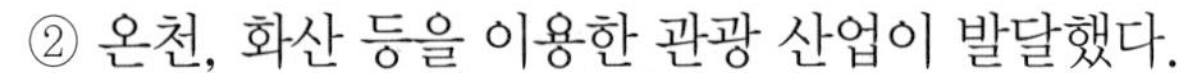

② 온천, 화산 등을 이용한 관광 산업이 발달했다.

③ 해산물을 이용한 음식 문화가 발달했다.

④ 종교는 불교와 신도가 대표적이다. 보충 ❷

▲ 일본

5 러시아 (시험 대비 핵심 자료)

(1) 지형: 세계에서 영토가 가장 넓으며, 다양한 지형이 나타난다. 보충 ❸

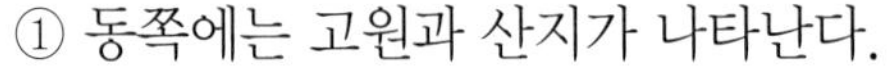

① 동쪽에는 고원과 산지가 나타난다.

② 서쪽에는 ❷평원이 나타난다.

(2) 기후

① 위도가 높아서 대부분의 지역에서는 냉대 기후가 나타난다.

② 한대 기후와 건조 기후가 나타나는 곳도 있다.

▲ 러시아

(3) 인문적 특성 보충 ❹

① 유럽과 가까운 서남쪽 지역에 인구의 대부분이 살고 있다. 생활 모습이 유럽과 비슷하다.

② 석탄, 석유, 천연가스 등 자원이 풍부해 이를 이용한 산업이 발달했다.

③ 전통 복장으로는 사라판을 입고, 샤실리크라는 전통 음식을 먹는다.

6 이웃 나라 사람들의 생활 모습 (속 시원한 활동 풀이)

(1) 이웃 나라의 비슷한 점: 지리적으로 가까운 나라는 생활 모습에서 비슷한 점이 많다.

① 우리나라와 중국, 일본은 한자 문화의 영향을 받았다.

② 우리나라와 중국, 일본은 모두 음식을 먹을 때 젓가락을 사용한다.

(2) 이웃 나라의 특징을 비교해 보고 알 수 있는 점

① 나라마다 독특한 문화와 전통을 가지고 있다.

② 지리적으로 가까워 오랜 시간 교류하면서 비슷한 부분도 많다.

보충 ❶

◉ **환태평양 조산대**

태평양을 둘러싸고 있는 세계 최대의 화산대이다. 환태평양 조산대에 속해 있는 일본에서는 지진과 화산이 많이 발생한다.

보충 ❷

◉ **신도**

일본 고유 민족 신앙으로, 선조나 자연을 숭배하는 토착 신앙이다. 종교라기보다는 조상의 유풍을 따라 신앙의 대상으로 모시는 국민 신앙이라고 할 수 있으며, 그것을 기초로 하여 전개되는 문화 현상을 포함하여 말할 수도 있다.

보충 ❸

◉ **시베리아 횡단 열차**

시베리아 횡단 열차는 러시아 극동항인 나홋카에서 출발하여 모스크바에 이르는 시베리아 횡단 철도를 달리는 열차를 말한다.

보충 ❹

◉ **마트료시카**

러시아의 전통 인형으로 몸 안에 더 작은 인형이 반복되어 들어있다.

용어 사전

❶ **해안선**(海: 바다 해, 岸: 언덕 안, 線: 줄 선): 바다와 육지가 맞닿은 선이다. 해수면이 끊임없이 오르내리므로, 대체로 평균 해수면과 육지와의 경계선을 가리킨다.

❷ **평원**(平: 평평할 평, 原: 언덕 원): 평평한 들판을 말한다.

공부한 날 월 일

시험 대비 핵심 자료

● 일본의 국가 정보

구분	지리적 특성
민족(인종)	대부분 대화족, 기타 재일 교포, 아이누족 등
언어	일본어
종교	신도, 불교 등
면적	38만 km^2
지형	국토의 약 70%가 산지이다. 산지는 경사가 급하고 험한 편이다.
기후	국토가 남북으로 길어 북부 지역에는 냉대 기후, 중부 지역에는 온대 기후, 남부 지역에는 아열대 기후 등이 나타난다.

● 러시아의 국가 정보

구분	지리적 특성
민족(인종)	대부분 러시아인이고, 타타르인, 우크라이나인, 기타 소수 민족
언어	러시아어
종교	러시아 정교 등
면적	1,710만 km^2
지형	남동쪽으로 험준한 산악 지대가 나타나고, 북서쪽으로 광활한 평지가 펼쳐져 있다.
기후	광범위한 기후대(겨울이 길고 여름이 짧은 대륙성 기후)가 나타난다. 대부분 냉대 기후, 한대 기후나 건조 기후가 나타나는 곳도 있다.

속 시원한 활동 풀이

다 함께 활동 우리나라와 이웃 나라 사람들의 생활 모습을 비교해 보고, 비슷하거나 다른 점을 이야기해 봅시다.

예

생활 모습	비슷한 점	다른 점
• 우리나라와 일본, 중국 문자에는 한자를 많이 사용한다. • 우리나라와 일본, 중국은 식사할 때 젓가락을 사용한다. • 우리나라와 일본, 중국에서는 유교 문화의 영향으로 웃어른을 공경한다.	• 우리나라와 일본, 중국은 한자 문화의 영향을 받았다. • 우리나라와 일본, 중국은 식사할 때 젓가락을 사용하는 문화가 있다. • 우리나라와 일본, 중국에는 불교문화의 영향으로 만들어진 절이 있다. • 우리나라의 씨름과 일본의 스모는 비슷한 부분이 있다.	• 러시아의 문자는 그리스 문자의 영향을 받았다. • 러시아의 문자에는 영어 알파벳처럼 대문자와 소문자가 있다. • 러시아에서는 식사할 때 포크, 나이프, 숟가락을 사용한다. • 러시아의 삼보는 유도와 레슬링의 요소를 가미한 격투기이다.

잠깐! 확인해요

세계에서 인구가 가장 많은 나라는 (중국 | 러시아 | 일본)이다.

확인 톡!톡!

정답과 해설 6쪽

1 일본은 영토가 동서로 길어 동쪽과 남쪽의 기후 차이가 나타난다. (O | X)

2 러시아는 (유럽 , 아시아)에 가까운 서남부 지역에 사람들이 많이 산다.

3 중국, 일본, 우리나라는 모두 음식을 먹을 때 (   )을/를 사용한다.

우리나라와 이웃 나라의 교류 모습을 살펴볼까요?

❶ 이웃 나라와의 교류 사례

(1) 우리 생활 속에서 접한 이웃 나라와 우리나라의 교류 소식

① 이웃 나라에서 우리나라의 연예인이 공연한다는 뉴스를 보았다.

② 이웃 나라와 우리나라의 정치인들이 만나 협의한다는 기사를 본 적이 있다.

③ 우리나라의 영화관에 이웃 나라의 영화가 ❶상영되는 것을 보았다.

(2) 정치적 교류 현황

① 한·중·일 문화 관광 장관 협의회: 동북아시아 지역의 문화와 관광 분야의 교류와 협력을 위해 회의를 했다. 보충❶

② 한·중·일 환경 장관 회의: 한국, 중국, 일본의 환경 장관들이 모여 논란이 되고 있는 미세 먼지 문제에 함께 대처하고 해결하기 위해 회의를 했다.

③ 한·중·일 외교 장관 회의: 코로나바이러스 감염증-19를 공동으로 대응하고 협력 및 교류하기 위해 외교 장관이 모여 회의를 했다.

(3) 경제적 교류 현황 (시험 대비 핵심 자료)

① 중국이 우리나라의 수입국, 수출국 1위이다.

② 일본은 우리나라 무역 규모에서 큰 비중을 차지하고, 러시아는 수출하는 것보다 수입하는 비중이 더 크다는 것을 알 수 있다.

(4) 문화적 교류 현황

① 우리나라에 오는 관광객은 중국 사람과 일본 사람이 많은 편이다.

② 우리나라에 오는 ❷유학생과 관광객은 중국이 가장 많고, 우리나라는 이웃 나라와 교육적 교류가 활발하다.

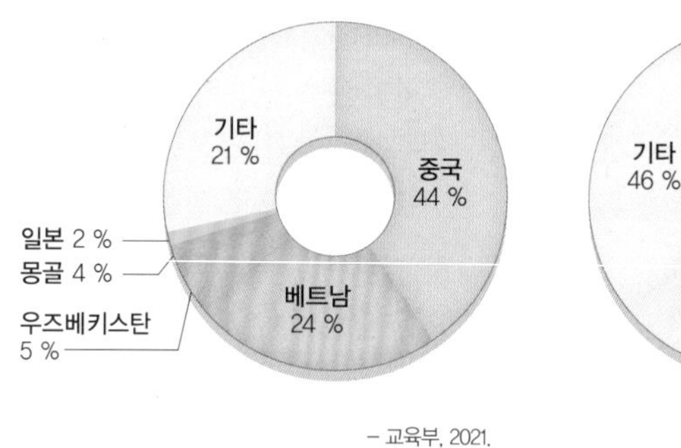

▲ 우리나라 외국인 유학생 비율　　▲ 우리나라 방문 관광객 비율

❷ 이웃 나라와 교류할 때 필요한 자세 (속 시원한 활동 풀이)

(1) 이웃 나라와의 교류

① 우리나라는 이웃 나라와 정치적·외교적 문제로 갈등을 겪기도 하지만, 이를 해결하기 위해 노력하고 있다.

② 미세 먼지나 감염병과 같은 공동의 문제를 해결하려고 서로 교류하며 도움을 주고받기도 한다. 보충❷

(2) 이웃 나라와 교류할 때 필요한 자세

① 다양한 갈등이나 문제를 해결하기 위해서 각 나라가 서로 이해하고 협력하는 자세가 필요하다.

② 공동의 문제를 해결하기 위해 교류해야 한다.

보충 ❶

◉ **동아시아 문화권**

동양 문화권 중 동아시아 문화권은 고대 중국의 문화에 기반을 둔 문화권이다. 중국의 한나라를 거쳐 당나라에 이르러 완성된 중국, 한국, 일본, 베트남 등의 문화권을 말한다. 이들 지역은 유교와 불교, 한자 같은 문화적 공통점을 갖고 있다.

보충 ❷

◉ **미세 먼지 한·중·일 협력**

동북아시아 장거리 이동 대기 오염 물질에 관한 국제 공동 연구 사업(LTP)은 한국 주도로 지난 1996년 한·중·일이 함께 추진해 온 사업이다. 3국 과학자들은 2000년대부터 황산화물, 질소산화물, 미세 먼지, 초미세 먼지 등 대기 오염 물질에 대한 연구를 해 왔다.

용어 사전

❶ **상영**(上: 윗 상, 映: 비칠 영): 극장에서 영화를 공개하는 일을 말한다.

❷ **유학생**(留: 머무를 유, 學: 배울 학, 生: 날 생): 외국에 머물면서 공부하는 학생을 말한다.

공부한 날 월 일

시험 대비 핵심 자료

● 우리나라와 이웃 나라의 경제적 교류

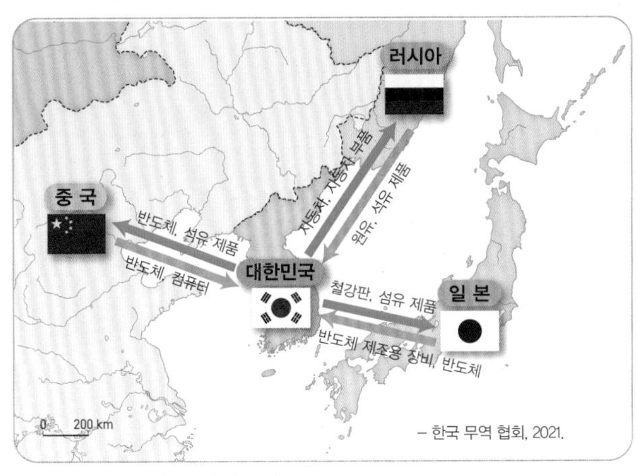

▲ 우리나라와 이웃 나라의 물적 교류

● 우리나라와 이웃 나라의 무역 현황

구분	수입 비중	수출 비중
중국	1위(23.3%)	1위(25.9%)
일본	3위(9.8%)	5위(4.9%)
러시아	8위(2.3%)	13위(1.3%)

– 한국 무역 협회, 2021.

우리나라와 이웃 나라의 무역 현황을 보면 중국이 우리나라의 수출·수입 비중에서 가장 큰 비중을 차지한다. 일본도 우리나라의 무역에 큰 비중을 차지하고, 러시아는 수출 비중보다 수입 비중이 더 크다.

속 시원한 활동 풀이

다 함께 활동 이웃 나라와 교류하는 사례를 더 찾아보고, 이웃 나라와 교류할 때 필요한 자세에 관해 토의해 봅시다.

교류	교류 사례
정치적 교류	예 우리나라와 이웃 나라의 대통령이 만나서 회의를 한다.
경제적 교류	예 물건을 수입하거나 수출한다. 기술이나 자원을 수입하거나 수출한다. 관광객이 쇼핑을 한다.
문화적 교류	예 이웃 나라에서 만들어진 영화나 만화, 드라마 등을 본 적이 있다. 러시아 발레단의 한국 공연을 본 적이 있다.
교류할 때 필요한 자세	예 이웃 나라와 교류하려면 각 나라가 서로 이해하고 협력하려는 자세가 필요하다.

잠깐! 확인해요

우리나라는 이웃 나라와 다양한 분야에서 활발하게 교류하고 있다. (O | X)

확인 톡!톡!

정답과 해설 6쪽

1 한국·중국·일본은 미세 먼지나 감염병 같은 공동의 문제 해결을 위해 도움을 주고받는다. (O | X)

2 우리나라와 이웃 나라의 무역 현황에서 우리나라에 수입·수출하는 비중이 모두 1위인 나라는? (　　　)

3 우리나라와 이웃 나라는 공동의 문제를 해결하기 위해 서로 교류하고 이해하며 (견제 , 협동)해야 한다.

우리나라와 관계 깊은 나라를 살펴볼까요?

❶ 우리나라와 세계 여러 나라의 교류

(1) 모둠별로 조사할 나라: 예 미국, 베트남, 사우디아라비아, 칠레, 프랑스 등

(2) 우리나라와의 관계 (속 시원한 활동 풀이)

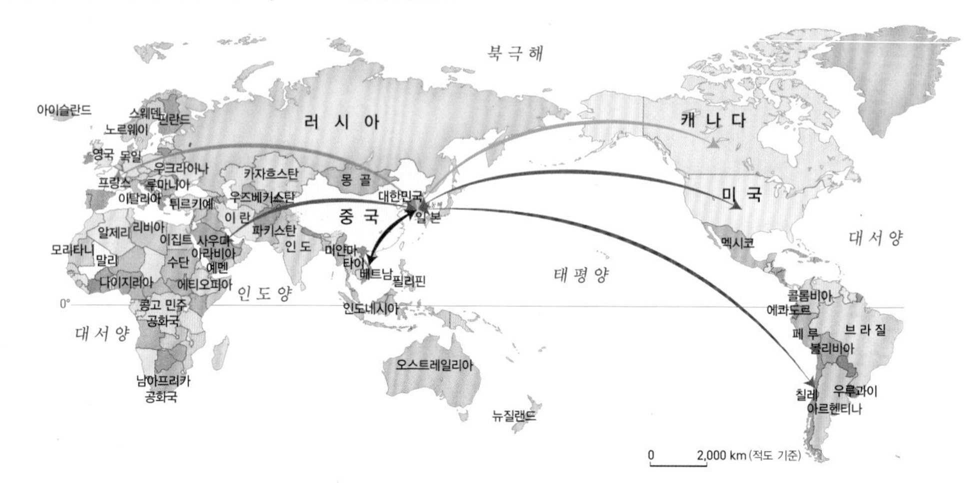

▲ 우리나라와 관계 깊은 나라와의 교류

① 미국: 우리나라와 가까운 나라로 정치·경제적으로 긴밀한 관계를 맺고 있으며, 우리나라는 미국에서 밀을 주로 수입하고 있다.

② 베트남: 우리나라의 주요 수출입국 중 하나로 최근 교류가 증가하고 있으며, 많은 베트남 근로자들이 우리나라에 살고 있다.

③ 사우디아라비아: 우리나라에서 필요한 ❶원유를 가장 많이 수입하고 있는 나라이다.

④ 칠레: 우리나라와 최초로 자유 무역 협정(FTA)을 맺은 나라이다.

⑤ 프랑스: 우리나라 사람들은 프랑스 등 유럽의 여러 나라로 여행을 간다.

(3) 우리나라가 지리적으로 멀리 떨어진 다른 나라와 교류하는 까닭

① 우리나라는 세계 여러 나라와 정치·경제·문화적으로 상호 의존 관계에 있기 때문이다. 보충 ❶

② 우리나라와 세계 여러 나라가 서로에게 미치는 영향은 더욱 커지고 있다.

보충 ❶

◉ **상호 의존**

상대가 되는 이쪽과 저쪽 모두가 서로에게 의지하여 존재하는 것을 말한다. 일반적으로 국가 간에 밀접한 관계가 존재하는 상태를 의미하고, 정치, 안전 보장, 문화, 경제 등 많은 분야에서 성립한다.

❷ 우리나라와 관계 깊은 나라를 소개하는 여행 상품 개발하기 (속 시원한 활동 풀이)

(1) 모둠별 조사할 나라: 예 미국

(2) 여행 상품 개발할 때 조사할 내용: 위치, 지형과 기후 등의 자연환경, 역사적 건축물이나 문화 등의 인문환경, 음식·종교·문화·예절 등을 조사해야 한다.

(3) 여행 상품명: 예 다섯 개 테마로 구성한 ❷오감 만족 미국 여행

① 지리적 위치: 북아메리카 대륙이다. 보충 ❷

② 지형과 기후 등 자연환경: 다양한 지형과 기후가 나타난다. 태평양 쪽에는 로키산맥이, 대서양 쪽에는 애팔래치아산맥이 뻗어 있다.

③ 가 보아야 할 장소: 자유의 여신상, 센트럴 파크, 그랜드 캐니언 국립 공원 등과 같은 관광 장소가 있다.

④ 음식: 햄버거, 스테이크 등이 있다.

⑤ 문화: 여러 인종이 모인 나라로 다양한 문화가 나타난다.

보충 ❷

◉ **지리적 위치**

한 지역의 위치를 대륙이나 해양, 반도, 섬 등의 지형지물로 표현하는 위치를 말한다. 예를 들어 지리적 위치로 볼 때 우리나라는 유라시아 대륙의 동쪽, 북태평양의 서쪽에 위치하며 반도적 위치에 있다.

용어 사전

❶ **원유**(原: 근원 원, 油: 기름 유): 땅속에서 뽑아낸, 정제하지 않은 그대로의 기름을 말한다.

❷ **오감**(五: 다섯 오, 感: 느낄 감): 시각, 청각, 후각, 미각, 촉각의 다섯 가지 감각을 말한다.

속 시원한 활동 풀이

스스로 활동 우리나라가 지리적으로 멀리 떨어진 나라와 활발하게 교류하는 까닭을 이야기해 봅시다.

예 우리나라는 세계 여러 나라와 정치·경제·문화적으로 상호 의존 관계에 있기 때문이다.

다 함께 활동 우리나라와 관계 깊은 나라의 자연환경과 인문환경을 알아보고, 이를 소개하는 여행 상품을 개발해 봅시다.

1 우리나라와 밀접한 관계에 있다고 생각하는 나라 중 조사하고 싶은 나라를 선정해 봅니다.
- 조사할 나라: 예 베트남
- 우리나라와의 관계: 예 우리나라와 활발하게 교류하는 동남아시아의 국가이다.

2 여행 상품명을 정하고 모둠원이 역할을 나누어 자연환경(위치, 지형, 기후 등)과 인문환경(문화, 음식, 역사적 건축물 등), 우리나라와의 관계를 조사합니다.

3 조사한 내용을 바탕으로 여행 상품을 개발합니다.

여행 상품명		예 가족 여행 추천, 베트남 여행
상품 개발 이유		가족 여행 장소로 적합한 베트남에 대해 조사하고 싶기 때문이다.
나라 정보	지리적 위치	동남아시아의 동부에 있다.
	지형과 기후	• 남북 방향으로 산맥이 이어져 있다. • 기후는 대체로 덥고 습한 편이다.
	수도	하노이
	가 보아야 할 장소	하롱베이, 후에성, 독립궁, 핑크 성당 등
	음식	쌀국수, 반미 등
	문화	종교는 불교, 가톨릭교 등
우리나라와의 관계		우리나라와 활발하게 교류하는 대표적인 동남아시아의 국가이다.

확인 톡!톡!

정답과 해설 6쪽

1 우리나라는 필요한 원유를 (   )에서 가장 많이 수입하고 있다.

2 칠레는 우리나라와 최초로 자유 무역 협정(FTA)을 맺은 나라이다. (O | X)

3 여행 상품을 개발하려면 지형과 기후 등의 (자연환경 , 인문환경)을 조사해야 한다.

우리나라와 관계 깊은 나라에 대해 발표해 볼까요?

보충 ❶

◉ **우리나라와 관계 깊은 나라의 여행 상품 개발**

여행 상품을 개발하려면 그 지역의 위치, 지형, 기후 등의 자연환경이나 관광 명소, 문화 등의 인문환경에 대해 알아야 한다.

보충 ❷

◉ **세계 상호 의존성의 증가**

전 세계가 국경을 초월하여 하나의 지구촌으로 통합되어 가고 있다. 정치, 사회, 경제, 문화 등 다양한 분야에서 국가 간 교류가 활발하게 이루어지고 있다. 이에 따라 전 세계 사람들이 서로 의존적 관계에 놓이면서 국가 간 이해와 협력의 필요성이 커졌다. 즉, 전 세계 국가 간의 상호 의존성이 높아지고 있다.

용어 사전

❶ **문화**(文: 글월 문, 化: 될 화): 의식주를 비롯하여 언어, 풍습, 종교, 학문, 예술, 제도 따위를 모두 포함하는 말이다.

❷ **세계화**(世: 인간 세, 界: 지경 계, 化: 될 화): 세계 여러 나라를 이해하고 받아들이거나 그렇게 되게 하는 것을 말한다.

❶ 여행 상품 내용 확인하기

(1) 소개하고 싶은 나라

① 우리나라와 밀접한 관계를 맺고 있는 나라이다.

② 정치·경제적으로 많은 교류를 하는 나라이다.

③ ❶문화적으로 영향을 주고받는 나라이다.

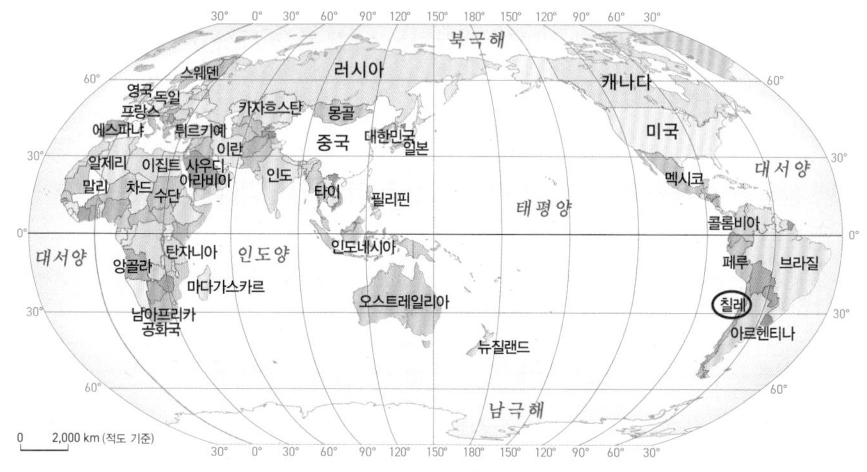

▲ 우리 모둠이 소개할 나라 표시

(2) 조사한 내용

① 여행 상품을 개발하며 그 나라의 자연환경과 인문환경을 조사했다. 보충 ❶

② 우리나라와 어떤 관련을 맺고 있는지 조사했다.

❷ 우리나라와 관계 깊은 나라에 대해 발표하는 방법

❶ 세계 지도를 보고 우리 모둠이 소개할 나라를 표시해 본다.

❷ 모둠별로 개발한 세계 여행 상품을 발표한다.

❸ 발표한 내용을 듣고 다른 나라에 대해 새롭게 알게 된 점을 토의한다.

❸ 우리나라와 관계 깊은 나라 소개하기 (속 시원한 활동 풀이)

(1) 발표를 듣고 알게 된 내용

① 세계에는 다양한 문화를 지닌 나라가 많다.

② 우리나라는 세계 여러 나라와 긴밀한 관계를 맺고 있다.

③ 우리나라는 세계 여러 나라들과 정치·경제·문화적으로 교류하고 있다.

내용+ 나라마다 환경이 다르기 때문에 세계 여러 나라는 자신만의 문화를 만들며 생활하고 있다.

(2) 우리나라와 관계를 맺고 있는 나라가 많은 까닭

① 나라마다 환경이 달라 서로 도움을 주고받을 수 있기 때문이다.

② ❷세계화 시대에는 서로 의존하며 함께 살아가야 하기 때문이다. 보충 ❷

③ 교통과 통신 기술의 발달로 물자 이동이 편리해졌기 때문이다.

공부한 날 월 일

속 시원한 활동 풀이

우리나라와 관계 깊은 나라에 대해 발표해 보기

예 우리 모둠이 개발한 여행 상품

구분		내용
여행 상품명		예 사막부터 빙하까지, 다채로운 국가 칠레
상품 개발 이유		우리나라와 관계가 깊지만 지리적으로는 먼 칠레에 대해 알고 싶기 때문이다.
나라 정보	지리적 위치	남아메리카 대륙에 위치해 있으며 동쪽에는 아르헨티나, 북쪽에는 볼리비아와 페루가 위치해 있다.
	지형과 기후	0 500 km • 세계에서 가장 긴 산맥인 안데스산맥의 서쪽에 위치한 나라가 칠레이다. • 세계에서 가장 건조한 곳, 아타카마 사막이 위치하고 있다. • 칠레의 영토는 남북으로 매우 길기 때문에 다양한 기후가 나타난다. • 칠레는 남반구에 있기 때문에 우리나라와 계절이 반대이다. 칠레에서는 8월이 겨울이고 1월이 여름이다.
	가 보아야 할 장소	산티아고, 이스터섬, 푼타아레나스, 아타카마 사막 등
	음식	• 맛과 향이 뛰어난 와인으로 유명하다. • 칠레의 대표적인 음식 중 하나인 쿠란토는 생선, 조개, 닭, 양고기, 감자 등을 넣고 만든 것이다.
	문화	스페인의 식민 지배를 받았었기 때문에 유럽 문화의 영향이 남아 있다.
우리나라와의 관계		우리나라와 최초로 자유 무역 협정(FTA)을 맺은 나라이다.
새롭게 알게 된 점		• 칠레는 우리나라와 긴밀한 관계를 맺고 있다. • 영토가 남북으로 긴 칠레에는 다양한 기후가 나타나는 것이 흥미로웠다.

확인 톡!톡!

정답과 해설 6쪽

1 우리나라는 세계 여러 나라들과 정치·경제·문화적으로 (　　　　)하고 있다.

2 여행 상품을 개발하려면 여행할 나라와 우리나라가 어떤 관련을 맺고 있는지 조사해야 한다. (O | X)

3 우리나라와 관계를 맺고 있는 나라가 많은 까닭은 (세계화 , 지역화) 시대에는 서로 의존하며 함께 살아가야 하기 때문이다.

교과서 75쪽

'우리나라와 가까운 나라들'에서 배운 내용을 떠올리며 우리나라와 가까운 나라를 찾아 선으로 연결해 봅시다.

핵심 꿀꺽 질문

이웃 나라의 지리적 특성과 우리나라 교류 현황을 설명할 수 있나요?

우리나라와 관계 깊은 나라들의 지리 정보와 상호 의존을 말할 수 있나요?

세계 여러 나라와 상호 이해하고 협력하는 태도를 갖게 되었나요?

1 빈칸 ㉠에 공통으로 들어갈 나라를 쓰시오.

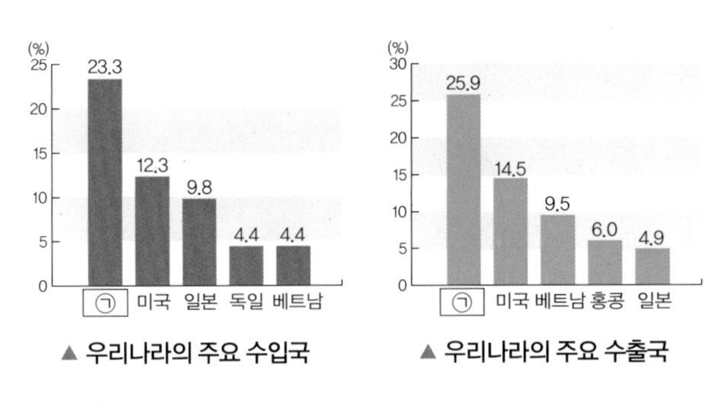

▲ 우리나라의 주요 수입국 ▲ 우리나라의 주요 수출국

2 각 나라와 수도를 바르게 연결하시오.

(1) 중국 • • ㉠ 도쿄

(2) 일본 • • ㉡ 모스크바

(3) 러시아 • • ㉢ 베이징

3 사진은 세계에서 가장 긴 중국의 성벽이다. 이 성벽의 이름을 쓰시오.

[4-6] 다음 지도를 보고 물음에 답하시오.

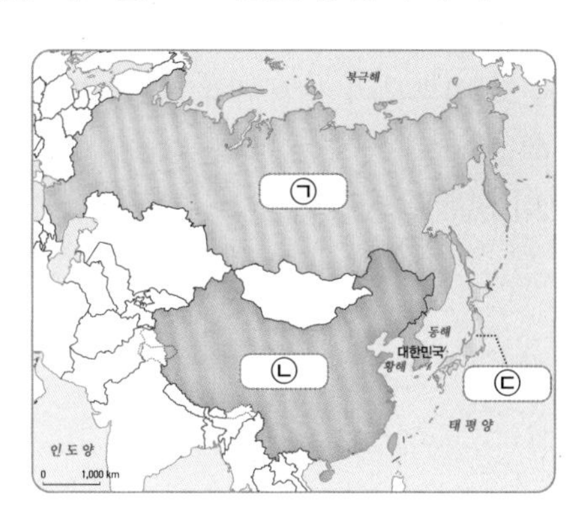

4 ㉠~㉢에 해당되는 나라를 쓰시오.

중요

5 ㉡ 국가에 대한 설명으로 알맞지 않은 것은 어느 것입니까? ( )

① 훠궈, 딤섬, 차 등이 유명하다.
② 세계에서 인구가 가장 많은 나라이다.
③ 영토가 넓어 고원, 사막, 평야 등 다양한 지형이 나타난다.
④ 지역마다 열대, 건조, 온대, 냉대 기후 등 다양한 기후가 나타난다.
⑤ 서부 해안 지역에는 주요 항구와 큰 도시를 중심으로 여러 가지 산업이 발달했다.

6 ㉢ 국가와 관련 있는 내용을 보기 에서 찾은 것은 어느 것입니까? ( )

보기

㉠ 후지산 ㉡ 자금성
㉢ 오사카성 ㉣ 고비 사막

① ㉠, ㉡ ② ㉠, ㉢
③ ㉡, ㉢ ④ ㉡, ㉣
⑤ ㉢, ㉣

7 다음 설명에 해당하는 나라를 쓰시오.

> 국토의 대부분이 산지이며, 환태평양 조산대에 속해 화산과 지진이 많이 일어난다. 우리나라와 이웃한 나라이다.

8 일본에 대한 설명으로 알맞지 않은 것은 어느 것입니까? (　　　)

① 주로 냉대 기후에 속해 있다.
② 주요 종교는 신도와 불교이다.
③ 우리나라의 남동쪽에 위치한다.
④ 전통 복장으로는 기모노가 있다.
⑤ 네 개의 큰 섬과 수 천개의 작은 섬으로 이루어져 있다.

중요

9 일본의 산업과 관련 있는 내용을 보기 에서 골라 기호를 쓰시오.

보기
㉠ 온천, 화산 등 자연환경을 이용한 관광 산업이 발달했다.
㉡ 석탄, 석유, 천연가스 등 에너지 자원이 풍부하여 이를 이용한 산업이 발달했다.
㉢ 원료의 수입과 제품의 수출에 유리한 태평양 연안에 주요 공업 도시가 발달했다.

10 일본과 관련 없는 내용은 어느 것입니까? (　　　)

① 라멘　② 스시
③ 시짱고원　④ 다이세쓰산
⑤ 환태평양 조산대

[11-13] 다음 지도를 보고 물음에 답하시오.

11 지구본의 ㉠ 나라에 대한 설명으로 알맞지 않은 것은 어느 것입니까? (　　　)

① 전통 복장으로는 사라판이 있다.
② 세계에서 가장 넓은 영토를 가진 나라이다.
③ 위도가 높아 대부분의 지역이 냉대 기후이다.
④ 한대 기후나 건조 기후가 나타나는 곳도 있다.
⑤ 서쪽에는 높은 산지와 고원이 있으며, 동쪽에는 평원이 나타난다.

12 ㉠ 나라에 위치하며 세계에서 가장 깊은 호수는 어느 것입니까? (　　　)

① 레만호　② 카스피해
③ 바이칼호　④ 칼데라호
⑤ 빅토리아호

13 지구본의 ㉠ 나라와 관련 있는 내용을 보기 에서 골라 기호를 쓰시오.

보기
㉠ 스모
㉡ 샤실리크
㉢ 마트료시카
㉣ 시베리아 횡단 열차

14 우리나라와 이웃 나라의 교류에 관한 설명으로 알맞지 않은 것은 어느 것입니까? ( )

① 중국, 일본은 우리나라의 주요 수입국이자 수출국이다.
② 우리나라에 방문하는 관광객들의 비율은 중국이 제일 많고 그 다음은 일본이다.
③ 우리나라는 이웃 나라와 다양하게 교류하며 긴밀한 협력 관계를 맺고 있다.
④ 미세 먼지나 감염병과 같은 공동의 문제를 해결하기 위해 서로 도움을 주고받기도 한다.
⑤ 우리나라는 이웃 나라와 활발히 교류하기 때문에 정치적, 외교적으로 갈등을 겪지 않는다.

15 제시된 나라들과 우리나라의 관계를 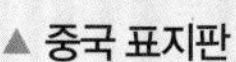 에서 골라 맞게 연결하시오.

(1) 미국 (2) 칠레 (3) 베트남

보기
㉠ 우리나라와 최초로 자유 무역 협정(FTA)을 맺은 나라이다.
㉡ 우리나라와 정치·경제적으로 교류가 많은 나라로 이 나라에서 밀을 주로 수입한다.
㉢ 우리나라의 주요 수출입국 중 하나로 이 나라의 많은 근로자들이 우리나라에 살고 있다.

16 다음 글의 빈칸에 알맞은 말을 쓰시오.

우리나라는 세계 여러 나라와 교류하며 정치·경제·문화적으로 깊은 관계를 맺는 [ ] 관계에 있다.

워드 클라우드와 함께하는 서술형 문제

[17-18] 워드 클라우드의 단어를 이용하여 서술형 문제의 답을 쓰시오.

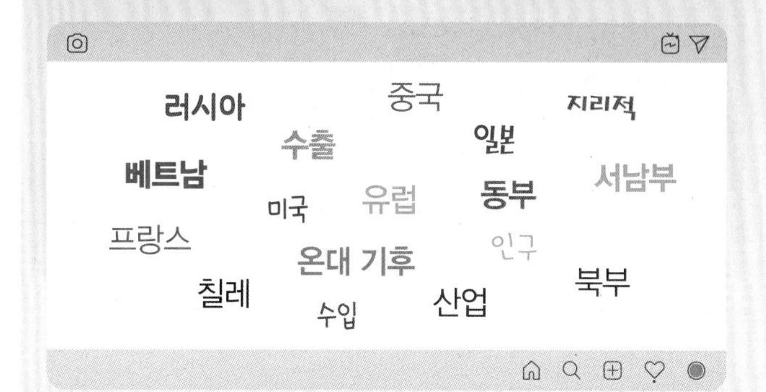

17 다음과 같이 우리나라, 일본, 중국에서 모두 한자가 표기된 표지판을 볼 수 있는 까닭을 쓰시오.

▲ 우리나라 표지판

▲ 중국 표지판

▲ 일본 표지판

18 러시아의 영토 대부분이 아시아에 속하지만 사람들의 생활 모습이 유럽과 비슷한 까닭을 쓰시오.

톡톡 튀는 이야기

중국

중국에서는 새해 첫날에 불꽃놀이를 합니다. 이는 나쁜 운을 가져오는 귀신을 막기 위해서인데, 음식은 국수와 만두를 먹습니다. 국수는 장수를 의미하고, 만두는 나쁜 운을 막아주는 의미가 있습니다. 만두를 빚을 때에 만두소 안에 악운을 가둬놓은 뒤 만두피로 이를 봉인하면 한 해 동안 나쁜 운이 오지 않는다고 믿기 때문이라고 합니다.

네덜란드

네덜란드에서는 새해 첫날에 수영복만 입고 바다에 뛰어드는 축제가 열립니다. 찬 바다에 뛰어드는 것이 활기차고 건강한 한 해를 보낸다는 의미가 있기 때문입니다. 또한 한 해 동안의 행운을 비는 의미로 뽀뽀를 세 번이나 한다고 합니다.

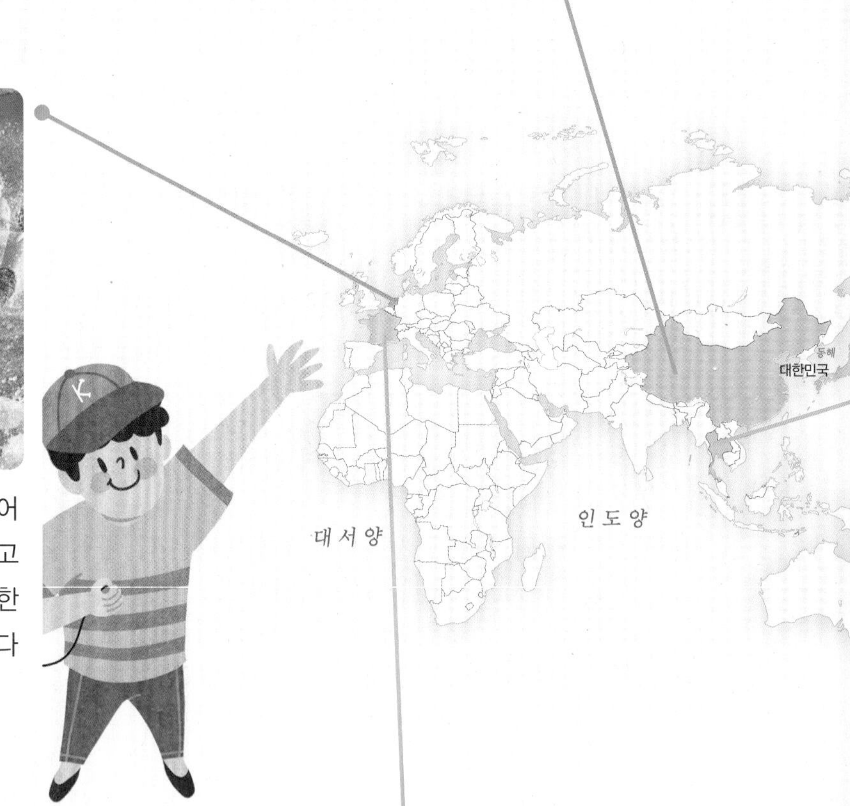

프랑스

프랑스에서도 네덜란드처럼 새해 첫날에 뽀뽀를 하는 풍습이 있다고 합니다. 그리고 프랑스는 12월 31일에 집에 술이 남아 있으면 새해에 나쁜 운이 온다고 생각해 12월 31일에는 온 가족이 집에 있는 술을 다 마셔버린다고 해요. 그리고 음식은 프랑스 전통 음식인 '갈레트'라는 빵을 먹으면서 한 해의 행운과 복을 기원한다고 합니다.

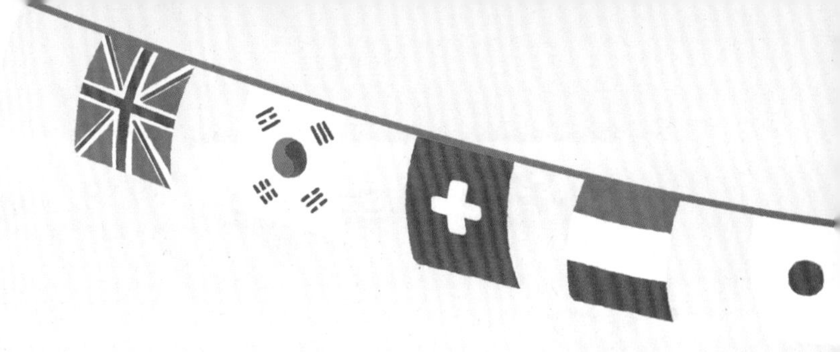

일본

일본은 12월 31일에 메밀을 먹는 풍습이 있어요. 긴 국수처럼 오래 살길 바란다는 마음을 담은 풍습이에요. 또한 소나무, 대나무로 만든 장식품을 집 앞에 둠으로써 집에 들어오는 나쁜 기운을 막고, 잔병치레 없이 한 해를 지내길 바라는 풍습도 있습니다.

태국

태국에서는 새해 첫날에 축복을 기원하는 의미를 담아 가족, 이웃 등에게 물을 뿌리며 복을 기원하는 새해 축제가 있습니다. 이 축제를 '송크란'이라고 하는데, 날짜가 우리나라 달력으로 4월 13일입니다. 왜냐하면 4월 13일이 불교식 달력으로 1월 1일이기 때문입니다. 그러니까 4월 13일에 태국을 여행하는 사람이 있다면 몸에 물이 젖지 않도록 주의해야겠어요.

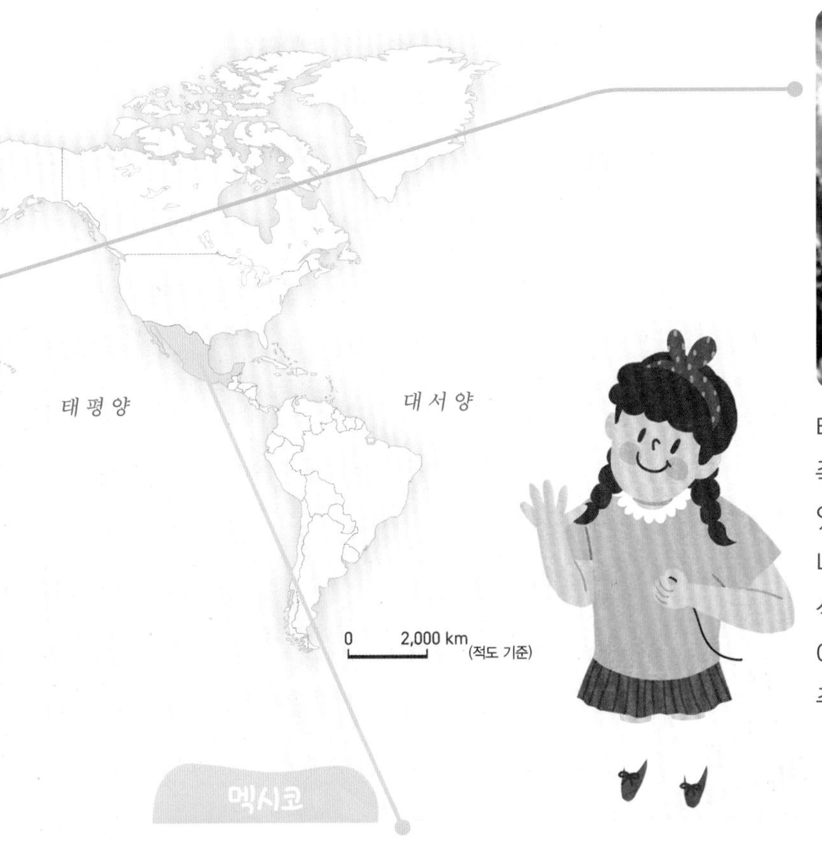

멕시코

멕시코에서는 일 년 열두 달 아무 일이 없고 행운을 바라면서 포도 열두 알을 먹는 풍습이 있어요. 그런데 이때 포도 열두 알을 한꺼번에 먹는 것이 중요합니다. 그래서 매년 새해 멕시코에서는 열두 알의 포도를 가득 물고 있는 멕시코 사람들을 볼 수 있습니다.

단원을 마무리 해요 1. 세계 여러 나라의 자연과 문화

이 단원에서 배운 내용을 글과 그림으로 정리해 봅시다.

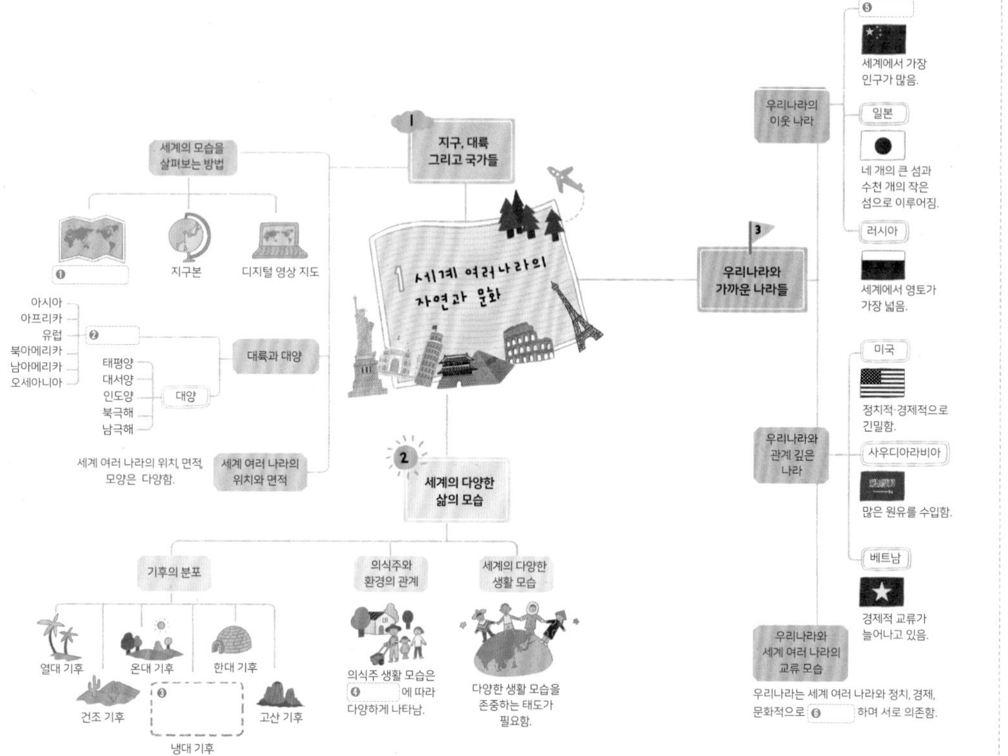

정답

❶ 세계 지도

❷ 대륙

❸ 예

❹ 환경

❺ 중국

❻ 교류

세계 여러 나라의 특징을 소개하는 글을 써 봅시다.

만드는 방법

❶ 친구에게 소개하고 싶은 나라를 정합니다.
- 예 중국
- 예 오스트레일리아

❷ 소개할 나라에 어울리는 동물을 떠올려 봅니다.
- 예 판다
- 예 캥거루

❸ 떠올린 동물로 마스코트를 그리고, 그 나라의 특징을 친구들에게 소개하는 글을 써 봅니다.

소개하고 싶은 나라

나라 이름: 예 중국

마스코트:

나라 소개:
중국은 영토가 넓고 지역마다 다양한 기후가 나타난다. 다양한 자연환경의 영향으로 여러 가지 음식 문화가 발달했다. 그리고 지형, 기후, 민족 등에 따라 전통 가옥의 형태도 다양하다.

나라 이름: 예 오스트레일리아

마스코트: 예

나라 소개:
예 인구의 대부분이 동남쪽 해안에 살고 있다. 전반적으로 온화한 대륙성 기후가 나타나며 서부의 40%와 북부의 80%는 열대 기후, 나머지 지역은 온대 기후가 나타난다. 내륙은 건조하여 비가 거의 내리지 않는다. 오스트레일리아는 남반구에 있는 나라로 계절은 우리나라와 반대이다.

세상 속으로 나만의 세계 지도 완성하기

우리가 만들어 갈 세계 모습 이야기하기

예 환경 문제는 전 세계가 함께 고민하고 해결해야 한다. 하지만 미래에는 지구 온난화 문제가 해결되어 전 세계 사람들과 동물들이 행복하게 살 수 있었으면 좋겠다. 특히, 북극곰의 살 곳이 없어지지 않았으면 좋겠다.

백지도에 우리가 만들어 갈 세계 모습 그리기

예 〈 지구 온난화가 사라져 사람과 북극곰 모두 행복한 세계 〉

- 세계 지도가 그려져 있는 도화지에 북극 빙하를 그리고, 북극곰이 웃고 있는 모습을 그릴 것이다.
- 투발루, 몰디브, 키리바시 등 태평양에 위치한 섬의 주민들이 삶의 터전을 잃지 않고 행복하게 살고 있는 모습을 그릴 것이다.
- 깨끗한 지구 환경을 보여주는 모습을 그릴 것이다.

나만의 세계 지도 만들기

예 • 북극에 북극곰, 지구 온난화로 국토가 수몰될 위험에 처해 있는 태평양의 투발루, 몰디브, 키리바시의 행복한 주민들의 모습 그리기
- 멸종 위기 동물들도 잘 살고 있는 모습 그리기

쪽지 시험  세계 여러 나라의 자연과 문화

정답과 해설 8쪽

1 지구의 자전축에 대해 직각으로 지구의 중심을 지나도록 자른 평면과 지표면이 만나는 선으로, 위도 0°가 되는 선은? (　　　)

2 세계 지도는 둥근 지도를 평면으로 나타내어 실제 모습과 다른 점이 있다. (○, ×)

3 (남아메리카 , 아프리카)는 아시아 다음으로 큰 대륙으로 북반구와 남반구에 걸쳐 있다.

4 대서양은 아프리카, 유럽, 아메리카 대륙에 둘러싸여 있으며 대양 중에서 크기가 가장 크다. (○, ×)

5 이탈리아의 로마 시내에 있으며, 세계에서 가장 면적이 작은 나라는? (　　　)

6 지역 간의 기온 차에 가장 큰 영향을 주는 요인은 (위도 , 경도)이다.

7 (고산 기후 , 건조 기후)는 일 년 동안의 강수량을 합쳐도 500mm가 안 될 정도로 비가 잘 내리지 않는다.

8 우리나라의 대부분의 지역에서는 (　　　　　) 기후가 나타난다.

9 냉대 기후 지역은 (침엽수림 , 활엽수림)이 널리 분포해 목재와 펄프를 많이 생산한다.

10 (중국 , 러시아)은/는 세계에서 가장 영토가 넓은 나라이다.

11 중국의 (동부 , 남부) 해안 지역에는 주요 항구와 큰 도시를 중심으로 여러 가지 산업이 발달했다.

12 일본은 국토의 대부분이 산지이며 (　　　　　)에 속해 화산과 지진이 많이 일어난다.

1 지구본에 대한 설명으로 옳은 것은 어느 것입니까? ( )

① 둥근 지도를 평면으로 나타낸 것이다.
② 지구의 모습을 작게 줄여 만든 모형이다.
③ 세계 여러 나라의 위치와 영역을 한눈에 살펴볼 수 있다.
④ 어떤 장소의 실제 모습을 여러 각도에서 살펴볼 수 있다.
⑤ 인공위성에서 촬영한 사진을 바탕으로 다양한 정보를 표현한 것이다.

2 빈칸 ㉠, ㉡에 들어갈 알맞은 말을 쓰시오.

세계 지도와 지구본에는 특정 장소의 위치를 정확하게 나타내기 위해 가로선인 ㉠ 와/과 세로선인 ㉡ 이/가 그려져 있다.

㉠:

㉡:

3 세계 지도, 지구본, 디지털 영상 지도의 공통점을 쓰시오.

4 빈칸 ㉠과 ㉡에 들어갈 알맞은 말을 쓰시오.

바다로 둘러싸인 큰 땅덩어리를 ㉠ (이)라고 하고, 매우 큰 바다를 ㉡ (이)라고 한다.

㉠:

㉡:

[5-6] 다음 지도를 보고 물음에 답하시오.

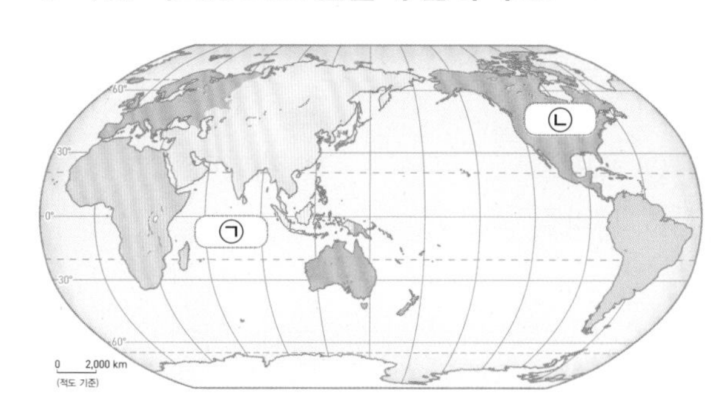

5 빈칸 ㉠과 ㉡에 들어갈 해양과 대륙의 이름을 쓰시오.

㉠:

㉡:

6 대륙과 대양에 대한 설명으로 알맞지 않은 것은 어느 것입니까? ( )

① 태평양은 우리나라와 인접해 있다.
② 아프리카 대륙은 남반구에 위치한다.
③ 아시아 대륙은 세계 육지 면적의 약 30%를 차지한다.
④ 세계 지도를 보면 대륙과 대양의 위치와 범위를 알 수 있다.
⑤ 북극해는 아시아, 유럽, 북아메리카 대륙으로 둘러싸여 있고 대부분 얼음으로 덮여 있다.

7 밑줄 친 '이 나라'가 속한 대륙을 보기 에서 골라 기호를 쓰시오.

'이 나라'의 위치는 남위 9°~43°, 동경 112°~153°이다. 동쪽에 태평양을 접하고 있으며, 동쪽에 뉴질랜드가 있다.

보기

㉠ 아시아　㉡ 아프리카
㉢ 오세아니아　㉣ 남아메리카

8 다음 나라 중에서 영토 면적이 가장 넓은 나라는 어느 곳입니까? ( )

① 중국 ② 미국
③ 프랑스 ④ 캐나다
⑤ 브라질

9 다음 영토 모양을 보고 해당하는 ㉠나라의 이름과 ㉡영토 모양의 특징을 간략하게 쓰시오.

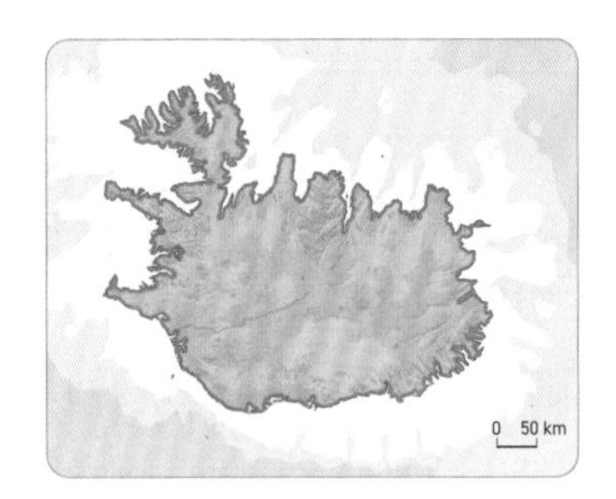

㉠:

㉡:

중요

10 지도에 표시된 ㉠~㉣ 기후를 고위도에서 저위도 순으로 배열하고 해당되는 기후를 쓰시오.

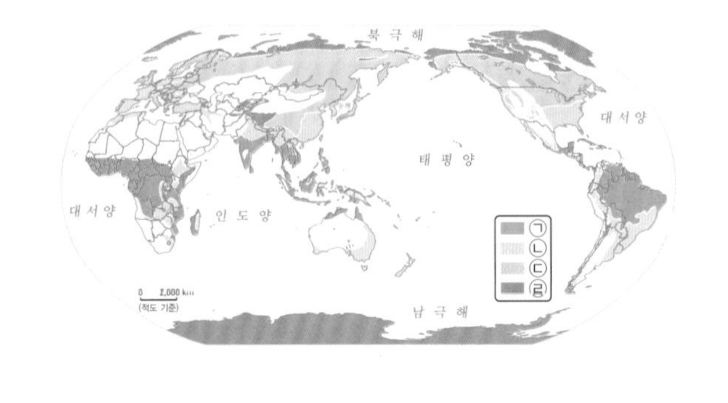

11 세계의 기후에 대한 설명으로 알맞지 <u>않은</u> 것은 어느 것입니까? ( )

① 기후는 위도에 따라 다양하게 나타난다.
② 기후는 기온, 강수량, 바람 등으로 구분한다.
③ 적도 부근은 태양열을 많이 받아 기온이 높다.
④ 극지방에서는 태양열이 적어 주로 건조 기후가 나타난다.
⑤ 같은 위도이지만 해발 고도에 따라 다른 기후가 나타나기도 한다.

12 각 기후에 대한 설명으로 알맞은 것은 어느 것입니까? ( )

① 온대 기후: 해발 고도가 높아 서늘한 날씨가 이어진다.
② 열대 기후: 기온이 온화하고 사계절이 비교적 뚜렷하다.
③ 고산 기후: 온대 기후처럼 사계절이 나타나지만 온대 기후보다 겨울이 더 길고 춥다.
④ 한대 기후: 일 년 내내 기온이 매우 낮고, 평균 기온이 가장 높은 달도 10℃보다 낮다.
⑤ 냉대 기후: 일 년 동안의 강수량이 500mm가 되지 않을 정도로 비가 잘 내리지 않는다.

13 각 기후와 해당되는 사진을 연결하시오.

14 지도의 A 같이 분포하는 기후와 관련 있는 내용을 보기 에서 골라 기호를 쓰시오.

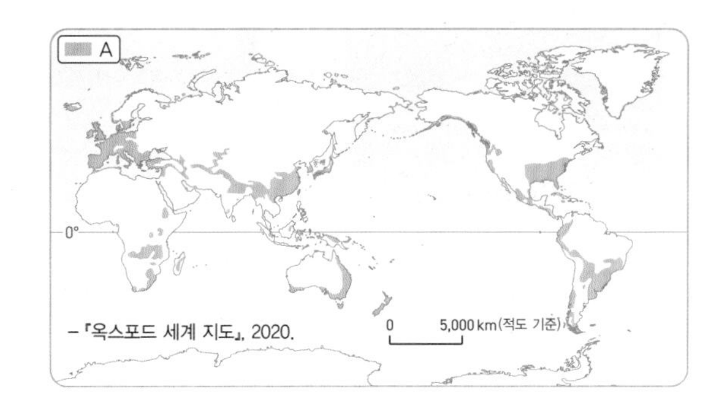

보기

㉠ 다양한 농업이 발달했다.
㉡ 중위도 지역에 주로 나타난다.
㉢ 초원 지역 사람들은 유목 생활을 한다.
㉣ 서부 유럽은 여름과 겨울의 기온 차가 크다.

15 지도의 ㉠과 같이 분포하는 기후의 특징을 쓰시오.

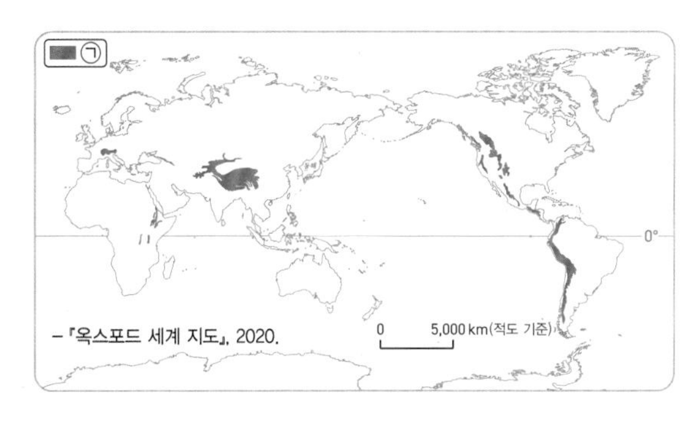

16 각 나라와 그 나라의 유명한 음식을 연결하시오.

(1) 중국 •  • ㉠ 

(2) 일본 • • ㉡ 

(3) 러시아 • • ㉢ 

17 러시아에 대한 설명으로 알맞지 않은 것은 어느 것입니까? ( )

① 인구 대부분이 서남쪽 지역에 거주한다.
② 에너지 자원이 풍부해 이를 이용한 산업이 발달했다.
③ 동쪽에는 높은 산지와 고원이, 서쪽에는 평원이 나타난다.
④ 아시아에서 유럽까지 연결된 시베리아 횡단 열차가 있다.
⑤ 동부의 해안 지역에는 주요 항구와 대도시를 중심으로 여러 가지 산업이 발달했다.

18 중국과 관련 있는 내용을 보기 에서 골라 기호를 쓰시오.

보기

㉠ 가장 높은 산은 후지산이다.
㉡ 세계에서 인구가 가장 많다.
㉢ 고유한 민족 신앙인 신도를 믿는다.
㉣ 영토가 넓어 지역마다 열대, 건조, 온대, 냉대 기후 등 다양한 기후가 나타난다.

19 우리나라가 지리적으로 멀리 떨어진 사우디아라비아와 활발하게 교류하는 까닭을 쓰시오.

20 제시된 단어들과 가장 관련 있는 나라는 어느 나라입니까? ( )

햄버거　　브로드웨이
나이아가라 폭포　　자유의 여신상

① 미국　　② 칠레
③ 프랑스　　④ 캐나다
⑤ 베트남

[1-2] 다음 지도를 보고 물음에 답하시오.

1 국경선이 반듯한 나라를 찾아 해당 기호와 나라를 쓰시오.

2 ㉣ 나라의 이름과 영토 모양의 특징을 쓰시오.

3 나라별 영토 면적을 비교하려고 할 때 세계 지도가 적합하지 않은 이유를 쓰시오.

[4-6] 다음 사진을 보고 물음에 답하시오.

㉠ 

㉡ 

㉢ 

4 ㉠~㉢ 사진을 주로 볼 수 있는 기후 지역을 쓰시오.

㉠:

㉡:

㉢:

5 ㉡ 지역의 대표적인 삼림 자원을 활용한 산업에 대해 쓰시오.

6 ㉢ 기후 지역 사람들의 생활 모습을 두 가지 쓰시오.

2 통일 한국의 미래와 지구촌의 평화

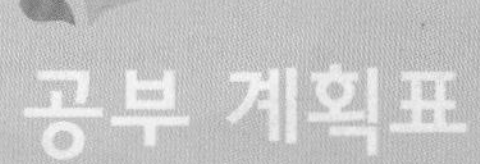

공부 계획표

• 자신의 일정에 맞게 계획을 세워보고, 실제 학습일을 적어봅시다.
• 학습을 마무리한 후 얼마나 학습 목표를 달성하였는지 스스로 점검해 봅시다.

	주제	쪽수	계획일	달성
단원 열기	통일 한국의 미래와 지구촌의 평화	78~81쪽	월 일	
1 한반도의 미래와 통일	우리 땅 독도를 찾아볼까요?	82~83쪽	월 일	
	독도의 역사와 독도를 지키려는 노력을 살펴볼까요?	84~85쪽	월 일	
	독도의 지리적 특성을 알아볼까요?	86~87쪽	월 일	
	남북통일의 필요성과 통일을 위한 노력을 알아볼까요?	88~89쪽	월 일	
	지구촌 평화에 기여하는 통일 한국의 모습을 그려 볼까요?	90~91쪽	월 일	
	즐겁게 정리해요, 주제 톡톡 문제	92~95쪽	월 일	
2 지구촌의 평화와 발전	지구촌의 평화를 위협하는 갈등이 있다고요?	98~99쪽	월 일	
	지구촌 곳곳에서는 왜 갈등이 일어날까요?	100~103쪽	월 일	
	지구촌 갈등을 해결하는 방안을 찾아볼까요?	104~105쪽	월 일	
	지구촌 갈등 해결을 위한 개인과 비정부 기구의 노력을 알아볼까요?	106~107쪽	월 일	
	지구촌 갈등 해결을 위한 국가와 국제기구의 노력을 알아볼까요?	108~109쪽	월 일	
	모의 국제기구 활동으로 지구촌의 평화와 발전을 위한 노력을 실천해 볼까요?	110~111쪽	월 일	
	즐겁게 정리해요, 주제 톡톡 문제	112~115쪽	월 일	
3 지속 가능한 지구촌	지구촌에는 어떤 문제가 있을까요?	118~119쪽	월 일	
	지구촌의 다양한 환경 문제를 알아볼까요?	120~121쪽	월 일	
	지구촌 환경 문제를 해결하기 위한 노력을 알아볼까요?	122~123쪽	월 일	
	환경을 생각하는 생산과 소비 활동을 알아볼까요?	124~125쪽	월 일	
	빈곤과 기아 문제를 해결하기 위한 노력을 알아볼까요?	126~127쪽	월 일	
	문화적 편견과 차별이 없는 미래를 만들기 위해 노력해 볼까요?	128~129쪽	월 일	
	세계 시민으로서 우리가 할 수 있는 일은 무엇일까요?	130~131쪽	월 일	
	즐겁게 정리해요, 주제 톡톡 문제	132~135쪽	월 일	
단원 마무리	단원을 마무리해요, 쪽지 시험	138~140쪽	월 일	
	단원 톡톡 문제, 서술형 톡톡 문제	141~144쪽	월 일	

지속 가능한 미래

단원 열기 2. 통일 한국의 미래와 지구촌의 평화

지구촌 평화 축제가 끝나고 다른 지역으로 가기 위해 기차를 타러 왔어요. 함께 지구촌 평화를 위해 다른 지역 여행 계획을 세워 볼까요?

배움 영상

나는 지구본 모형 앞에서 한반도기를 들고 사진을 찍었어.
지구촌 평화관
나는 지구촌 평화를 위해 노력하는 국제기구의 이야기를 들을 수 있었어.
잃어버린 축제 기념품을 찾아라!
나는 지속 가능한 미래를 위해 우리 모두가 노력해야 한다는 이야기를 들었어.
지속 가능한 미래관
지속 가능한 발전
I ♥ Peace
다들 축제를 즐기고 왔구나. 그럼 우리 이제 평화 열차를 타고 다른 지역으로 새로운 여행을 떠나볼까?
지구촌 평화 축제
열차 번호
123
아야! 다른 승객과 부딪히는 바람에 축제 현장에서 받은 기념품을 잃어버렸어.

지구촌
잃어버린 축제 기념품을 찾아라!
열차 종류 열차 번호
평화 열차 123
기차가 출발하기 전에 친구를 도와 기념품을 찾아보자.
좋아!
서울↔런던

📍 교과서 81~82쪽

? 지구촌 평화 축제에서 받은 기념품에는 어떤 의미가 담겨 있을지 이야기해 봅시다.

예 한반도기는 한반도의 평화를 상징하는 기념품입니다. 텀블러는 지속 가능한 미래를 위해 일회용품의 사용을 줄이자는 의미가 담겨 있습니다. 국제 연합기는 세계의 평화를 상징하는 기념품입니다.

도움 기차역에서 친구가 잃어버린 축제 기념품을 찾아보아요.

이 단원에서 나는

📍 교과서 83쪽

통일 한국의 ○	○ 미래 모습을 ○	○ 탐구하고 싶어요.
지구촌의 ○	○ 갈등 해결 노력을 ○	○ 조사하고 싶어요.
	○ 지속 가능한 미래를 ○	○ 실천하고 싶어요.

예 통일 한국의 미래 모습을 탐구하고 싶어요. 지구촌의 갈등 해결 노력을 조사하고 싶어요. 지구촌의 지속 가능한 미래를 실천하고 싶어요.

도움 제시된 낱말을 연결해 나만의 학습 계획을 세워 보아요.

미리 맛보는 교과서 흐름

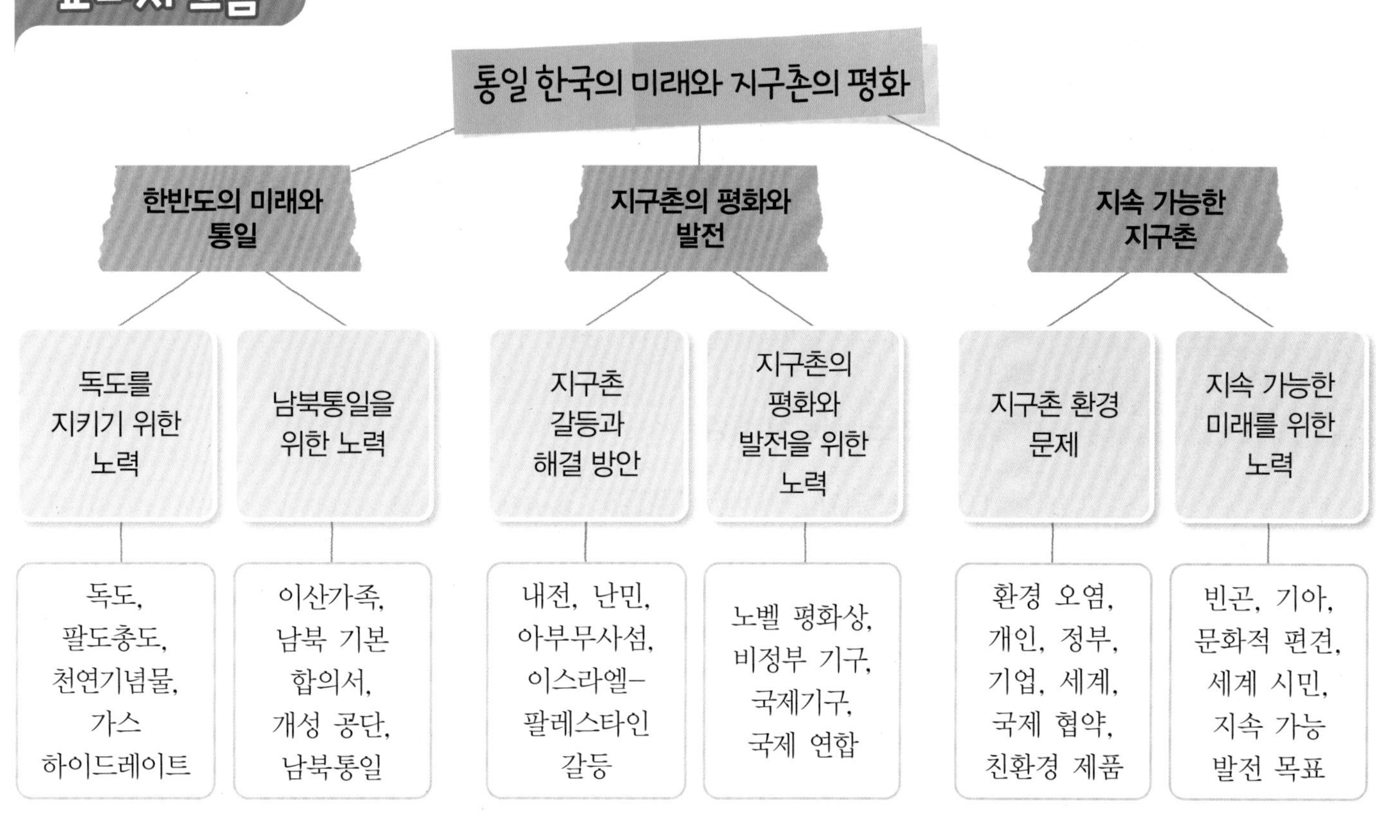

- 독도의 특성과 남북통일을 위한 노력을 탐구하고 통일 한국의 미래상을 그릴 수 있어요.
- 지구촌에서 일어나는 갈등을 조사하고 이를 해결하기 위한 노력을 알 수 있어요.
- 지구촌 환경 문제와 지속 가능한 미래를 위한 노력을 알아보고 세계 시민의 자세를 기를 수 있어요.

미리 맛보는 핵심 용어

❶ 통(統) 거느릴 통	일(一) 하나 일	❶ 나누어진 것들을 합쳐서 하나의 조직 아래로 모이게 하는 것을 뜻합니다.
❷ 갈(葛) 칡 갈	등(藤) 등나무 등	❷ 칡과 등나무가 서로 얽히는 것과 같이, 개인이나 집단 사이에 목표가 달라 서로 적으로 여기거나 충돌하는 것을 뜻합니다.
❸ 지(持) 가질 지	속(續) 이을 속	❸ 어떤 상태가 오래 계속되는 것을 뜻합니다.

우리 땅 독도를 찾아볼까요?

1 우리 땅 독도

(1) 독도

① 우리나라의 소중한 영토이다.

② 두 개의 큰 섬과 크고 작은 바위섬으로 이루어져 있다.

③ '아침을 여는 섬'이라고 불린다. 보충 ①

(2) 독도가 지리적으로 중요한 까닭: 동해상에 자리 잡고 있어 선박의 ❶항로뿐만 아니라 군사적으로 중요한 위치에 있기 때문이다.

2 독도의 지리적 특성

(1) 독도의 ❷위치 시험 대비 핵심 자료 속 시원한 활동 풀이

① 우리나라의 동쪽 끝에 있다. 보충 ②

② 울릉도의 남동쪽에 있으며, 경상북도 울릉군에 속한다.

③ 독도는 북위 37°, 동경 132° 가까이에 있다.

④ 독도에서 울릉도까지의 거리는 일본 오키섬까지의 거리보다 약 70 km 가깝다.

▲ 독도의 위치

내용+ 경상북도 울릉군 울릉읍 독도리 1~96번지에 있으며, 한반도의 부속 도서로 우리나라의 동쪽 끝에 위치한 섬이다.

(2) 독도의 위치로 알 수 있는 사실: 독도는 일본보다 우리나라와 지리적으로 가까운 우리의 고유한 영토이다.

보충 ①

◉ **아침을 여는 섬**

동해상에 위치한 독도는 우리나라의 가장 동쪽 끝에 있기 때문에 해가 뜨는 것을 가장 먼저 볼 수 있다. 독도에서도 가장 동쪽인 독도 망양대는 해가 가장 먼저 뜨는 곳이라고 한다. 독도 망양대는 독도 동남쪽으로 우뚝 솟아 있는 봉우리로, '태평양을 바라본다.'라는 의미로 이름이 붙여졌다.

보충 ②

◉ **독도의 위치와 영역**

독도는 경상북도 울진군 죽변에서 동쪽으로 216.8 km, 울릉도에서는 동남쪽으로 87.4 km 떨어져 있어 맑은 날에는 울릉도에서 독도가 보인다. 반면에 오키섬은 독도에서 157.5 km 떨어져 있으며, 이곳에서는 독도를 볼 수 없다. 이것은 지리적으로도 독도가 우리 영토임을 보여 주는 증거가 된다.

용어 사전

❶ **항로**(航: 배 항, 路: 길 로): 바다에서 선박이 지나다니는 길을 말한다.

❷ **위치**(位: 자리 위, 置: 둘 치): 일정한 곳에 자리를 차지하는 것을 말한다.

2 단원

시험 대비 핵심 자료

● 독도 강치

▲ 바위에서 쉬는 강치의 모습

▲ 바위섬으로 이루어진 독도

독도 강치는 지금은 멸종되었지만 독도 주변 바다에 살았던 바다사자이다. 한반도 동해안 및 일본 열도 해안가에서 주로 서식하였는데, 특히 독도는 주변에 강치가 쉬기에 좋은 바위가 많았다. 그리고 난류와 한류가 만나는 황금 어장이 형성되어 먹이가 풍부했기 때문에 강치들의 주요 서식지였다. 하지만 19세기에 들어서 일본 어부들이 강치를 마구 잡아들여 멸종되었다.

속 시원한 활동 풀이

스스로 활동 지도에서 독도의 위치를 확인해 보고, 빈칸에 알맞은 숫자를 써 봅시다.

- 독도는 북위 ( )°, 동경 ( )° 가까이에 있다.
- 독도에서 울릉도까지의 거리는 일본 오키섬까지의 거리보다 약 ( ) km 가깝다.

예 독도는 북위 37°, 동경 132° 가까이에 있다. 독도에서 울릉도까지의 거리는 일본 오키섬까지의 거리보다 약 70 km 가깝다.

확인 톡!톡!

정답과 해설 11쪽

1 ( )은/는 우리나라의 동쪽 끝에 있는 섬이다.

2 독도는 선박의 항로뿐만 아니라 군사적으로 중요한 위치에 있다. (O | X)

3 독도가 자리 잡고 있는 바다는? ( )

독도의 역사와 독도를 지키려는 노력을 살펴볼까요?

1 독도의 역사

(1) 독도에 대한 역사적 자료 (속 시원한 활동 풀이) (시험 대비 핵심 자료)

『세종실록지리지』	「팔도총도」
지금의 독도인 우산과 지금의 울릉도인 무릉의 거리가 멀지 않아 날씨가 맑으면 서로 바라볼 수 있다고 기록되어 있음. 보충 ❶	『신증동국여지승람』에 실려 있으며, 우리나라의 옛 지도 중 독도가 표기된 가장 오래된 지도. 당시 지도에는 울릉도의 서쪽에 우산도(독도)를 그렸음.
「삼국접양지도」	**「태정관 지령」**
일본의 지리학자가 그린 지도. 독도를 조선과 같은 노란색으로 칠하고 독도의 왼편에 '조선의 것'이라고 기록했음.	당시 일본의 최고 행정 기관인 태정관이 '울릉도와 독도는 일본과 관계가 없다는 것을 명심할 것'이라는 지시를 내림.
「대한 제국 ❶칙령」 제41호가 실린 『관보』	**「연합국 최고 사령관 각서」 제677호 부속 지도**

지금의 독도인 석도가 울릉군의 관할임을 명확히 했고, 이 칙령을 『관보』에 실어 독도 영유권을 국내외에 알림. 보충 ❷	제2차 세계 대전 후 연합국 최고 사령관은 울릉도와 독도, 제주도를 일본의 영역에서 제외하고 우리나라의 영토 구획선 내에 포함했음.

(2) 역사적 자료를 통해 알 수 있는 사실

① 오랜 옛날부터 독도가 우리나라의 영토로 기록되어 왔다.

② 일본도 독도가 우리나라의 영토라는 사실을 인정하고 있다.

2 독도를 지키려는 노력 보충 ❸

구분	내용
정부	• 독도에 등대, 경비 시설, 선박 ❷접안 시설 등을 설치했음. • 독도와 관련한 여러 법령을 시행하여 영토 주권을 행사하고 있음.
개인과 민간단체	• 최종덕: 독도에 주민 등록을 하고 실제로 거주했음. • 반크: 사이버 외교 사절단으로서 독도를 바로 알리려는 다양한 활동을 하고 있음.

보충 ❶

◉ 우산도

울릉도에 있었던 고대 우산국에서 비롯된 이름으로, 독도의 이름으로 가장 오래 사용되었다.

보충 ❷

◉ 석도

과거에 주민들이 돌로 이루어진 독도를 돌섬의 사투리인 독섬이라 불렀다. 석도는 한자의 뜻을 사용하여 독섬을 표기한 이름이다.

보충 ❸

◉ 안용복

조선 숙종 때 살았던 안용복은 울릉도 인근에서 고기잡이를 하던 중 일본 어민을 발견하고 이를 항의하다가 일본으로 잡혀갔다. 그는 일본 관리 앞에서 울릉도와 독도가 우리의 영토임을 주장했고, 이를 계기로 일본은 일본 어민들이 울릉도와 독도에서 어업을 못 하도록 하는 명령을 내렸다.

용어 사전

❶ **칙령**(勅: 칙서 칙, 令: 명령할 령): 임금이 내린 명령을 의미한다.

❷ **접안**(接: 접할 접, 岸: 언덕 안): 배를 건물의 안쪽에 있는 벽이나 육지에 대는 것을 말한다.

공부한 날 월 일

시험 대비 핵심 자료

● 독도 관련 누리집

독도에 대한 자료를 찾아볼 때 정부 관련 누리집은 물론 다양한 누리집을 활용할 수 있다. 외교부에서 제공하는 '독도에 대한 우리 입장'과 '자료실' 메뉴에서 독도에 대한 역사적 자료를 확인할 수 있다. 독도 기록원 누리집의 '기록 정보 콘텐츠' 메뉴에서 '콘텐츠 목록 → 독도'를 선택하면 독도에 대한 역사적 자료를 시기별로 확인할 수 있다.

속 시원한 활동 풀이

스스로 활동 독도에 관한 지리적·역사적 근거를 제시하여 독도가 우리 영토임을 알리는 댓글을 작성해 봅시다.

댓글을 입력하세요. 등록

예 일본의 옛 지도인「삼국접양지도」에는 독도는 '조선의 것'이라고 기록되어 있다. 따라서 독도는 일본도 인정한 우리나라의 영토이다.「연합국 최고 사령관 각서」제677호 부속 지도를 보면 일본의 영역에서 울릉도와 독도, 제주도가 제외된다는 사실을 알 수 있다.

잠깐! 확인해요

정부는 독도와 관련한 법령을 시행하여 독도에 대한 ☐☐ 주권을 행사하고 있다. (영토)

확인 톡! 톡!

정답과 해설 11쪽

1 (   )에는 날씨가 맑으면 울릉도에서 독도를 바라볼 수 있다는 내용이 기록되어 있다.

2 우리나라의 옛 지도 중 독도가 표기된 가장 오래된 지도는? (   )

3 우리나라 정부는 독도에 등대, 선박 접안 시설, 경비 시설 등을 설치했다. (O | X)

독도의 지리적 특성을 알아볼까요?

❶ 독도의 지형과 경관

(1) 독도의 지형

① 화산 폭발로 생긴 화산섬으로 독특한 지형과 경관을 볼 수 있다.

② 경사가 급하고 섬 주변에 여러 개의 바위섬이 있다.

③ 두 개의 큰 섬인 동도와 서도로 이루어져 있다.

④ 우리나라는 독도를 천연기념물 제 336호로 지정해 보호하고 있다. 보충 ❶

(2) 독도의 경관 (속 시원한 활동 풀이)

서도	• 탕건봉: 옛날 관리가 갓 아래 받쳐 쓰던 탕건과 닮은 바위 • 코끼리 바위: 코끼리 모양을 닮은 바위 • 주민 숙소: 독도 주민이 거주하는 곳 • 삼형제굴 바위: 세 방향의 동굴이 한 점에서 만나는 바위
동도	• 한국령 ❶표석: 독도가 우리 땅임을 알리는 표석 • 독도 등대: 어민을 보호하고 우리 영토를 상징하는 등대 • 독립문 바위: 독립문 모양을 닮은 바위 • 한반도 바위: 한반도 모양을 닮은 바위 • 천장굴: 우물처럼 천장이 뚫려 있는 동굴로, 바닷물의 침식 작용으로 생김.

▲ 독도

❷ 독도의 생태계 (시험 대비 핵심 자료)

(1) 생태계의 ❷보고: 독도에는 다양한 동식물이 살고 있다.

(2) 독도의 동식물: 괭이갈매기, 섬기린초, 사철나무, 해국 등 보충 ❷

(3) 독도의 해양 생물: 괭생이모자반, 도화새우, 유착나무돌산호 등

(4) 독도 주변 바다의 특징: 독도 주변 바다는 따뜻한 바닷물과 차가운 바닷물이 만나는 곳으로 여러 해양 생물이 살기 좋은 황금 어장이 형성된다.

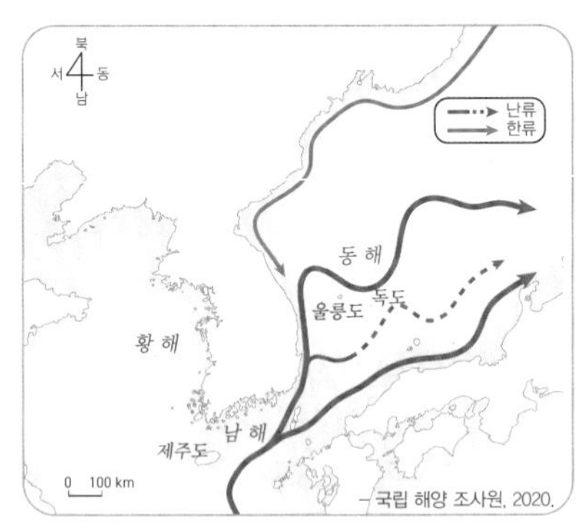

▲ 독도 주변 해류도

❸ 독도의 경제적 가치

해양 심층수	태양광이 도달하지 않는 수심 200 m 이하의 바다에서 흐르는 청정한 해양수. 화장품이나 생수 등의 원료로 활용됨.
가스 하이드레이트	이산화 탄소의 발생량이 적은 청정에너지이며, 미래 에너지 자원으로 주목받고 있음. 보충 ❸
관광 자원	독도의 아름다운 자연환경을 보기 위해 관광객들이 방문함.

보충 ❶

◉ **천연기념물 독도**

정부는 다양한 동식물과 해양 생물이 서식하는 독도의 자연환경과 생태계를 보호하기 위하여 독도를 천연기념물로 지정했다.

보충 ❷

◉ **괭이갈매기**

독도에 쉬어가는 철새이다. 독도는 괭이갈매기 보호 구역으로 지정되어 있다. 산란기는 4월에서 6월 사이로, 이 시기가 되면 수많은 괭이갈매기가 독도로 모여들게 된다. 괭이갈매기는 이름 그대로 고양이 울음소리 같은 소리를 낸다.

보충 ❸

◉ **가스 하이드레이트**

천연가스와 물이 결합해 형성된 고체 물질로 '불타는 얼음'이라고도 부른다. 가스 하이드레이트는 같은 양의 에너지를 만드는 데 석유의 3분의 2, 석탄의 2분의 1 정도 적은 이산화 탄소를 발생시키는 청정에너지이다.

용어 사전

❶ **표석**(標: 표 표, 石: 돌 석): 어떤 것을 표시하거나 다른 것과 구별하려고 세우는 돌을 말한다.

❷ **보고**(寶: 보배 보, 庫: 곳집 고): 귀중한 것들이 많이 나거나 간직되어 있는 곳을 비유적으로 이르는 말이다.

공부한 날 월 일

시험 대비 핵심 자료

독도의 생태계

독도는 바다로 둘러싸인 섬으로 염분이 많고 해풍이 강하게 불어 식물이 성장하기 어려운 환경이다. 그래서 독도에는 해국 등 자생력이 강한 식물들이 자라고 있다. 또 괭이갈매기를 비롯해 이동 중인 철새도 많이 찾는다. 독도의 바다에도 '독도 새우'라고도 불리는 도화새우를 비롯해 다양한 해양 생물이 살고 있다.

▲ 도화새우

▲ 섬기린초

▲ 해국

2 단원

속 시원한 활동 풀이

스스로 활동 독도의 경관을 살펴보고 빈칸에 알맞은 붙임 딱지를 붙여 봅시다.

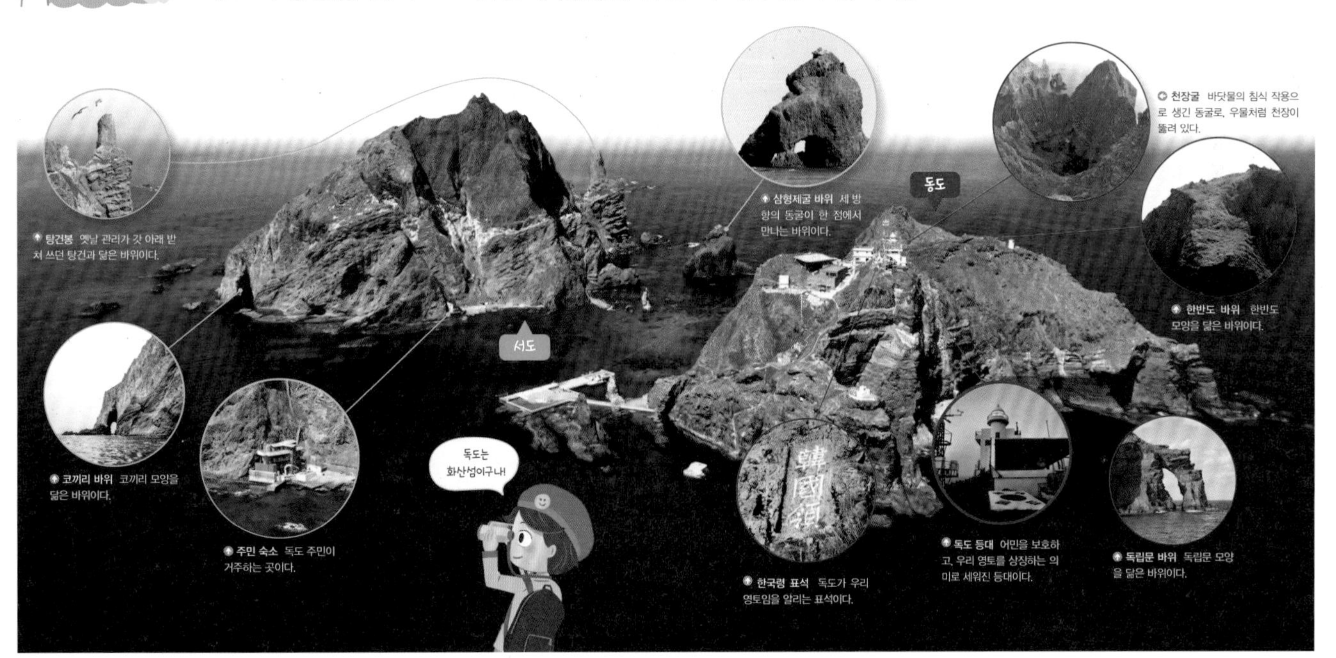

잠깐! 확인해요

독도는 다양한 자원을 품고 있는 우리나라의 소중한 영토이다. (O | X)

확인 톡!톡!

정답과 해설 11쪽

1 독도는 경사가 급하고 섬 주변에 여러 개의 모래섬이 있다. (O | X)

2 독도는 아름다운 경관뿐만 아니라 다양한 동식물이 서식하는 (   )이다.

3 이산화 탄소의 발생량이 적은 청정에너지로, 독도 바다 밑에 매장되어 있는 미래의 에너지 자원은?
(   )

남북통일의 필요성과 통일을 위한 노력을 알아볼까요?

1 남북통일이 필요한 까닭 (속 시원한 활동 풀이)

(1) 남북 분단: 광복 이후 남과 북에는 각각 대한민국 정부와 북한 정권이 수립되었고, 6·25 전쟁을 겪으며 남북 분단이 길어졌다.

(2) 남북 분단으로 인한 어려움

① 남북 분단으로 ❶이산가족이 생겼다.

② 전쟁이 다시 일어날 수 있다는 두려움과 공포를 겪고 있다.

③ 남한과 북한의 자원과 기술을 효율적으로 이용하지 못해 경제적 손실이 생겼다.

④ 분단 기간이 길어지면서 남북의 언어와 문화에 차이가 나타나고 있다.

▲ 이산가족 찾기 운동

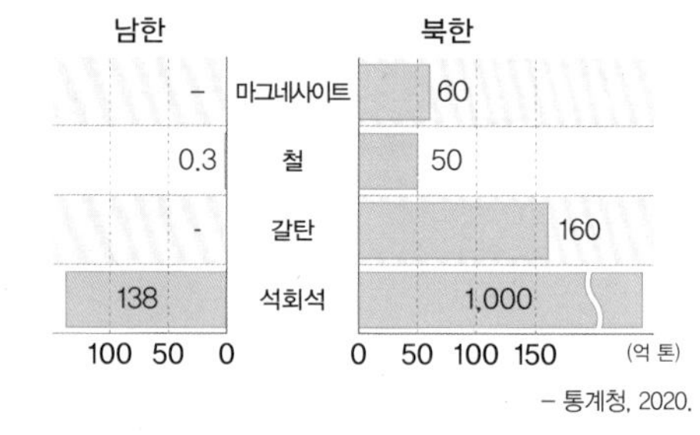

▲ 남북한 광물 자원 매장량

(3) 남북통일의 필요성

① 분단으로 헤어진 가족이 다시 만날 수 있다.

② 전쟁의 위협에서 벗어나 평화로운 삶을 누릴 수 있다.

③ 북한의 자원과 남한의 기술력을 함께 활용해 경제적으로 발전할 수 있다.

④ 대륙과 해양을 잇는 한반도의 지리적 이점을 살릴 수 있다.

2 남북통일을 위한 노력 (속 시원한 활동 풀이)

(1) 정치적 노력

① 남북 기본 합의서 채택(1991): 남북 고위급 회담에서 남북 화해, 교류, 협력 등의 내용이 담긴 남북 기본 합의서를 채택했다.

② 남북 정상 회담 개최(2018): 남북 정상 회담에서 남북 간의 긴장 완화와 평화 체제 구축의 내용을 담은 판문점 선언이 채택되었다.

(2) 경제적 노력

① 개성 공단 가동(2005): 남북한의 경제 협력 ❷지구인 개성 공단이 세워졌다. 보충 ❶

② 경의선·동해선 연결 및 현대화 착공식(2018): 남과 북은 끊어진 도로와 철도를 연결하고 시설을 개선해 교류와 협력을 확대하고자 했다. 보충 ❷

(3) 사회·문화적 노력

① 남북 이산가족 ❸상봉(2018): 남북 이산가족 상봉 행사에서 서로 떨어져 있던 이산가족이 만나 기쁨을 나누었다.

② 남북 예술단 합동 공연(2018): 남북한 예술단이 각각 강릉, 평양에서 공연을 했다.

③ 평창 동계 올림픽 남북한 선수단 공동 입장(2018): 평창 동계 올림픽에서 남북한 선수단이 한반도기를 들고 공동 입장했다. 보충 ❸

보충 ❶

◉ **개성 공단**

남북 경제 협력 사업의 하나로 개성시 봉동리 일대에 개발된 공업 단지이다. 정식 명칭은 개성 공업 지구이다. 지금은 가동이 중단된 상태이다.

보충 ❷

◉ **경의선·동해선**

경의선은 서울과 북한의 신의주 사이를 잇는 철도이고, 동해선은 부산과 북한의 안변을 연결하는 노선이다.

보충 ❸

◉ **평창 동계 올림픽**

대한민국 강원도의 평창, 강릉, 정선 지역에서 2018년 2월 9일부터 2월 25일까지 열린 동계 올림픽이다.

용어 사전

❶ **이산가족**(離: 떠날 이, 散: 흩을 산, 家: 집 가, 族: 겨레 족): 남북 분단 등의 사정으로 이리저리 흩어져서 서로 소식을 모르는 가족을 말한다.

❷ **지구**(地: 땅 지, 區: 구역 구): 일정한 기준에 따라 여럿으로 나눈 땅의 한 구획을 말한다.

❸ **상봉**(相: 서로 상, 逢: 만날 봉): 서로 만나는 것을 말한다.

1 분단으로 인한 어려움을 살펴보고 통일이 필요한 까닭을 이야기해 봅시다.

예
- 남과 북의 자원을 효율적으로 활용해 경제적으로 발전할 수 있기 때문에 통일이 필요하다.
- 대륙과 해양을 잇는 한반도의 지리적 이점을 살릴 수 있다.

2 남북통일을 위한 정부와 민간단체의 노력을 더 조사해 봅시다.

예
- 올림픽과 같은 대회에 남북한 선수들이 한 팀으로 경기에 출전하는 스포츠 교류를 했다.
- 소프트웨어나 모바일 게임을 공동 개발하고 개성 공단 통신망을 구축하는 등 정보 통신 분야의 사업에서 남북 교류를 했다.

잠깐! 확인해요

남과 북은 분단을 극복하고 평화 ☐☐을/를 위해 노력하고 있다. (통일)

확인 톡!톡!

정답과 해설 11쪽

1 남북 분단으로 인하여 이리저리 흩어져 서로 소식을 모르는 가족은? ( )

2 남북통일을 위한 정치적 노력, 사회 · 문화적 노력은 있었지만 경제적 노력은 없었다. (O | X)

3 ( )에서 남북 간의 긴장 완화와 평화 체제 구축의 내용을 담은 판문점 선언이 채택되었다.

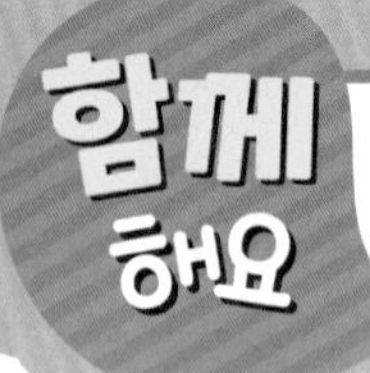

지구촌 평화에 기여하는 통일 한국의 모습을 그려 볼까요?

① 통일 한국의 모습 상상하기

기차를 타고 떠나는 유럽 여행	금강산 소풍 보충 ❶

기차를 타고 유럽까지 갈 수 있음.	남북한의 명소를 자유롭게 ❶왕래할 수 있음.
평양에서 근무하는 직원	함께 사는 이산가족

남북의 산업과 경제가 발전할 수 있음.	이산가족이 다시 만나 함께 살 수 있음.

② 통일 한국의 모습을 표현하는 활동 (속 시원한 활동 풀이)

(1) 통일 한국의 모습을 담은 신문 기사 작성하기

❶ 어떤 주제로 신문 기사를 작성할지 친구들과 의논한다.
❷ 통일 한국을 소개하는 신문 기사를 쓰고, 신문을 꾸민다.
❸ 완성한 신문을 친구들에게 소개한다.

(2) 통일 한국의 모습을 알리는 포스터 만들기

❶ 어떤 주제로 포스터를 만들지 친구들과 ❷의논한다.
❷ 통일 한국의 모습을 담은 포스터를 만든다.
❸ 완성한 포스터를 친구들에게 소개한다.

(3) 통일 한국의 인물과 가상 ❸면담하기 보충 ❷

❶ 가상 면담을 실시할 인물과 인물에 대한 특징을 정한다.
❷ 가상 면담 질문과 예상 답변을 정리한다.
❸ 역할을 나누어 가상 면담을 실시한다.
❹ 가상 면담 결과를 친구들에게 소개한다.

보충 ❶

◉ **금강산 관광**
1998년 11월 18일 관광선 금강호가 이산가족 등 826명을 태우고 동해항을 출발하여 북한의 장전항에 입항함으로써 금강산 관광이 시작되었다. 남북 철도·도로 연결 공사의 진전으로 2003년 2월부터 육로 관광이 시작되었고, 관광 시작 6년 만인 2005년 6월 누적 관광객 수가 100만 명을 넘어서고, 2008년 8월 약 200만 명이 금강산 관광을 다녀왔다.

보충 ❷

◉ **가상 면담을 하는 방법**
통일 한국의 인물과 가상 면담을 할 때는 우선 통일 한국에서 만날 수 있는 다양한 인물을 떠올려 본다. 그리고 인물과 역할을 정해 가상 면담을 진행해 보도록 한다.

용어 사전

❶ **왕래**(往: 갈 왕, 來: 올 래): 서로 가고 오는 것을 말한다.
❷ **의논**(議: 의논할 의, 論: 논할 논): 어떤 일에 대하여 서로 의견을 주고받는 것을 말한다.
❸ **면담**(面: 낯 면, 談: 말씀 담): 서로 만나서 이야기하는 것을 말한다.

속 시원한 활동 풀이

지구촌 평화에 기여하는 통일 한국의 모습 표현하기

구분	통일 신문	통일 한국 우표
특징	예 통일 한국에서 일어난 다양한 상황을 나타낼 수 있다. 미래 모습을 담은 신문 기사 외에도 지면 광고 등 다양한 형식을 활용할 수 있다.	예 통일 한국의 주요 사건을 표현할 수 있다. 통일 한국의 상징적인 내용을 담을 수 있다.
하는 방법	예 ① 신문으로 표현하고 싶은 주제를 생각한다. ② 주제와 관련된 내용(통일 한국의 역사, 인물, 지역, 특징 등)을 조사한다. ③ 조사한 내용을 바탕으로 통일 신문을 만든다.	예 ① 우표로 만들고 싶은 주제를 생각한다. ② 주제와 관련된 내용(통일 한국의 상징, 역사적 장면, 인물, 기사, 뉴스 등)을 조사한다. ③ 조사한 내용을 바탕으로 우표를 만든다.
조사한 내용	예 주제: 백두에서 한라까지 관광객 증가 내용: 백두산 풍경, 한라산 관광 상품, 통일 한국에서만 즐길 수 있는 관광지 등	예 주제: 비무장 지대와 통일 한국 내용: 비무장 지대의 풍경, 통일 한국의 상징물, 비무장 지대와 관련된 행사, 관련 뉴스와 기사 등
표현할 내용	예 통일 이후 한반도에 전쟁의 위험이 사라지고 다양한 관광 상품이 개발된 모습을 표현한다.	예 비무장 지대에서 자유롭게 지내는 동물을 표현하여 통일 한국의 평화로운 모습을 상징한다.
발표할 내용	예 통일 신문은 통일 이후의 소식을 널리 전할 수 있고, 통일이 되면 실제로 다양한 관광 상품들이 개발될 것이라는 점을 발표한다.	예 통일 한국 우표는 관광 상품이나 기념품으로 활용할 수 있고, 기념 우표를 모두 수집하면, 통일 한국 과정을 알릴 수 있다는 점을 발표한다.

정답과 해설 11쪽

1 통일 한국에서는 유럽까지 기차를 타고 갈 수 있다. (O | X)

2 통일 한국에서는 ( )이/가 다시 만나 함께 살 수 있다.

3 한국이 (통일된 , 분단된) 미래에서는 남북한의 명소를 자유롭게 여행할 수 있다.

즐겁게 정리해요

교과서 103쪽

'한반도의 미래와 통일'에서 배운 내용을 떠올리며 보물이 들어 있는 상자를 모두 찾아봅시다.

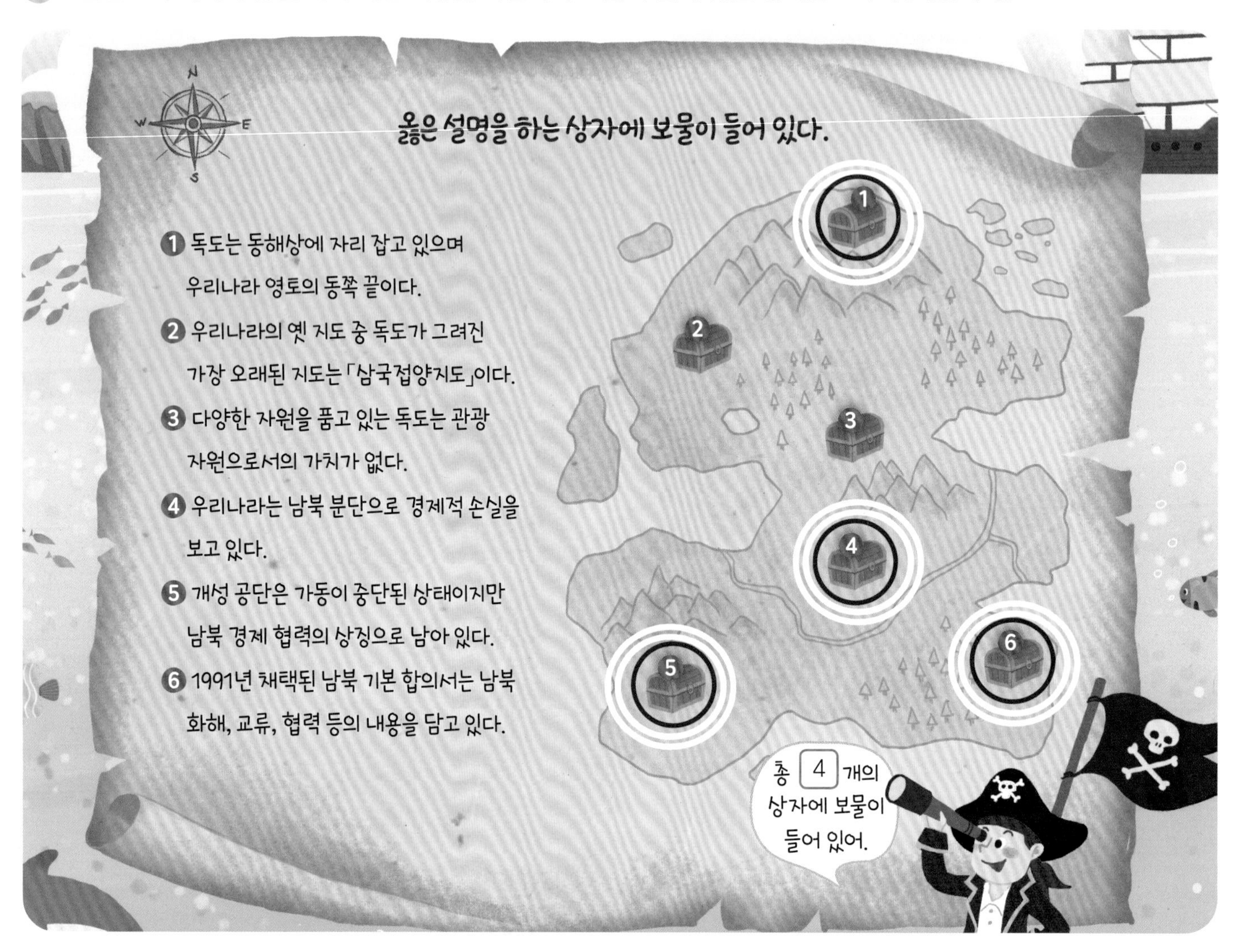

핵심 꿀꺽 질문

- 독도의 지리적·역사적 특성을 설명할 수 있나요?
- 독도를 지키려는 노력을 설명할 수 있나요?
- 남북통일을 위한 다양한 노력을 조사할 수 있나요?
- 지구촌 평화에 기여하는 통일 한국의 모습을 표현할 수 있나요?

1 독도에 대한 설명으로 알맞지 않은 것은 어느 것입니까? ( )

① 동해상에 자리 잡고 있다.
② 경상북도 울릉군에 속한다.
③ 우리나라 동쪽 끝에 위치한다.
④ 울릉도보다 일본 오키섬에 더 가깝다.
⑤ 항로뿐만 아니라 군사적으로 중요한 위치에 있다.

중요
2 빈칸 ㉠, ㉡에 해당되는 지도를 쓰시오.

- (㉠) 은/는 『신증동국여지승람』에 실린 지도로 독도가 표기된 가장 오래된 지도이다.
- (㉡) 은/는 일본 지리학자가 일본을 중심으로 그린 지도로, 독도를 조선과 같은 노란색으로 칠하고 '조선의 것'이라고 기록했다.

㉠:

㉡:

3 자료에 대한 설명으로 알맞은 것을 보기 에서 골라 기호를 쓰시오.

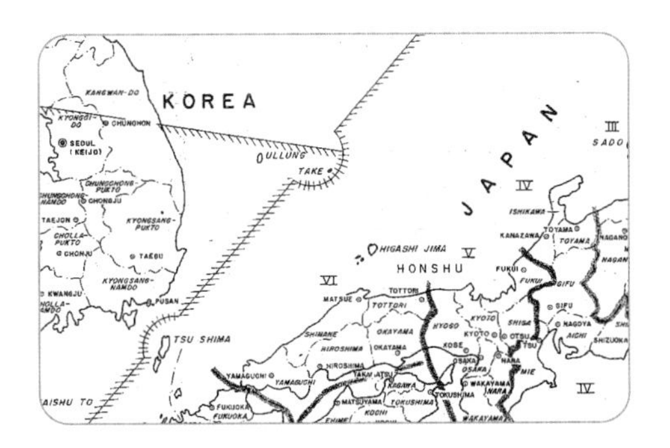

보기
㉠ 독도에 대한 가장 오래된 지도이다.
㉡ 「연합국 최고 사령관 각서」에 첨부된 지도이다.
㉢ 제1차 세계 대전 후 일본 통치 범위를 나타냈다.
㉣ 연합국 최고 사령관은 울릉도와 독도, 제주도를 일본 영역에서 제외했다.

4 다음 설명에 해당하는 '이 사람'의 이름을 쓰시오.

'이 사람'은 울릉도 인근에서 고기잡이를 하던 일본 어민을 쫓아 일본으로 건너갔다. '이 사람'은 일본으로부터 울릉도와 독도가 조선의 영토임을 확인하고 돌아왔다.

5 다음 설명에 해당하는 단체를 쓰시오.

- 사이버 외교 사절단으로 불리며, 외국에 독도가 우리 영토임을 알리는 활동을 한다.
- 우리나라와 관련된 잘못된 정보와 자료를 찾아 수정을 요구한다.

6 (1), (2)의 독도를 지키기 위한 노력을 보기 에서 골라 기호를 쓰시오.

(1) 최종덕　　(2) 반크

보기
㉠ 외국에 독도가 우리 영토임을 알렸다.
㉡ 처음 독도에 주민 등록을 하고 살았다.
㉢ 독도를 지키는 한편 관광객을 보호한다.

중요
7 다음 설명에 해당하는 '미래 에너지 자원'을 쓰시오.

천연가스와 물이 결합한 고체 상태의 물질로, 독도 바닷속 깊은 곳에 묻혀 미래 에너지 자원으로 주목받는다.

8 독도의 지리적 특성으로 알맞은 것은 어느 것입니까? ( )

① 독도는 화산 폭발로 생긴 화산섬이다.
② 동도와 서도 2개의 섬으로만 구성되어 있다.
③ 서도는 천연기념물 제336호로 지정되어 있다.
④ 독도는 바위섬이라 동식물이 서식하기 힘들다.
⑤ 독도 주변 깊은 바닷속에 석유가 흐르고 있다.

9 사진의 섬에 해당되는 내용을 보기 에서 골라 기호를 쓰시오.

보기
㉠ 도화새우 ㉡ 괭이갈매기
㉢ 맹그로브 ㉣ 가스 하이드레이트

10 다음 대화에서 알 수 있는 분단으로 인한 어려움을 쓰시오.

어제 북한에서 또 미사일을 발사했대.

전쟁이 언제 일어날지 모르니 불안해.

11 빈칸에 공통으로 들어갈 알맞은 말을 쓰시오.

[ ]은/는 6·25 전쟁과 남북 분단으로 생겼다. [ ]은/는 가족과 어쩔 수 없이 흩어져 서로 소식을 모르는 가족을 말한다.

12 다음 대화에서 알 수 있는 분단으로 인한 어려움은 어느 것입니까? ( )

① 이산가족의 아픔 ② 전쟁에 대한 두려움
③ 언어·문화적 차이 ④ 경제적 교류의 어려움
⑤ 자원 활용의 어려움

중요

13 남북통일을 위한 노력으로 알맞은 것은 어느 것입니까? ( )

① 남과 북의 평화로운 분단을 목표로 삼고 있다.
② 남북 교류는 1990년대부터 나타나기 시작했다.
③ 민간단체를 제외한 정부를 중심으로 교류해 왔다.
④ 남북 경제 협력의 상징인 판문점 선언이 채택되었다.
⑤ 정치, 경제, 사회·문화 등 다양한 분야에서 노력해 왔다.

중요

14 남북 통일을 위한 경제적 노력으로 알맞은 것을 보기 에서 골라 기호를 쓰시오.

보기
㉠ 개성 공단 가동
㉡ 남북 예술단 합동 공연
㉢ 남북 기본 합의서 채택
㉣ 경의선·동해선 연결 및 현대화 착공식

15 빈칸 ㉠, ㉡에 들어갈 말로 알맞게 짝지어진 것은 어느 것입니까? (　　　)

남북한은 정부와 민간단체를 중심으로 다양한 분야에서 교류와 협력을 했다. ㉠ 노력으로 남북 기본 합의서를 채택하고, 남북 정상 회담을 했다. 뿐만 아니라 ㉡ 노력으로 남북 이산가족이 만나거나 남북 예술단 합동 공연 등의 행사를 열었다.

	㉠	㉡		㉠	㉡
①	정치적	경제적	②	경제적	정치적
③	정치적	세계적	④	경제적	사회·문화적
⑤	정치적	사회·문화적			

16 통일 한국의 모습으로 알맞지 않은 것은 어느 것입니까? (　　　)

① 수학여행으로 백두산 천지를 관광한다.
② 마식령 스키장에서 겨울 스포츠를 즐긴다.
③ 비무장 지대를 평화의 상징으로 활용한다.
④ 서울에서 기차를 타고 유럽 여행을 떠난다.
⑤ 남한의 자원과 북한의 기술을 효율적으로 이용한다.

워드 클라우드와 함께하는 서술형 문제

[17-18] 워드 클라우드의 단어를 이용하여 서술형 문제의 답을 쓰시오.

독도 경비대 난류 한류 황금어장 해양 심층수 독도 분단 경제 바다 사회·문화 평화 비무장 지대 협력 통일 정치 자원 활용 교류

17 다음 지도를 보고 독도 주변 바다의 특징을 쓰시오.

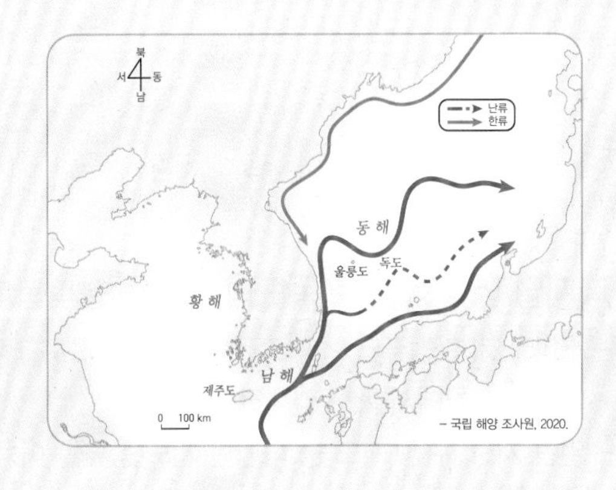

– 국립 해양 조사원, 2020.

18 제시된 내용을 보고 남북통일을 위한 노력을 쓰시오.

• 개성공단
• 남북 기본 합의서
• 남북 예술단 합동 공연
• 남북한 선수단 공동 입장

톡톡 튀는 이야기

독도로 떠나는 여행

독도는 어떻게 갈 수 있을까?

• 강릉항(강릉시), 묵호항(동해군), 후포항(울진군), 포항항(포항시)에서 배를 타고 울릉도에 간 후 울릉도에서 유람선을 타고 독도로 갑니다.

• 강릉항~울릉도(178km) • 묵호항~울릉도(161km) • 후포항~울릉도(159km) • 포항항~울릉도(217km)	~독도(87.4km)

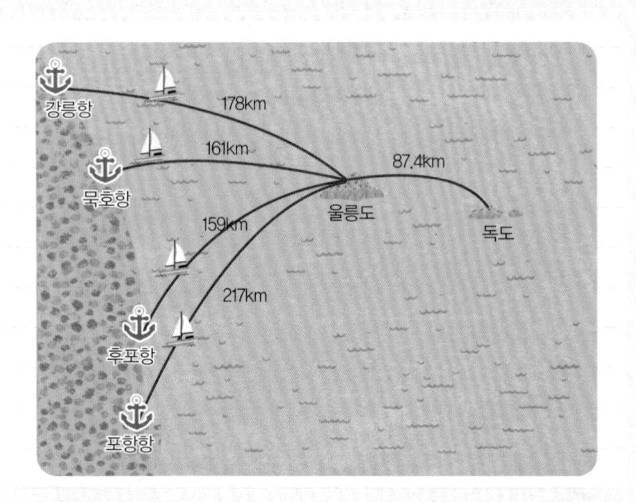

여행을 가기 전 준비

• 디지털 영상 지도로 독도의 모습을 살펴봅니다.
- 스마트 기기(컴퓨터, 스마트폰 등)로 지도 프로그램 실행하기
- 지도 검색창에서 독도 검색하기
- 일반 지도, 위성 지도 등 다양한 지도 종류를 이용해서 독도의 모습 살펴보기

내용+ 프로그램에 따라 거리뷰 기능을 활용하여 실제 독도의 모습을 살펴볼 수 있어요.

- 이동, 확대 및 축소 기능을 활용하여 독도의 전체적인 모습과 위치 등을 살펴보기

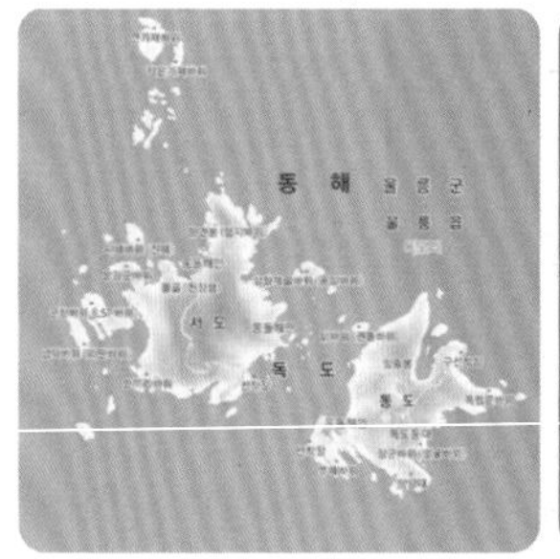

• 독도 연구소 누리집을 방문해서 독도의 실시간 모습을 살펴봅니다.

※ http://world.kbs.co.kr/openk/dokdo_player.htm

여행 전 독도에 대해 알아보기

- 책이나 인터넷으로 독도에 대해 미리 조사해 봅니다.
  - 1900년 10월 25일 고종 황제가 「대한 제국 칙령」 제41호에 독도를 울릉도의 부속 섬으로 명시
  - 2000년 민간 단체인 독도수호대가 10월 25일을 독도의 날로 지정
  - 2005년 이후 국가기념일로 제정하기 위해 서명 운동을 진행
  - 2010년 10월 25일 국권 피탈 100주년을 맞이하여 독도의 날을 선포
- 독도에서 사진으로 찍고 싶은 것을 미리 생각해 봅니다.

독도의 모습 사진으로 찍기

독도 명예 주민증 신청하기

- 대상: 독도에 방문하거나 선회 관람한 사람 중 울릉군 독도 명예 주민이 되기를 희망하는 사람
- 방법: 독도 관리사무소 방문 후 명예 주민증을 신청하고 관련 서류를 제출합니다.

내용+ 독도 관리사무소 누리집: www.intodokdo.go.kr

지구촌의 평화를 위협하는 갈등이 있다고요?

1 다양한 지구촌의 갈등

(1) **지구촌 갈등:** 세계 곳곳에는 다양한 원인으로 갈등을 겪는 지역이 있다.
(2) **내전:** 서로 다른 생각과 이익 때문에 같은 나라 안에서도 전쟁이 발생한다.
(3) **난민:** 전쟁이나 ❶재해 등으로 자기 나라를 떠나 돌아갈 수 없는 사람들이 생긴다. 보충 ❶

2 지구촌 갈등으로 인한 어려움

(1) 지구촌 갈등으로 인한 피해 (시험 대비 핵심 자료)

① 학교, 병원 및 ❷수자원 시설 등 공공시설과 건물이 파괴된다.
② 먹을 것과 깨끗한 물이 부족해 어려움을 겪게 된다.
③ 많은 사람들이 정신적으로 고통받고, 목숨을 잃거나 다친다.
④ 집이 무너져 생활할 곳을 잃고 난민으로 살게 된다. 보충 ❷

▲ 시리아 내전으로 무너진 건물들

독일 100만 명+
튀르키예 370만 명+
이란 979,400명
파키스탄 140만 명
레바논 140만 명+
수단 908,700명
요르단 290만 명+
방글라데시 906,600명
에티오피아 921,000명
우간다 110만 명+
(국제 앰네스티, 2017.)

▲ 난민 수용 상황

(2) 지구촌 갈등으로 인한 어린이의 어려움 (속 시원한 활동 풀이) 보충 ❸

① 위험한 노동에 ❸투입된다.
② 먹을 것이 부족해 제대로 자라지 못한다.
③ 부모를 잃고 고아가 되거나 목숨을 잃는다.
④ 교육을 받지 못하는 학생들이 생긴다.

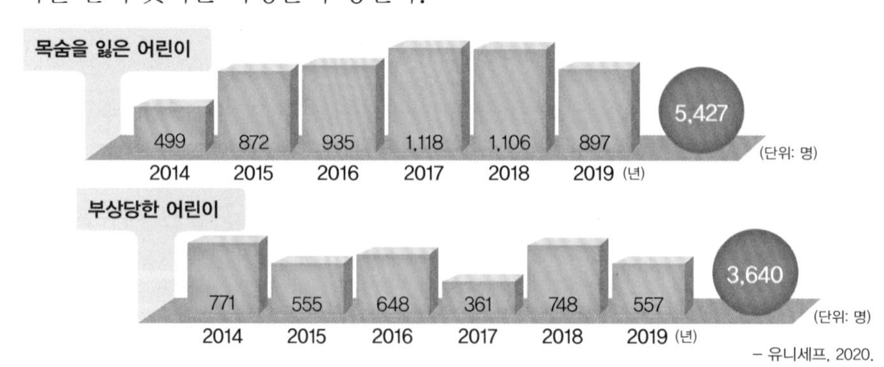

▲ 시리아 내전으로 피해를 입은 어린이

● 어린이 난민
유엔 아동 기금(유니세프)이 발간한 보고서 '고국에서 집을 잃은 아이들'에서 2019년 말 기준 내전과 재해 등으로 4천 600만여 명이 삶의 터전에서 쫓겨났는데, 그 중 약 42%가 어린이들이었다고 밝혔다. 전 세계적으로 어린이 난민은 1천 900만 명에 달하며, 코로나 바이러스 감염증–19의 확산은 어린이 난민에게 더 힘든 상황을 만들었다.

보충 ❶

◉ **난민**
일반적으로 생활이 곤궁한 국민, 전쟁이나 천재지변으로 곤궁에 빠진 이재민을 난민이라고 한다. 그러나 최근에는 주로 인종적·사상적 원인과 관련된 정치적 이유에 의한 집단으로 망명한 사람을 난민이라고 한다.

보충 ❷

◉ **유엔의 난민 보호 기관**
유엔은 1952년에 난민 보호를 위한 유엔의 보조 기관으로 난민 고등 판무관 사무소를 설치했다. 난민 고등 판무관 사무소는 아프리카 난민을 비롯한 세계 각지 난민들의 구제와 생활 보호, 정착 지원 따위를 목적으로 한다. 본부는 스위스 제네바에 있으며, 1954년에 노벨 평화상을 받았다.

보충 ❸

◉ **바나 알라베드**
내전이 벌어지고 있는 시리아에 살고 있는 바나 알라베드라는 어린이는 누리 소통망 서비스를 이용해 시리아 내전의 상황을 알렸다. 전쟁으로 무너진 도시의 모습과 폭격 소리를 두려워하며 집 안에 숨어 있는 모습을 올려 세계에 도움을 청했다.

용어 사전

❶ **재해**(災: 재앙 재, 害: 해로울 해): 지진, 태풍, 홍수, 가뭄, 해일, 화재, 전염병 등에 의해 받게 되는 피해를 말한다.
❷ **수자원**(水: 물 수, 資: 재물 자, 源: 근원 원): 농업, 공업, 발전용 등으로 사용되는 물을 말한다.
❸ **투입**(投: 던질 투, 入: 들 입): 사람이나 자원을 필요한 곳에 넣는 것을 말한다.

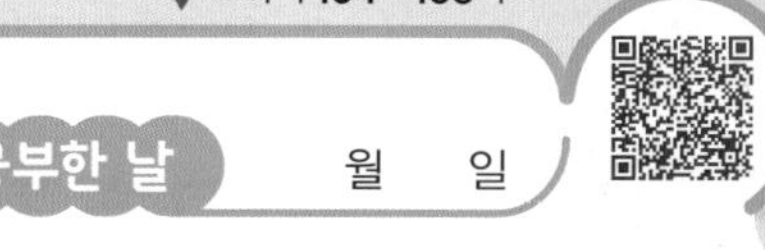

배움 영상

시험 대비 핵심 자료

● 시리아 내전

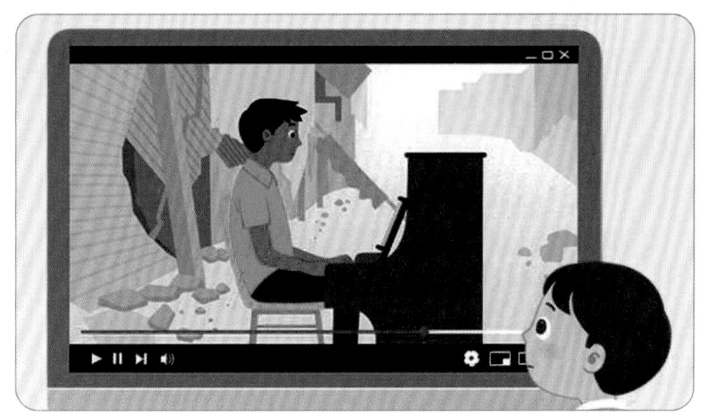

시리아의 피아노맨
내전으로 폐허가 된 시리아에서 '피아노맨'으로 알려진 사람이 피아노를 치며 시리아 내전의 상황을 알렸다. '피아노맨'은 폭격을 맞아 무너진 거리에서 도로가 파괴되고 물이 부족하여 고통받는 상황을 알렸다. 그의 노래와 연주로 인해 세계에 시리아의 어려움이 알려졌고, 전쟁으로 지친 사람들은 희망과 용기를 얻었다.

시리아에서는 종교 갈등과 독재 정치 등으로 크고 작은 전쟁이 계속되고 있다. 1970년 하페즈 알아사드 대통령이 정권을 잡은 이후 약 30년간 독재 정치가 이루어졌다. 그리고 2011년 독재 정권에 대한 반대 시위가 일어나면서 내전이 시작되었다. 내전은 이슬람 종교 문제까지 얽혀서 쉽게 해결하기 어려운 상황이 되었다. 시리아 내전이 일어난 이후 약 60만 명의 사람들이 전쟁으로 인해 목숨을 잃고 희생되었고, 그중 약 5만 5천 명의 희생자는 어린이들이었다. 내전이 심각해질수록 난민의 수는 급격히 증가하여, 전쟁 이후 시리아 인구의 약 절반이 난민이 되었다. 난민이 된 시리아인들은 음식은 물론이고 깨끗한 물도 마시지 못하며 고통받고 있다.

속 시원한 활동 풀이

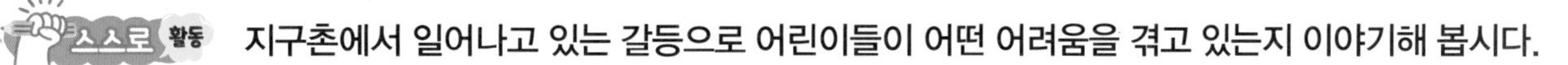

스스로 활동 지구촌에서 일어나고 있는 갈등으로 어린이들이 어떤 어려움을 겪고 있는지 이야기해 봅시다.

예
- 깨끗한 물과 음식을 제대로 먹지 못해 질병에 걸린다.
- 친하게 지내던 친구들과 헤어져 만날 수 없게 된다.
- 지낼 곳이 없어서 거리에서 생활하게 된다.
- 납치나 폭력을 당하는 등 위험한 상황에 처하게 된다.
- 제대로 된 교육을 받는 것이 어려워졌다.

확인 톡! 톡!

정답과 해설 13쪽

1 서로 다른 생각과 이익 때문에 같은 나라 안에서 발생하는 전쟁은? (　　　)

2 지구촌 갈등이 발생하면 많은 사람들이 생활할 곳을 잃고 (　　　)이/가 되어 어려움을 겪는다.

3 지구촌 갈등이 지속되어도 어린이들은 꾸준히 교육을 받을 수 있는 환경에 있다. (O | X)

지구촌 곳곳에서는 왜 갈등이 일어날까요?(1)

1 지구촌 갈등 조사하기

(1) 조사할 곳과 조사 방법 정하기

① 세계 여러 곳에서 일어나는 주요 갈등 지역을 살펴본다. (시험 대비 핵심 자료)

② 조사할 갈등 지역과 조사 방법을 정한다.

(2) 갈등 사례 조사하기

① 뉴스 프로그램 등 방송 자료를 수집한다.

② 신문 기사를 검색한다.

③ 인터넷으로 자료를 검색한다.

④ ❶면담을 통하여 내용을 잘 아는 사람에게 물어본다.

(3) 조사 결과 정리하기

① 조사한 갈등의 원인과 문제점을 찾는다.

② 찾은 내용을 정리하여 생각 그물로 표현한다.

(4) 생각 나누기: 각자 조사한 내용을 바탕으로 지구촌 갈등이 미치는 영향을 이야기한다.

2 지구촌 갈등 사례

(1) 아부무사섬 ❷분쟁

구분	내용
원인	• 석유가 가장 많이 매장되어 있어서 경제적 가치가 큼. • 걸프만을 통과하는 모든 선박이 거쳐 가는 지리적 이점이 있음.
문제점	• 자원이 풍부하고 경제적 가치가 높기 때문에 이란이 아부무사섬을 점령한 후에도 이란과 아랍 에미리트 간 갈등이 계속됨.

(2) 카슈미르 분쟁

구분	내용
원인	• 영국으로부터 인도가 독립하면서 인도와 파키스탄으로 분리됨. • 카슈미르 지역의 주민들은 대부분 이슬람교도라 파키스탄에 속하기를 원했지만, 주민들의 요구와는 반대로 힌두교를 믿는 카슈미르 지도자의 결정으로 인도에 속하게 됨.
문제점	• 인도와 파키스탄 사이에 전쟁이 발생했고 카슈미르 지역의 북부는 파키스탄령, 남부는 인도령이 됨.

(3) 북아일랜드 종교 갈등 보충 ❶

구분	내용
원인	• 아일랜드는 영국으로부터 독립했지만, 아일랜드섬 북쪽 지역인 북아일랜드는 종교적 이유로 영국 연방에 남게 됨. • 아일랜드와의 통일을 주장하는 가톨릭교도와 영국과의 ❸결속을 주장하는 개신교도 간의 갈등이 생김.
문제점	• 서로 분리 장벽을 세우고 갈등이 이어짐.

(4) 이스라엘–팔레스타인 갈등 보충 ❷

구분	내용
원인	• 팔레스타인 사람들이 살던 지역에 이스라엘 국가가 세워짐. • 이스라엘은 유대교를, 팔레스타인은 이슬람교를 믿어 갈등이 생김.
문제점	• 이스라엘이 팔레스타인 지역의 대부분을 차지했고, 살 곳을 잃은 팔레스타인 사람들은 '팔레스타인 해방 기구'라는 자치 정부를 설립함. • 두 지역의 갈등이 끊이지 않아서 '중동의 화약고'라고 불림.

보충 ❶

◉ 벨파스트 평화의 벽

시민들 간의 충돌을 방지하기 위해 북아일랜드의 도시인 벨파스트에 평화의 벽을 세웠다.

보충 ❷

◉ 이스라엘–팔레스타인 갈등

이스라엘의 공습으로 가자 지구가 폐허가 되었다. 팔레스타인은 이스라엘, 가자 지구, 요르단강 서안 지역 전체를 가리키는 지역이다. 팔레스타인의 요르단강 서안 지구는 이스라엘과 요르단, 가자 지구는 이집트와 국경을 접하고 있다.

용어 사전

❶ **면담**(面: 낯 면, 談: 말씀 담): 서로 만나서 이야기하는 것을 말한다.

❷ **분쟁**(紛: 어지러울 분, 爭: 다툴 쟁): 말썽을 일으키어 시끄럽고 복잡하게 다투는 것이다.

❸ **결속**(結: 맺을 결, 束: 묶을 속): 뜻이 같은 사람끼리 마음과 힘을 한데 뭉치는 것을 말한다.

공부한 날 월 일

시험 대비 핵심 자료

세계의 주요 갈등 지역

– 한국 국방 연구원, 2021.

메콩강 유역 갈등

▲ 메콩강

메콩강은 중국, 미얀마, 라오스, 타이, 캄보디아, 베트남을 흐르는 큰 강이다. 그런데 2010년에 중국이 메콩강 상류에 거대한 댐을 여러 개 건설해 흐르는 물의 양을 조절했다. 이로 인해 하류에 있는 나라들에 문제가 생겼다. 강에서 잡히던 물고기의 수가 줄어들어 지역 어민들이 피해를 입었고, 농업 활동에도 문제가 생겼다. 메콩강 주변국들은 주로 벼농사를 짓기 때문에 물이 부족하면 쌀 생산량이 줄어들어서 식량난에 처할 수 있다. 이처럼 여러 문제들로 인해 다른 나라들이 크게 반발하고 있다.

확인 톡!톡!

정답과 해설 13쪽

1 이란과 아랍 에미리트 간 갈등이 일어난 지역으로, 지리적 이점과 경제적 가치가 큰 섬은? (　　　　　　)

2 카슈미르 분쟁은 서로 다른 (　　　　) 때문에 갈등이 나타났다.

3 이스라엘–팔레스타인 갈등은 이슬람교를 믿는 이스라엘과 유대교를 믿는 팔레스타인의 갈등이다. (O | X)

지구촌 곳곳에서는 왜 갈등이 일어날까요?(2)

❸ 지구촌 갈등 원인과 문제점 (속 시원한 활동 풀이)

(1) 지구촌 갈등 원인: 지구촌 갈등은 자원, 종교, 언어, 인종, 민족, 역사, 정치 등 다양한 원인이 있다.

(2) 지구촌 갈등의 문제점: 다양한 원인이 복합적으로 얽혀 있어 쉽게 해결하기 어렵다.

예

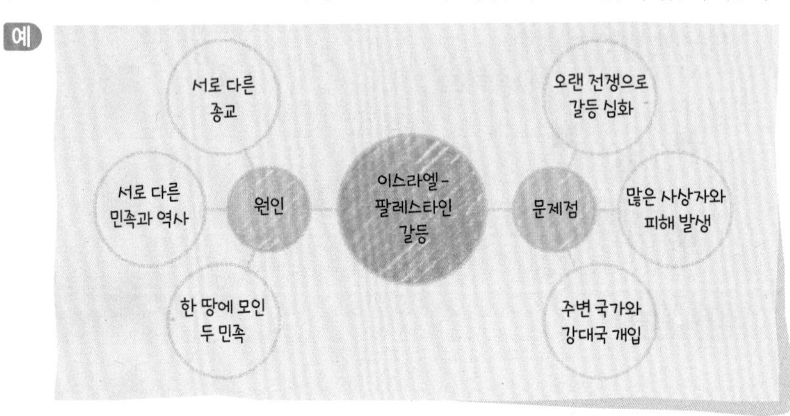

내용+ 해당 지역의 위치를 사회과 부도에서 확인하고, 조사한 갈등의 원인과 문제점을 찾아 생각 그물로 표현한다. 보충 ❶

❹ 지구촌 갈등이 미치는 영향

(1) 지구촌 갈등의 영향: 내전이나 일부 지역의 갈등이 발생한 지역뿐만 아니라 다른 여러 나라에 영향을 미친다.

(2) 다른 나라가 받은 영향

① 예 유럽에서 시리아 내전으로 난민 문제가 생겼다.

② 예 르완다 내전이 주변 나라의 전쟁으로 확대되었다. 보충 ❷

(3) 우리나라가 받는 영향

① 전쟁 중인 나라에 군인을 ❶파견하거나 ❷구호품을 보낸다.

② 전쟁으로 인하여 살 곳을 잃은 사람들을 도와준다.

③ 우리나라 국민이 생활하는 데 위험을 느끼고 불안해진다.

④ 우리나라의 외교나 경제에 영향을 준다.

(4) 지구촌 갈등 해결을 위해 협력해야 하는 까닭

① 지구촌 갈등은 해당 국가뿐만 아니라 다른 여러 국가와 연결되어 있으므로 이를 해결하기 위해 다 함께 협력해야 한다.

② 지구촌 갈등은 짧은 시간에 해결하기 어려우므로 세계 여러 나라가 다 함께 협력해야 한다.

● 난민 문제와 난민 캠프

난민 문제는 인종·종교·사상·정치적 의견 등이 다른 까닭으로 자국으로부터 박해를 받거나 또는 박해를 받을 위험으로 인해 외국으로 탈출하거나 ❸이주하는 난민과 관련하여 생겨나는 국제 사회의 문제이다. 난민 캠프는 난민을 수용하기 위한 공간이다. 끊임없이 내전이 벌어지고 있는 아프리카, 중동 일부 국가에서 특히 많은 난민이 발생하고, 이웃 나라인 요르단, 파키스탄, 에티오피아, 케냐 등에 많은 난민 캠프가 자리 잡고 있다. 난민 캠프는 공공의료나 교육은 거의 기대할 수 없으며, 비와 바람을 겨우 피할 수 있는 천막 정도만 설치되어 시설이 매우 열악하다.

보충 ❶

◉ **지구촌 갈등 나무**

- 지구촌 갈등 중에 한 사례를 선택해 문제 나무를 만든다.
- 줄기에는 대표적 지구촌 갈등을 쓴다.
- 뿌리 부분에는 갈등이 일어나게 된 원인을 쓴다.
- 잎 부분은 그 문제로 인해 나타난 모습들을 쓴다.

보충 ❷

◉ **르완다 내전**

벨기에가 르완다를 지배하면서 르완다 인구의 10%만을 차지하는 투치족을 우대하는 정책을 펼쳤다. 이에 반감을 품은 후투족이 르완다가 독립한 후에 투치족을 몰아내게 되었다. 주변 나라로 도망간 투치족이 이웃한 우간다와 탄자니아의 지원으로 다시 르완다에 전쟁을 일으키고 이로 인해 잠깐 밀려난 후투족도 다시 쳐들어옴으로써 여러 나라가 전쟁에 휘말리고 많은 난민이 발생했다.

용어 사전

❶ **파견**(派: 물갈래 파, 遣: 보낼 견): 일정한 임무를 주어 사람을 보내는 것을 말한다.

❷ **구호품**(救: 구원할 구, 護: 보호할 호, 品: 물건 품): 재해나 재난 따위로 어려움에 처한 사람을 도와주기 위하여 보내는 물건을 말한다.

❸ **이주**(移: 옮길 이, 駐: 머무를 주): 다른 곳으로 옮겨 머무르는 것을 말한다.

2 단원

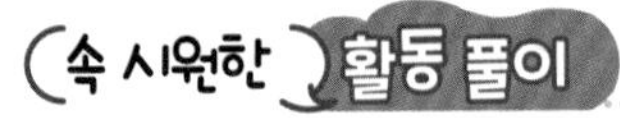

속 시원한 활동 풀이

다 함께 활동 세계 여러 나라에서 일어나는 다양한 갈등의 사례를 모둠별로 조사해 봅시다.

조사 지역	예 나이지리아 내전
조사 날짜	예 20○○년 ○○월 ○○일
조사 방법	예 인터넷 검색
조사 내용	예 나이지리아는 250여 개의 언어와 부족 문화가 존재한다. 민족, 언어, 종교가 서로 다른 부족들은 독립 후 민족 갈등과 내전을 계속 치르고 있다. 나이지리아는 많은 자원과 인구를 보유한 강국이었지만, 여러 차례 내전을 겪으면서 가난과 부패에서 벗어나지 못하고 있다.
생각 그물로 조사 결과 정리	예 나의 생각 그물 나이지리아 내전 – 원인: 서로 다른 민족과 종교, 서로 다른 정치 체제, 민족 간 경제적 차이 나이지리아 내전 – 문제점: 가난과 부패, 불안정한 정치 상황, 자치주의와 연방주의 대립
새롭게 알게 된 점	예 인종과 종교, 정치적·경제적 요인 등 다양한 원인에 의해 내전이 발생했다.
느낀 점	예 나이지리아 내전은 다양한 원인이 얽혀 있어서 쉽게 해결하기가 어려울 것 같다.

잠깐! 확인해요

지구촌 갈등이 일어나는 원인은 다양하다. (○ | X) — 정답: ○

확인 톡!톡!

정답과 해설 13쪽

1 지구촌 갈등은 자원, 종교, 언어, 인종, 민족, 역사, 정치 중 한 가지 원인에 의해서만 일어난다. (○ | X)

2 유럽에서는 시리아 내전으로 (   ) 문제가 생겼다.

3 지구촌 갈등은 세계 여러 나라와 (연결 , 분리)되어 있기 때문에 갈등을 해결하기 위해 협력해야 한다.

지구촌 갈등을 해결하는 방안을 찾아볼까요?

❶ 지구촌 갈등 해결이 어려운 이유와 해결을 위한 노력

(1) 지구촌 갈등 해결이 어려운 이유 보충 ❶

① 사람들이 각자 다른 생각을 가지고 서로의 ❶이익만 따진다.

② 역사적으로 오랫동안 갈등이 계속되면서 쌓인 미움이 크다.

③ 여러 가지 원인이 복잡하게 얽혀 있다.

④ 강대국들이 과거의 잘못을 책임지지 않고 어려운 나라를 이용해 이익을 얻으려 한다.

(2) 지구촌 갈등을 평화롭게 해결하기 위한 노력

① 지구촌 구성원 모두가 지구촌 갈등에 관심을 가진다.

② 지구촌 갈등의 원인과 해결 방안을 생각해 보고 실천한다.

❷ 지구촌 갈등을 해결하는 방안 (속 시원한 활동 풀이)

지구촌 문제에 관심 갖기

지구촌 문제에 관심을 갖고 정보를 찾아봄.

홍보 동영상 만들기

지구촌 갈등 해결을 위한 홍보 동영상을 만듦.

모금 활동 하기

지구촌 갈등으로 어려움을 겪는 친구를 돕는 ❷모금 활동을 함.

캠페인 활동 하기

지구촌 갈등 해결에 관심을 갖도록 캠페인 활동을 함. 보충 ❷

● 평화의 마을

이스라엘의 중부에는 '네베샬롬'이라는 마을이 있다. '평화의 오아시스'라는 뜻을 가진 이 마을은 1970년 교육자인 브루노 후사르가 세운 마을로, 이스라엘과 팔레스타인 두 민족의 가정이 함께 살고 있는 마을이다. 두 민족의 가정들은 함께 마을에서 거주하며 서로를 존중하고 평화롭게 살기 위해 노력하고 있다. 이 마을 초등학교에서는 이스라엘과 팔레스타인의 언어와 문화를 함께 교육하고 사용하며, 서로를 이해하고 존중하는 교육을 실시하고 있다.

보충 ❶

◉ **잘못 그어진 국경선**

아프리카 국경선은 반듯하게 그어져 있는 경우가 많다. 이는 유럽 강대국들이 식민지를 개척하면서 민족과 종교, 언어, 생활권 등을 전혀 고려하지 않고 국경선을 정했기 때문이다. 결국 인위적으로 만들어진 국경선이 식민지 독립 후에 갈등의 원인이 되었다.

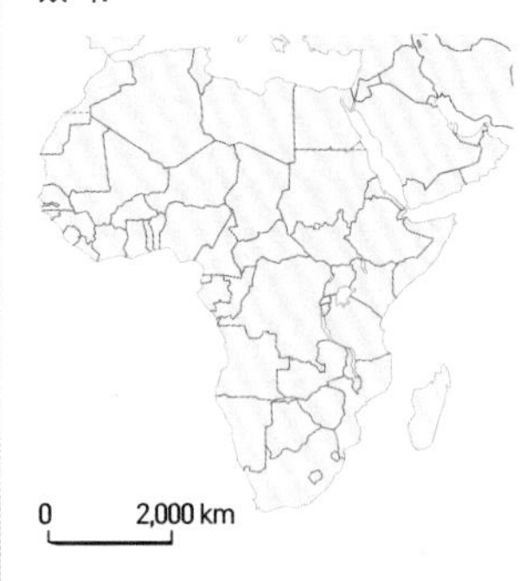

보충 ❷

◉ **세계 평화의 날**

국제 연합이 지정한 국제 기념일 중 하나로, 매년 9월 21일은 세계 평화의 날이다. 국제 연합은 1981년 매월 셋째 주 화요일을 세계 평화의 날로 정해 지키기로 했고, 2001년에 9월 21일로 날짜를 변경하여 오늘에 이르고 있다. 이날을 즈음하여 전 세계 여러 도시에서 다양한 주제의 기념행사를 열고 있다. 우리나라도 2007년부터 '세계 평화의 날' 행사를 진행하기 시작했다.

용어 사전

❶ **이익**(利: 이로울 리, 益: 더할 익): 물질적으로나 정신적으로 보탬이 되는 것을 말한다.

❷ **모금**(募: 모을 모, 金: 쇠 금): 다른 사람을 돕기 위하여 내는 돈을 모으는 것을 말한다.

공부한 날 월 일

 지구촌 갈등을 평화롭게 해결하는 방안 중 하나를 선택하여 계획서를 작성하고 실천해 봅시다.

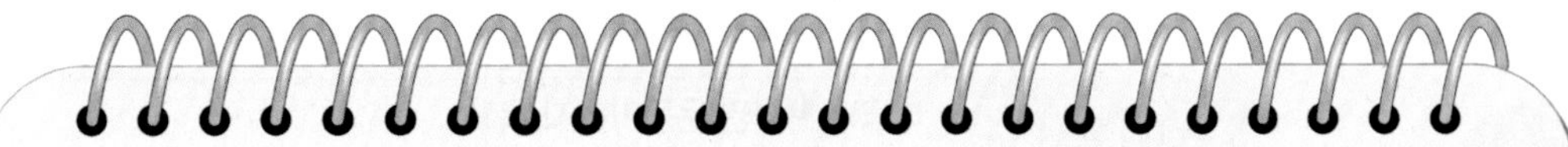

실천 계획서

1 해결하고 싶거나 알리고 싶은 지구촌 갈등

예 어린이들이 전쟁이나 내전으로 교육도 받지 못하고 힘든 상황에서 살아가야 하는 어려움

2 선택한 방안

예 전쟁이나 내전을 멈추고 어린이들을 보호해 달라는 동영상 만들기

3 구성 내용

예
- 전쟁이나 내전으로 어린이들이 어려움에 처해 있으므로 평화적으로 빨리 해결해 달라는 내용을 넣을 것이다.
- 어린이들이 편안하게 살 곳도 없고 교육도 받지 못하고 때로는 목숨마저 위험한 상황이 지금처럼 계속된다면 지구촌 미래마저 위험해질 것이라는 내용을 전하고 싶다.
- 갈등 지역 어린이들의 모습을 생생하게 전달할 수 있도록 사진이나 동영상 자료를 많이 넣고 싶다. 갈등 지역 어린이의 어려움이 지구촌 사람들에게 제대로 전해져서 행동의 변화가 생기도록 만들고 싶다.

잠깐! 확인해요

지구촌의 평화와 발전을 위해서는 지구촌 사람들의 관심과 노력이 필요하다. 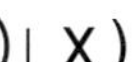 (O | X)

정답과 해설 13쪽

1 지구촌 갈등은 서로의 이익만 따지기 때문에 발생한다. (O | X)

2 지구촌 갈등을 해결하기 위해서 지구촌 구성원 (모두 , 일부)가 갈등 문제에 관심을 가져야 한다.

3 지구촌 갈등을 (   )롭게 해결하기 위해 노력해야 한다.

지구촌 갈등 해결을 위한 개인과 비정부 기구의 노력을 알아볼까요?

❶ 지구촌 갈등 해결을 위한 개인의 노력

(1) 노벨 평화상을 수상한 인물의 활동

인물	활동
마틴 루서 킹	• 미국의 ❶인권 운동가이자 목사 • 흑인 차별에 맞서 '버스 안 타기 운동'을 이끌었음. • 평화적인 방법으로 불평등한 제도를 개선하기 위해 노력했음.
14대 달라이 라마	• 티베트의 정신적 지도자 • 중국으로부터 티베트가 독립하기 위한 운동을 평화적으로 펼침.
조디 윌리엄스	• 미국의 사회 운동가로 1997년에 노벨 평화상을 수상했음. 보충 ❶ • 1992년 지뢰 금지 국제 운동 단체를 설립했음. • 지뢰 금지 국제 운동 단체의 노력으로 1997년 123개국이 더는 사람에게 지뢰를 사용하지 않겠다는 약속을 체결했음.
말랄라 유사프자이	• 파키스탄의 인권 운동가 • 누리 소통망 서비스(SNS)를 이용해 탈레반 점령 지역의 어려운 생활과 여성 교육의 문제점을 알렸음. • 어린이 인권 보호를 위해 노력했음.

(2) 활동의 공통점

① 평화적인 방법으로 지구촌 갈등을 해결하려고 노력함으로써 사람들의 지지를 받았다.

② 세상의 편견에 맞서 세상을 변화시키기 위해 앞장서서 노력했다.

❷ 지구촌 갈등 해결을 위한 비정부 기구의 노력

(1) 비정부 기구: 지구촌의 평화와 발전을 이루기 위해 국가가 아닌 민간단체가 중심이 되어 자발적으로 만든 조직이다.

(2) 비정부 기구의 활동 (속 시원한 활동 풀이)

기구	활동
국제 앰네스티	• 국가 권력으로부터 억압받는 사람들을 구제하기 위해 세워진 비정부 기구 • 인권 ❷옹호 활동을 계속하고 있음. (시험 대비 핵심 자료)
국경 없는 의사회	• 1971년에 의사들이 설립한 비정부 기구로 의료 지원을 받지 못하거나 전쟁, 질병, 자연재해 등으로 고통받는 사람들을 돕고 있음. • 인종, 종교, 성별 등과 관계없이 의료 지원이 필요한 곳에서 의료 활동을 벌이고 있음.
핵무기 폐기 국제 운동	• 전 세계의 핵무기 폐기를 위해 노력하는 비정부 기구 • 핵무기 사용으로 지구촌에 닥칠 수 있는 위험을 알리고, 122개국으로부터 핵무기를 금지하자는 약속을 받는 데 기여함.
그린피스	• 평화적인 방법으로 해양 오염, 서식지의 파괴, 고래 사냥의 심각성과 같은 환경 파괴의 위험성을 알림.
해비타트	• 가난한 지역이나 전쟁과 자연재해 등으로 삶의 터전을 잃어버린 사람들에게 집을 지어 줌. 보충 ❷
세이브 더 칠드런	• 아동의 권리 및 생존과 보호를 돕고 있는 비정부 기구 • 신생아 살리기 모자 뜨기 캠페인 활동을 통해 ❸열악한 환경에 처한 산모와 신생아를 지원하고 있음.

(3) 활동의 공통점: 개인의 이익이 아니라 지구촌 모든 사람을 위해 일하고 있다.

보충 ❶

◉ 노벨 평화상

노벨상은 매년 인류의 복지에 공헌한 사람이나 단체에 수여되는 상이다. 노벨 평화상은 노벨상의 7개 부문 중 하나로 국가 간의 우호, 군비 감축, 평화 교섭, 인권과 민주주의 신장 등에 큰 공헌이 있는 인물이나 단체에 수여하고 있다.

보충 ❷

◉ 해비타트

해비타트는 '모든 사람에게 안락한 집이 있는 세상'이라는 희망을 품고 1976년 미국에서 만들어졌다. 집 짓는 모든 과정을 자원봉사자들의 힘을 모아 해결한다.

용어 사전

❶ 인권(人: 사람 인, 權: 권세 권): 인간으로서 당연히 가지는 기본적 권리를 말한다.

❷ 옹호(擁: 안을 옹, 護: 보호할 호): 두둔하고 편들어 지키는 것을 말한다.

❸ 열악(劣: 못할 열, 惡: 악할 악): 품질이나 능력, 시설 등이 매우 나쁜 것을 말한다.

시험 대비 핵심 자료

● 국제 앰네스티

본부는 영국 런던에 위치하며, 우리나라에는 국제 앰네스티 한국 지부가 있다. 다음과 같은 활동을 하며 모든 사람이 차별받지 않고 인간다운 권리를 누릴 수 있도록 노력한다.

AMNESTY INTERNATIONAL

▲ 국제 앰네스티 로고

- 고문 추방 운동
- 사형 폐지 운동
- 난민 보호 운동
- 국제 사법 정의 실천 운동
- 소년병 동원 반대 운동
- 여성 폭력 추방 운동
- 무기 거래 통제 운동
- 양심수 등에 대한 인권 옹호 운동

속 시원한 활동 풀이

스스로 활동 만일 내가 지구촌 갈등을 해결하기 위해 비정부 기구에 참여한다면 어떤 활동을 하고 싶은지 그림으로 표현해 봅시다.

예 물이 부족한 지역에 가서 수도 시설을 개선하여 물 부족 문제를 해결하는 데 기여하고 싶습니다.

잠깐! 확인해요

지구촌 갈등을 해결하기 위해 개인과 □□□ 기구가 노력하고 있다. (비정부)

확인 톡!톡!

정답과 해설 13쪽

1 미국의 사회 운동가로 지뢰 금지 국제 운동 단체를 설립한 사람은? ( )

2 지구촌의 평화와 발전을 이루고자 국가가 중심이 되어 자발적으로 만든 조직은 비정부 기구이다. (O | X)

3 ( )은/는 인종, 종교, 성별 등과 관계없이 의료 지원이 필요한 곳에서 의료 활동을 한다.

지구촌 갈등 해결을 위한 국가와 국제기구의 노력을 알아볼까요?

❶ 지구촌 갈등 해결을 위한 국가의 노력

(1) 한국 국제 협력단의 봉사 활동 보충 ❶

① 한국 국제 협력단(KOICA)을 ❶설립하여 어려움을 겪고 있는 나라를 돕는다.

② 봉사 활동을 통해 도움이 필요한 곳의 경제·사회 발전을 돕는다.

(2) 평화를 위한 외교 활동

① 지구촌의 평화를 위한 국제회의에 참여한다.

② 지구촌의 갈등을 해결하기 위한 국제기구 활동에 참여한다.

③ 여러 나라들과 우호적 관계를 유지할 수 있도록 다양한 외교 활동을 한다.

(3) 평화 유지군 활동

① 평화 유지군을 파병하여 평화 유지 임무에 참가한다.

② 지구촌 갈등에 따른 피해를 복구하며, 갈등을 멈추는 데 도움을 준다.

③ 자연재해로 피해를 겪은 나라에 도움을 준다.

(4) 지구의 평화를 위해 각 나라에서 할 수 있는 노력

① 국제기구 활동에 적극적으로 참여한다.

② 자기 주변 나라나 관련 있는 나라들과 평화롭게 지내려고 노력한다.

보충 ❶

◉ 한국 국제 협력단

KOICA
한국국제협력단

개발 도상국의 빈곤 감소 및 삶의 질 향상, 여성·아동·장애인·청소년의 인권 향상, 양성평등 실현, 지속 가능한 발전 및 인도주의를 실현하고, 협력 대상국과의 경제 협력 및 우호 협력 관계 증진, 국제 사회의 평화와 번영에 기여하기 위해 설립된 기관이다.

❷ 지구촌 갈등 해결을 위한 국제기구의 노력 (속 시원한 활동 풀이)

(1) 국제기구: 여러 나라가 모여서 지구촌 문제를 함께 해결하려고 만든 조직이다.

(2) 국제 연합: 국제 사회의 문제를 토의하고, ❷문맹 퇴치를 위한 교육 활동, 환경 문제 해결 방안 모색, 국제 난민 지원을 통해 국제적 문제를 해결하기 위해 노력하고 있다. 보충 ❷

(3) 국제 연합 산하 전문 기구

국제 연합	국제 노동 기구	유엔 난민 기구

1945년 세계 평화를 유지하는 것을 목표로 만들어짐. 유엔 본부는 미국 뉴욕의 맨해튼에 있으며, 인류 전체의 번영을 위해 활동함.	전 세계의 노동 문제를 다루는 기구로, 노동 조건을 개선하고 노동자의 지위 향상을 위해 노력함.	전쟁이나 다른 이유로 살 곳을 잃은 난민들을 보호하고 도움.
국제 원자력 기구	**유네스코**	**세계 보건 기구**

원자력 에너지를 평화적이고 안전한 방법으로 이용할 수 있도록 노력함.	교육, 과학, 문화 분야 등에서 다양한 국제 교류로 국제 평화를 추구함.	전 세계 사람들의 건강과 보건, ❸위생에 관한 일을 담당함.

보충 ❷

◉ 국제 연합의 핵심 기구

국제 연합에는 6개의 주요 기관이 있다. 유엔 총회, 안전 보장 이사회, 경제 사회 이사회, 그 외에 사무국, 국제 사법 재판소, 신탁 통치 이사회로 구성되어 있다.

용어 사전

❶ **설립**(設: 베풀 설, 立: 설 립): 단체를 만들어서 일으키는 것을 말한다.

❷ **문맹**(文: 글월 문, 盲: 소경 맹): 배우지 못하여 글을 읽거나 쓸 줄을 모르는 것 또는 그런 사람을 말한다.

❸ **위생**(衛: 지킬 위, 生: 날 생): 건강에 좋은 조건을 갖추거나 대책을 세우는 일을 말한다.

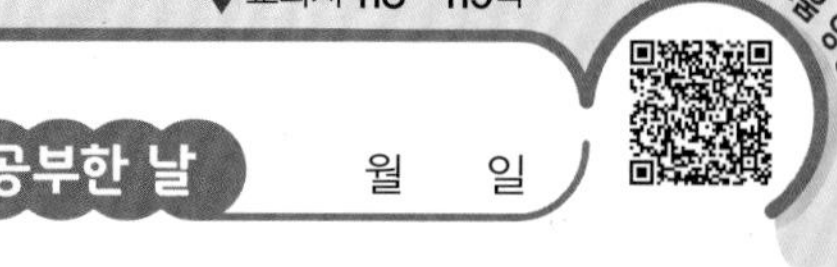

월 일

속 시원한 활동 풀이

스스로 활동 지구촌의 평화를 위해 노력하고 있는 국가나 국제기구의 활동을 조사해 봅시다.

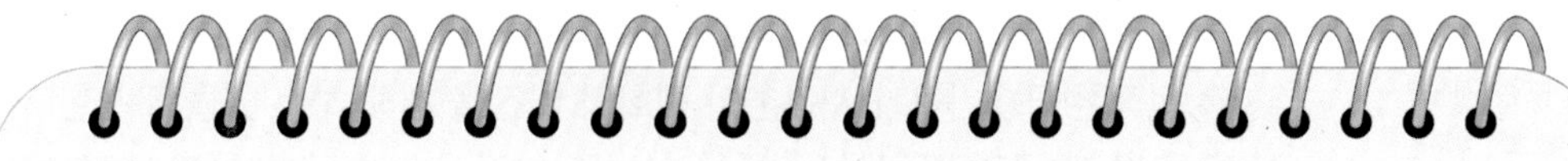

지구촌 평화를 위해 노력하고 있는 국가나 국제기구의 활동

조사 방법

- 국가나 국제기구가 지구촌 평화를 위해 한 일을 다양하게 찾아본다.
- 디지털 기기를 이용하여 국가나 국제기구가 지구촌 평화를 위해 노력한 사례를 찾는다.

국가나 국제기구의 활동

예

국가나 국제기구	활동
세계 기상 기구	기상 관측을 위한 세계 협력을 목적으로 설립되었다.
화학 무기 금지 기구	화학 무기 금지 및 확산을 방지하기 위해 설립되었다.
국제 형사 재판소	국제 범죄를 방지하기 위해 설립되었다.

잠깐! 확인해요

지구촌 갈등을 해결하기 위해 국가와 □□□□이/가 다양한 노력을 하고 있다. (국제기구)

확인 톡!톡!

정답과 해설 13쪽

1 우리나라는 한국 국제 협력단(KOICA)을 설립하여 도움이 필요한 곳의 발전을 돕는다. (O | X)

2 여러 나라가 모여서 함께 지구촌 문제를 해결하려고 만든 조직은? ( )

3 ( )은/는 교육, 과학, 문화 분야 등에서 다양한 국제 교류로 국제 평화를 추구한다.

모의 국제기구 활동으로 지구촌의 평화와 발전을 위한 노력을 실천해 볼까요?

보충 ❶

◉ **국제기구의 종류**

국제 노동 기구, 세계 보건 기구, 유엔 난민 기구, 유네스코, 국제 원자력 기구 등 국제 연합 산하 전문 기구가 있다.

보충 ❷

◉ **연설문 쓰기**

자신이 선택한 국제기구에 한 국가를 대표하는 외교관이나 홍보 대사로 국제회의에 참여함으로써 스스로 연설문을 작성해 볼 수 있다. 또한 회의 주제의 해결책에 관해 연설해 보며 다른 나라와 어떻게 협상하면 좋을지, 지구촌 갈등을 어떤 시각에서 바라보아야 할지 생각해 볼 수 있다.

❶ 국제기구 활동 계획서를 작성하는 방법 (속 시원한 활동 풀이)

❶ 지구촌 갈등을 해결하기 위해 노력하는 국제기구 중 하나를 [1]선정한다.
❷ 선정한 국제기구가 지구촌의 평화와 발전을 위해 하는 일을 조사한다.
❸ 만약 그 국제기구에서 활동을 한다면 어떤 일을 하고 싶은지 계획한다.
❹ 자신의 모둠이 속한 국제기구가 하는 일을 홍보한다.
❺ 활동을 끝낸 후 소감이나 느낀 점을 친구들과 이야기한다.

❷ 국제기구 활동 계획서를 작성하는 활동

(1) 국제기구 중 하나 선정하기 보충 ❶

(2) **선정한 국제기구가 하는 일 조사하기:** 예 전쟁과 같은 갈등으로 피해를 입은 곳에서 아이들을 도와준다. 난민이 된 어린이와 가족에게 마실 물과 예방 접종, 학교 등을 제공한다. 어린이의 인권 [2]보호와 평화를 위해 다양한 캠페인을 벌인다.

(3) **국제기구에서 하고 싶은 활동 계획하기**

이름	역할
채현	평화의 필요성과 세계 어린이 보호를 주제로 자료 조사하기
영희	평화와 세계 어린이 보호 관련 내용 사진 촬영하기
수호	평화 캠페인을 위한 자료를 동영상으로 만들기
지은	동영상과 어울리는 연설문 쓰기 보충 ❷

(4) **자신이 속한 국제기구가 하는 일 홍보하기:** 예 평화 단체에 사진과 소식 보내기, 학교 누리집과 복도에 활동 모습 [3]게시하기 등

(5) **친구들과 느낀 점 이야기하기:** 예 "비정부 기구들을 조사하면서 지구촌의 평화로운 발전을 위해 많은 사람이 노력하고 있다는 것을 알게 되었어요." "앞으로도 지구촌의 평화를 위해 할 수 있는 일을 찾아 노력하고 싶어요."

용어 사전

❶ **선정**(選: 가릴 선, 定: 정할 정): 여럿 가운데서 어떤 것을 뽑아 정하는 것을 말한다.
❷ **보호**(保: 보전할 보, 護: 보호할 호): 위험이나 곤란 따위가 미치지 않도록 잘 보살펴 돌보는 것을 말한다.
❸ **게시**(揭: 들 게, 示: 보일 시): 여러 사람에게 알리기 위하여 내붙이거나 내걸어 두루 보게 하는 것을 말한다.

속 시원한 활동 풀이

국제기구 활동 계획서 작성하기

국제기구의 이름	예 유엔 식량 농업 기구
국제기구의 상징	예 (FAO 상징: F A O, FIAT PANIS)
국제기구의 역할 (하는 일)	예 • 지구촌 사람들의 영양과 생활 수준의 향상, 식량의 생산 및 분배, 농민의 생활 개선과 세계 경제 발전을 위해 설립했다. • 각국의 식량과 관련된 산업(농업, 어업, 임업)의 정보를 수집하고 분석 및 공유한다. • 식량 및 영양에 관련된 과학, 기술, 경제, 사회적 분야를 연구한다. • 농산물의 무역에 관한 국제 정책을 실시한다.
우리들의 역할	예 (아래 표 참조)
우리들의 활동	예 • 지구촌 빈곤과 기아를 해결하기 위한 연설문 만들기 • 작성한 연설문을 동영상으로 만들어 공유하기 • 공유한 영상에 댓글을 확인하며 소통하기
우리들의 활동을 알릴 방법	예 • 등하굣길에 캠페인 활동하기 • 학교 누리집과 복도에 활동 모습 게시하기

우리들의 역할 예

이름	역할
△△	식량의 중요성을 주제로 관련 자료 조사하기
○○	지구촌의 기아와 빈곤으로 어려움을 겪는 지역 조사하기
□□	유엔 식량 농업 기구가 하는 일을 동영상으로 만들기
◇◇	동영상과 어울리는 연설문을 쓰고 발표하기

확인 톡!톡!

정답과 해설 13쪽

1 국제 연합은 전쟁 방지뿐만 아니라 교육, 환경, 난민 등 다양한 국제적 문제를 해결하고자 노력한다. (O | X)

2 국제기구 활동 계획서를 작성하기 위해 국제기구가 지구촌의 (전쟁 , 평화)와/과 발전을 위해 하는 일을 조사한다.

3 국제 노동 기구, 세계 보건 기구, 유네스코 등을 (   )(이)라고 한다.

즐겁게 정리해요

교과서 123쪽

'지구촌의 평화와 발전'에서 배운 내용을 떠올리며 맞는 내용의 번호를 골라 징검다리를 건너 봅시다.

핵심 꿀꺽 질문

지구촌 갈등의 원인과 문제점을 설명할 수 있나요?

지구촌 갈등의 해결 방안을 탐색할 수 있나요?

지구촌의 평화와 발전을 위한 노력을 조사할 수 있나요?

중요
1 빈칸 ㉠, ㉡에 들어갈 알맞은 말을 각각 쓰시오.

- 지구촌 (㉠)이/가 심해지면 전쟁이 일어나 많은 사람들의 일상생활에 영향을 미친다.
- (㉡)은/는 전쟁이나 재해 등으로 자기 나라를 떠나 돌아갈 수 없는 사람을 말한다.

㉠:

㉡:

2 지구촌 곳곳의 갈등 사례를 조사하는 방법으로 알맞지 않은 것은 어느 것입니까? (　　　)

① 인터넷 검색　② 전문가 면담
③ 백지도 작성　④ 방송 자료 수집
⑤ 신문 기사 검색

3 다음 설명에 해당하는 지역을 쓰시오.

이란과 아랍 에미리트 사이에 있는 섬이다. 석유가 많이 매장되어 있고 걸프만에 들어가는 선박은 이곳을 지나야 한다는 이점이 있어 이란이 점령한 후에도 두 나라 간 갈등이 계속되고 있다.

4 '중동의 화약고'라고 불리는 지역에서 일어나는 갈등으로 알맞은 것은 어느 것입니까? (　　　)

① 시리아 내전
② 남중국해 분쟁
③ 케냐 민족 분쟁
④ 이스라엘-팔레스타인 분쟁
⑤ 칠레-페루-볼리비아 해상 경계 분쟁

5 생각 그물의 ㉠, ㉡에 들어갈 알맞은 말을 쓰시오.

㉠:

㉡:

중요
6 지구촌 갈등에 대한 설명으로 알맞지 않은 것은 어느 것입니까? (　　　)

① 지구촌 곳곳에서 다양한 갈등이 발생하고 있다.
② 지구촌 갈등은 다른 여러 나라에 영향을 미친다.
③ 지구촌 갈등은 합의를 통해 쉽게 해결할 수 있다.
④ 지구촌의 갈등은 어린이들의 일상생활에 영향을 준다.
⑤ 우리나라는 다른 지역의 갈등 해결을 위해 노력하고 있다.

7 지구촌 갈등에 해당하는 것을 보기 에서 골라 기호를 쓰시오.

보기
㉠ 파리 협정
㉡ 녹색 소비
㉢ 카슈미르 분쟁
㉣ 북아일랜드 갈등

8 지구촌 갈등을 해결하는 방안으로 알맞지 않은 것은 어느 것입니까? ( )

① 모금 활동하기
② 전문가 면담하기
③ 캠페인 활동 하기
④ 홍보 동영상 만들기
⑤ 우리나라 문제에만 관심 갖기

9 지구촌 평화를 위해 노력한 인물과 해당되는 설명을 보기 에서 골라 기호를 쓰시오.

(1) 마틴 루서 킹 ( )
(2) 14대 달라이 라마 ( )
(3) 말랄라 유사프자이 ( )
(4) 조디 윌리엄스 ( )

보기
㉠ 미국의 인권 운동가로 흑인 차별에 맞섰다.
㉡ 미국의 사회 운동가로 국제적으로 지뢰 금지 운동을 펼쳤다.
㉢ 파키스탄의 인권 운동가로 탈레반 지역의 문제점을 알렸다.
㉣ 티베트의 정신적 지도자로 티베트가 독립하기 위한 운동을 평화적으로 펼쳤다.

중요
10 다음 설명에 해당하는 조직을 쓰시오.

지구촌 평화와 발전을 위해 국가가 아닌 민간단체가 중심이 되어 자발적으로 만들었다. 그린피스, 해비타트 등이 대표적이다.

11 비정부 기구에 해당하지 않는 것은 어느 것입니까? ( )

① 그린피스
② 유네스코
③ 해비타트
④ 세이브 더 칠드런
⑤ 핵무기 폐기 국제 운동

12 다음 설명에 해당하는 비정부 기구를 쓰시오.

- 1971년에 의사들이 설립하였다.
- 인종, 종교, 성별 등과 관계없이 의료 활동을 지원한다.

13 다음 설명에 해당하는 국제기구를 쓰시오.

원자력 에너지를 평화적이고 안전한 방법으로 이용할 수 있도록 노력한다.

중요

14 국제기구와 해당되는 설명을 맞게 연결하시오.

(1) 세계 보건 기구 • • ㉠ 어린이의 인권 보호와 평화를 위해 다양한 캠페인을 벌인다.

(2) 유엔 난민 기구 • • ㉡ 전 세계 사람들의 건강, 보건, 위생에 관한 일을 담당한다.

(3) 유니세프 • • ㉢ 전쟁 등 이유로 살 곳을 잃은 난민들을 보호하고 돕는다.

15 다음 설명에 해당하는 단체를 쓰시오.

- 지구촌의 평화를 위해 우리나라에서 설립한 단체이다.
- 봉사 활동을 통해 도움이 필요한 곳의 경제·사회 발전을 돕고 있다.

16 지구촌 갈등 해결을 위한 우리나라의 노력으로 알맞지 않은 것은 어느 것입니까? ( )

① 지구촌 평화를 위한 국제회의에 참여한다.
② 지구촌 갈등 피해를 복구하는 데 지원한다.
③ 지진 등 자연재해로 피해를 겪는 나라에 도움을 준다.
④ 외교 활동을 통해 여러 나라와 우호적 관계를 맺는다.
⑤ 지구촌 갈등은 우리나라 정부의 노력으로 대부분 해결할 수 있다.

워드 클라우드와 함께하는 서술형 문제

[17-18] 워드 클라우드의 단어를 이용하여 서술형 문제의 답을 쓰시오.

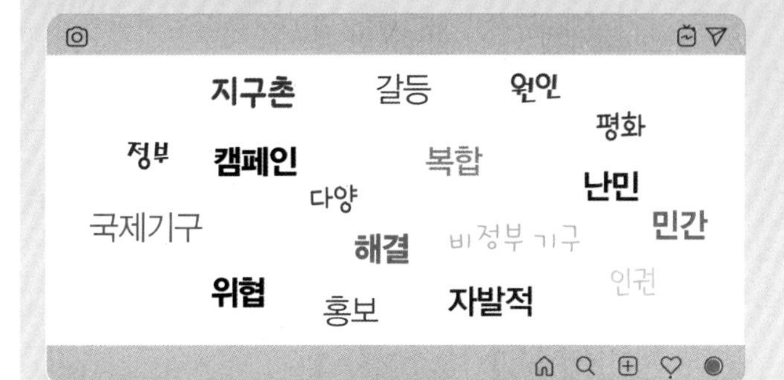

17 제시한 사례를 통해 알 수 있는 지구촌 갈등의 특징을 쓰시오.

- 카슈미르 지역의 대다수 사람들은 힌두교를 믿어 파키스탄에 속하기를 희망했지만, 힌두교를 믿는 지도자들이 인도에 속하도록 결정했다. 그 결과, 인도와 파키스탄 사이에 전쟁이 발생했다.
- 시리아에서는 종교 갈등과 독재 정치 등으로 크고 작은 전쟁이 계속되고 있다.

18 다음과 같은 단체의 특징을 간략하게 쓰시오.

AMNESTY INTERNATIONAL

톡톡 튀는 이야기

원조받는 나라에서 주는 나라로, 한국 국제 협력단(KOICA)

한국 국제 협력단(Korea International Cooperation Agency, KOICA)이란?

- 1991년 4월 설립된 단체로 우리 정부가 개발 도상국의 빈곤 감소 및 삶의 질 향상, 여성, 아동, 장애인, 청소년의 인권 향상, 성평등 실현, 지속 가능한 발전 및 인도주의를 실현하고, 협력 대상국과의 경제 협력 및 우호 협력 관계를 증진하려는 목적으로 설립했습니다.
- 누구도 소외되지 않는 포용과 상생의 개발 협력으로 인류의 공동 번영과 세계 평화 증진 기여란 사명을 가지고 전 세계의 도움이 필요한 곳에서 활동하고 있습니다.
- 우리나라는 한국 전쟁 후 세계 여러 국가의 도움을 받았지만, 지금은 도움이 필요한 세계 여러 국가에 도움을 주는 국가로 성장했습니다.

핵심 가치

사람

평화

번영

환경

주요 사업 분야

교육 | 양질의 교육을 받고, 자기 능력을 개발시킬 수 있도록 지원합니다.

보건 의료 | 보편적 건강을 보장하고 양질의 보건 의료 서비스 제공합니다.

공공 행정 | 사회 · 경제 시스템 및 민주주의 제도 정착을 위해 지원합니다.

농림 수산 | 지속 가능한 생산 및 기후 변화 대응을 위한 자연 자원의 보존을 강화합니다.

기술 환경 에너지 | 사회 기반 시설 확충과 친환경적인 경제 환경을 조성합니다.

기타 | 인권, 환경 등 전 지구적 문제 해결을 위해 노력합니다.

국제 연합의 '지속 가능 발전 목표' 달성을 위한 한국 국제 협력단의 노력

6.0%

8.0%

19.9%

20.4%

6.0%

3.6%

2.7%

3.6%

4.2%

1.7%

1.9%

0.6%

2.4%

0.3%

0.3%

11.2%

7.2%

KOICA가 한 일(2020년)

코이카 지역별 지원

(단위:백만 원, %)

총 지원액 (단위:백만 원)

678,647

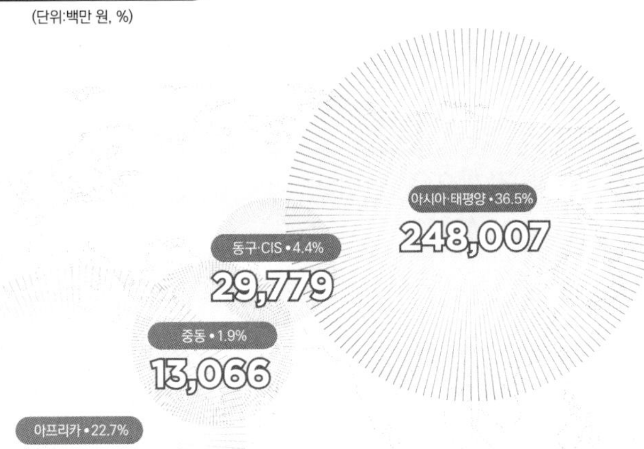

국제기구 • 8.0%
54,238

기타 • 16.7%
113,158

코이카 사업 유형별 지원

(단위:백만 원, %)

총 지원액

678,647

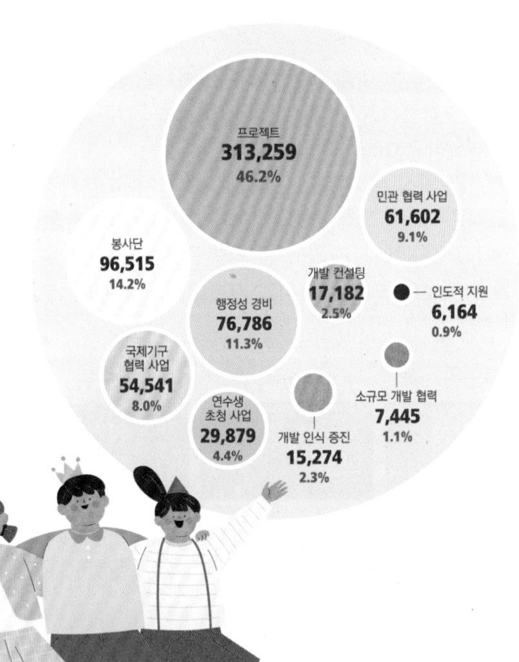

코이카 소득 수준별 지원

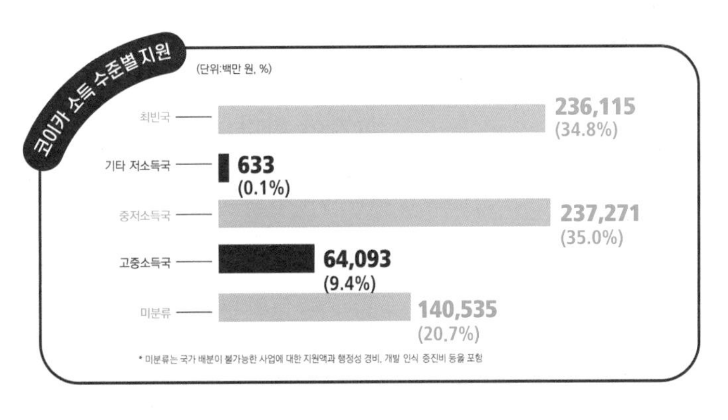

코이카 분야별 지원

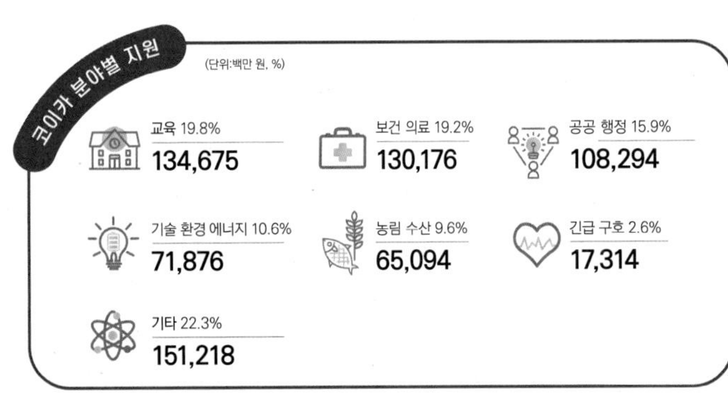

지구촌에는 어떤 문제가 있을까요?

① 지구촌에서 발생하는 여러 가지 문제

(1) 지구촌의 문제 발생: 지구촌에는 환경 문제, 빈곤과 기아 문제, 문화적 편견과 차별 문제 등 다양한 문제들이 발생하고 있다. 속 시원한 활동 풀이

(2) 지구촌의 다양한 문제

① 환경 문제: 공기 안에 ❶오염 물질을 포함한 대기 오염이 다른 나라에서 바람을 타고 와 우리나라에도 영향을 주고 있다. 보충 ❶

② 빈곤과 기아 문제: 자연재해와 전쟁으로 인하여 식량이 부족해져서 많은 사람들이 빈곤과 기아 문제를 겪고 있다. 보충 ❷

③ 문화적 편견과 차별 문제: 문화가 다르다는 이유로 자신들의 문화를 존중받지 못하고 편견과 차별 때문에 고통받는 사람들이 있다.

보충 ❶

◉ **대기 오염**

인공적으로 배출되어 인간 생활에 나쁜 영향을 주는 매연, 먼지 같은 오염 물질이 공기와 섞여서 대기 오염이 발생한다. 적극적인 환경 정책을 실시하여 대기 오염을 개선하는 나라도 있으나 여전히 많은 지역에서 대기 오염이 악화되고 있다. 대기 오염으로 인해 건강을 해치는 경우도 늘고 있다.

② 지속 가능한 미래를 위한 노력

(1) 지속 가능성의 의미: 인간이 환경과 자원 따위를 계속해서 사용할 수 있는 환경적 또는 경제적·사회적 특성을 말한다.

(2) 지속 가능한 미래

① 사람들이 현재뿐만 아니라 미래 세대의 발전을 위해 ❷책임감 있게 행동해 지속 가능성을 높여가는 것이다.

② 미래 세대가 발전할 수 있는 가능성을 파괴하지 않으면서 현재의 사람들이 좀 더 나은 세계에 살아갈 수 있도록 실천할 때 이루어진다.

(3) 지속 가능한 미래를 위해 노력해야 하는 까닭

① 지구촌에서 발생한 문제는 지구촌 사람이 함께 힘을 모아야만 해결할 수 있다.

② 오늘날의 사람들뿐만 아니라 미래 세대의 사람들도 깨끗하고 건강한 지구에서 살아가야 한다.

보충 ❷

◉ **기후 변화로 인한 문제**

기후 변화는 이상 기후를 발생시키는 것뿐만 아니라 농산물 재배에까지 영향을 준다. 기후 변화로 인하여 땅이 황폐해지고, 식량 생산이 줄어들어 굶주림에 시달리는 사람들이 늘고 있다.

● **세계 위험 보고서**

세계 경제 포럼이 매년 발간하는 〈세계 위험 보고서〉는 전 세계 기업, 정부, 시민사회 등에서 활동하는 1,000여 명의 위기 전문가와 리더들을 대상으로 실시한 조사 결과를 토대로 경제, 사회, 환경, 기술 등의 분야에서 발생하는 주요 위험을 분석한 것이다.
2022년 〈세계 위험 보고서〉에서 꼽은 향후 10년간 가장 큰 위험 요소 상위 10개 가운데, 환경적 위험이 무려 5개를 차지했다. 〈세계 위험 보고서〉는 특히 기후 변화가 '현재 세계를 위기에 빠뜨린 감염병과는 비교할 수 없을 정도로 위험'하다고 진단했다. 그리고 "감염병으로 인한 경제 위기로 각국 정부가 경제 회복을 위한 단기 조치를 녹색 전환보다 우선시할 가능성이 크기 때문에 기후 변화 위험도는 더욱 높아질 수 있다."고 경고했다.

1순위	2순위	3순위	4순위	5순위
기후 변화 대응 실패	극단적인 날씨(기상 이변)	생물 다양성 감소	사회적 결속력 약화	생계 위기

6순위	7순위	8순위	9순위	10순위
감염병 확산	인간에 의한 환경 파괴	천연 자원 위기	부채 위기	국가 간 관계 균열

용어 사전

❶ **오염**(汚: 더러울 오, 染: 물들일 염): 더럽게 물드는 것을 말한다.

❷ **책임감**(責: 꾸짖을 책, 任: 맡길 임, 感: 느낄 감): 맡아서 해야 할 의무나 임무를 중요하게 여기는 마음을 말한다.

공부한 날 월 일

스스로 활동

1 그림에서 지구촌 문제를 찾아보고 어떤 문제인지 이야기해 봅시다.

지구촌 문제	예 빈곤과 기아 문제
발생 원인	예 • 홍수나 가뭄과 같은 자연재해로 식량이 부족해져서 빈곤과 기아 문제가 발생할 수 있다. • 전쟁이 일어나 삶의 터전을 잃고 빈곤과 기아 문제로 고통받는 사람들이 생길 수 있다.

지구촌 문제	예 문화적 편견과 차별 문제
발생 원인	예 • 다른 나라의 문화나 생활 방식을 존중하지 않는 문화적 차별 문제가 발생할 수 있다. • 다른 나라의 문화에 대해 편견을 가지는 문제가 생길 수 있다.

2 이 외에 어떤 문제가 있을지 이야기해 봅시다.

예 • 전염병으로 건강이 나빠지는 질병 문제가 있다.
• 피부색이 다른 인종을 차별하는 인종 차별 문제가 있다.
• 사람들이 바다에 쓰레기를 버려서 태평양에 쓰레기 섬을 만들기도 하고, 생태계를 파괴하는 해양 오염 문제가 있다.
• 미세 플라스틱이 바다로 유입되어 해양 생물들이 먹이로 착각하는 문제가 있다.

정답과 해설 14쪽

1 지구촌에는 환경, 빈곤과 기아, 문화적 편견과 차별 등 다양한 문제들이 발생하고 있다. (O | X)

2 공기 안에 오염 물질을 포함한 ( )이/가 우리나라에도 영향을 줄 수 있다.

3 사람들이 현재뿐만 아니라 미래 세대의 발전을 위해 책임감 있게 행동해 지속 가능성을 높여가는 것은? ( )

지구촌의 다양한 환경 문제를 알아볼까요?

❶ 지구촌 환경 문제 (속 시원한 활동 풀이)

(1) 산성비

① 원인: 공업 지대에서 대기 오염 물질이 발생했다.

② 피해: 오염 물질이 섞인 산성비로 인하여 여러 나라를 걸쳐 흐르는 하천이 오염되었다.

(2) 사막화 현상 보충 ❶

① 원인: 기후 변화나 개발과 같은 인간 활동으로 기존의 사막이 넓어졌다.

② 피해: 사막이 넓어져서 사람과 동물이 살 수 없는 땅이 늘어났다.

(3) 대기 오염

① 원인: 과도한 화석 연료 사용으로 미세 먼지가 증가했다.

② 피해: 미세 먼지가 증가하여 지구의 대기가 오염되었다.

(4) 산호 ❶백화 현상 보충 ❷

① 원인: 바다의 수온이 올라갔다.

② 피해: 산호가 하얗게 변하며 죽어갔다.

(5) 서식지 파괴

① 원인: 지구의 기온이 올라가서 빙하가 녹았다.

② 피해: 빙하가 녹아서 북극곰이 살 수 있는 곳이 줄어들었다.

(6) 해양 오염 보충 ❸

① 원인: 사람들이 바다에 무분별하게 플라스틱을 버렸다.

② 피해: 버려진 플라스틱으로 인하여 해양 생태계가 파괴되었다.

내용+ 바다에 버려진 쓰레기들이 모여 태평양에 쓰레기 섬을 만들기도 한다.

(7) 열대 ❷우림 파괴

① 원인: 사람들이 아마존의 열대 우림을 과도하게 개발했다.

② 피해: 열대 우림이 파괴되어 지구의 산소가 부족해졌다.

❷ 환경 문제를 통해 알게 된 점

(1) 지구촌 환경 문제를 통해 알 수 있는 사실

① 오늘날 환경 문제는 발생한 어느 한 지역만의 문제가 아니라 전 세계가 해결해야 할 문제가 되고 있다.

② 지속 가능한 미래를 위해 환경 문제에 관심을 가지고 서로 협력하며 실천하려는 노력이 필요하다.

(2) 지구촌에서 다양한 환경 문제가 발생하는 이유: 경제적 이익, 편리함 등과 같은 이유로 사람들이 필요에 따라 자연을 무분별하게 개발하기 때문이다.

(3) 지구촌 환경 문제를 해결해야 하는 이유

① 환경 문제를 해결하면 건강하고 깨끗한 환경에서 살 수 있다.

② 지구촌 환경 문제가 지속된다면 지구가 오염되어, 지구촌 사람들이 살아갈 수 없는 환경으로 변하게 된다.

③ 지속 가능한 미래를 위해 환경을 지키고 보존해야 할 책임이 있다.

보충 ❶

◉ **사막화 현상**

기존에 있던 사막이 확대되는 현상이다. 사막화는 기후 변화로 가뭄이 지속되는 것이 원인이 되기도 하지만 산림 훼손, 벌목 등으로 땅이 황폐화되면서 나타나기도 한다.

보충 ❷

◉ **산호 백화 현상**

산호가 급격하게 상승한 수온으로 하얗게 죽어가는 현상을 말한다. 수온이 올라가면서 산호에 영양 공급이 제대로 이루어지지 않는 것이 원인이다.

보충 ❸

◉ **미세 플라스틱**

크기가 5mm 미만인 작은 플라스틱 조각을 미세 플라스틱이라고 한다. 크기가 매우 작아 하수 처리 시설에 걸러지지 않고 바다와 강으로 그대로 유입되는데, 이를 물고기들이 먹이로 착각해서 먹고, 이를 결국 사람들이 먹으면서 문제가 되고 있다. 그래서 전 세계적으로 미세 플라스틱 사용을 규제하는 법안들이 통과되고 있는데, 우리나라도 2017년 7월부터 미세 플라스틱을 화장품에 사용할 수 없도록 규정하고 있다.

용어 사전

❶ **백화**(白: 흰 백, 化: 될 화): 흰색으로 변하는 것을 말한다.

❷ **우림**(雨: 비 우, 林: 수풀 림): 풀이나 나무가 자라서 우거져 있는 열대 식물의 숲을 말한다.

속 시원한 활동 풀이

다 함께 활동 세계 곳곳에서 나타나는 환경 문제를 조사해 보고, 빈칸에 붙임 11의 사진이나 설명 글을 붙여 세계 환경 문제 지도를 만들어 봅시다.

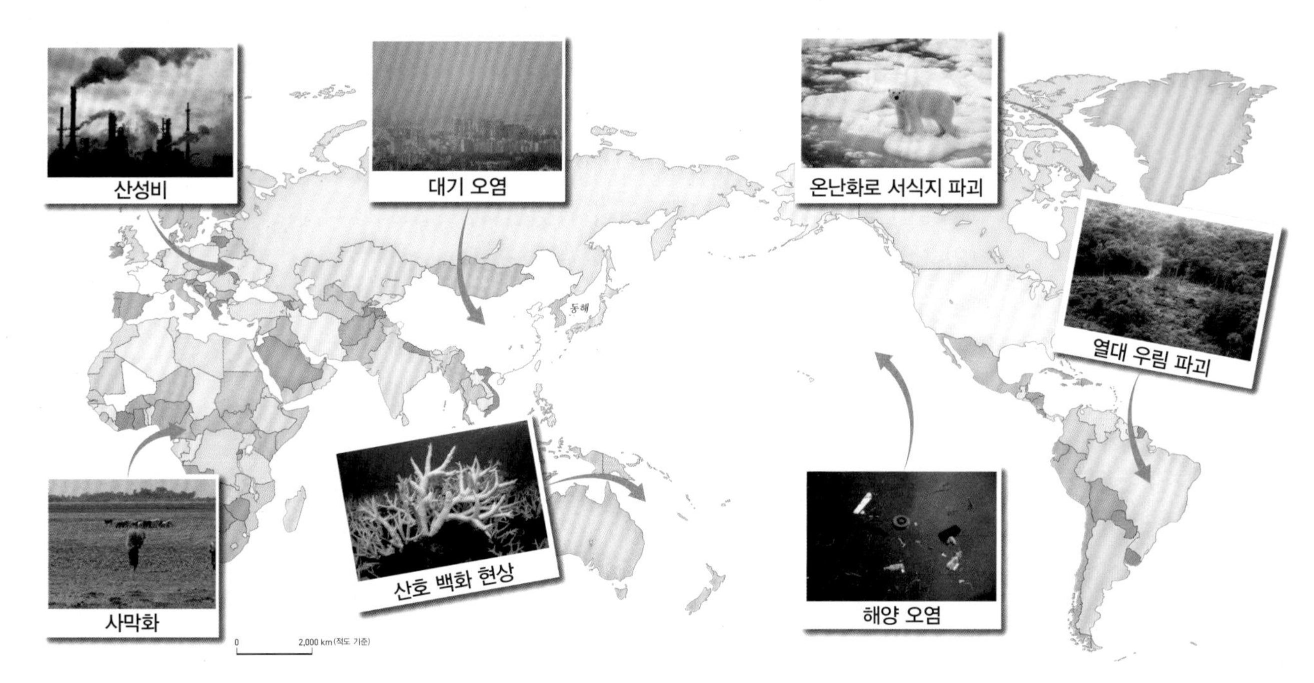

예
- 바다에 버려진 플라스틱 쓰레기가 모여서 쓰레기 섬을 형성하며 해양 생태계에 피해를 주었다.
- 바다에 사는 동물들이 플라스틱 쓰레기를 먹이로 착각하는 문제가 있다.
- 빙하가 녹으면서 해수면이 상승하여 일부 지역이 물에 잠기는 문제가 있다.
- 지구의 기온이 상승하여 폭염으로 고통받는 사람들이 생겼다.
- 무분별한 개발로 아마존 열대 우림이 파괴되어 지구의 산소가 부족해지고 있다.
- 한 국가의 공장 지대에서 발생시킨 오염 물질이 지구촌의 대기를 오염시키기도 한다.

잠깐! 확인해요

지구촌 환경 문제는 그 지역만의 문제이다. (○ | X)

확인 톡!톡!

정답과 해설 14쪽

1 기후 변화나 인간의 개발로 기존의 사막이 확대되는 현상은? (　　　　　)

2 무분별한 개발로 (　　　　　　　)이/가 파괴되어 지구촌의 산소가 부족해졌다.

3 오늘날 환경 문제는 전 세계의 문제가 아니라 어느 한 지역의 문제가 되고 있다. (○ | X)

지구촌 환경 문제를 해결하기 위한 노력을 알아볼까요?

① 지구촌 환경 문제를 해결하기 위한 노력

(1) 개인

① 일회용 비닐봉지 말고 장바구니를 사용한다.
② 사용한 제품의 재활용을 위해 분리배출을 정확히 한다.
③ 일회용 컵을 사용하지 않고 개인 컵을 들고 다닌다.
④ 물건을 살 때 친환경 제품인지 확인한다.

▲ 개인의 노력

(2) 기업

① 친환경 제품을 생산한다.
② 친환경 소재를 개발한다.
③ 쓰레기를 줄이기 위해 상품의 라벨을 제거한다.
④ 제품을 생산하는 과정에서 환경 오염 물질의 배출량을 줄인다.

▲ 기업의 노력

(3) 정부

① 일회용 비닐봉지를 무료로 제공하는 업소에 과태료를 부과한다.
② 쓰레기를 줄이기 위한 쓰레기 ❶종량제 사업을 실시한다.
③ 전기 자동차 구매 보조금 지원 사업을 실시해 전기 자동차의 보급을 확대한다.
④ 온실가스의 양을 줄이는 등 ❷국제 협약의 목표를 실천하고자 노력한다. 보충 ❶

내용+ 정부는 지속 가능한 미래를 위한 다양한 정책과 ❸법령을 마련하고, 기업과 국민이 이를 실천하도록 한다.

▲ 정부의 노력

(4) 세계

① 세계 여러 나라는 환경 문제에 공동으로 대응하기 위해 여러 국제 협약을 체결하고 이를 준수한다. (시험 대비 핵심 자료)
② 국제기구나 비정부 기구는 사람들이 환경 문제를 바르게 알고 문제 해결에 적극적으로 참여할 수 있도록 다양한 활동을 한다. 보충 ❷, ❸

② 지구촌 환경 문제 해결을 위한 방안 (속 시원한 활동 풀이)

(1) 환경을 보호하기 위한 실천 규칙 만들기: 지구촌 환경 문제를 해결하기 위한 실천 규칙을 만들고 점검한다.

(2) 환경을 보호하기 위한 활동 찾기: 환경을 보호하기 위해 일상생활에서 실천할 수 있는 활동을 찾는다.

(3) 환경을 보호하기 위한 노력 조사하기: 개인, 기업, 정부, 세계 여러 나라, 국제기구, 비정부 기구가 환경을 보호하기 위해 어떤 노력을 하는지 조사한다.

보충 ❶

◉ **온실가스**
지구 온난화를 일으키는 원인이 되는 대기 중의 가스를 말한다. 이산화 탄소, 메탄, 아산화 질소, 수소 불화 탄소 등이 대표적인 온실가스이다.

보충 ❷

◉ **그린피스**
다양한 환경 문제로부터 지구를 보호하기 위해 전 세계적으로 활동하고 있는 환경 단체이다. 지구촌의 환경 문제를 조사하며, 지구촌 사람들에게 환경 문제를 알리기 위해 노력하고 있다. 플라스틱 쓰레기로 만든 고래 조각상을 헝가리 부다페스트의 국회 의사당에 전시했다.

보충 ❸

◉ **지구촌 전등 끄기 행사**
세계 자연 기금이 지구의 환경을 보호하기 위해 시작한 환경 운동이다. 캠페인에 참여하는 방법은 매년 3월 마지막 주 토요일 오후 8시 30분부터 1시간 동안 전등을 끄는 것이다.

용어 사전

❶ **종량제**(從: 좇을 종, 量: 헤아릴 량, 制: 억제할 제): 물품의 무게나 길이, 용량에 따라 세금이나 이용 요금을 매기는 제도를 말한다.
❷ **국제 협약**(國: 나라 국, 際: 가제, 協: 도울 협, 約: 맺을 약): 어떠한 사안에 대해 국가와 국가 사이에 정해진 약속을 지키기로 하고 체결한 계약을 말한다.
❸ **법령**(法: 법도 법, 令: 명령할 령): 법과 명령을 아울러 이르는 말이다.

월 일

파리 협정

지구 온난화의 원인인 온실가스 배출량을 줄이는 것을 목표로 2015년 제21차 총회에서 '파리 협정'이 체결되었다. 이 협정에는 전 세계 195개국이 참여하였는데, 협정에 참여하는 모든 국가는 스스로 결정한 온실가스 감축 목표를 지켜야 한다.
파리 협정은 선진국에만 온실가스 감축 의무가 있던 기존과는 다르게 개발 도상국을 포함하여 모든 국가가 각자의 상황에 맞추어 협약에 참여하는 체제이다. 다만 선진국은 개발 도상국의 온실가스 감축을 위한 지원을 해야 한다. 모든 국가는 스스로 결정한 온실가스 감축 목표를 5년 단위로 점검하며, 각국의 상황과 능력을 고려하여 온실가스를 감축하기 위한 노력을 강화하도록 하고 있다.

속 시원한 활동 풀이

1 지구촌 환경 문제를 해결하기 위한 실천 규칙을 점검해 봅시다.

예
- 물을 아껴 쓴다.
- 대중교통을 이용하고 가까운 거리는 걷거나 자전거를 이용한다.

2 환경을 보호하기 위해 일상생활에서 실천할 수 있는 나의 다짐을 적고 발표해 봅시다.

예
- 급식 시간에 음식을 남기지 않을 것이다.
- 일회용품과 같은 플라스틱의 사용을 줄일 것이다.

3 지속 가능한 지구촌을 위해 기업과 정부, 세계 여러 나라, 비정부 기구 등이 어떤 노력을 기울이고 있는지 조사해 봅시다.

예
- 정부는 차량 2부제를 통해 미세 먼지 배출량을 줄이고 있다.
- 세계 여러 나라는 기후 변화 협약을 맺어 온실가스 배출량을 줄이고 있다.
- 비정부 기구는 환경 오염을 전 세계에 알리는 캠페인을 하고 있다.

잠깐! 확인해요

지구촌 환경 문제를 해결하기 위해서는 개인만 노력하면 된다. (O | )

확인 톡!톡!

정답과 해설 14쪽

1 개인은 지구촌 환경 문제를 해결하기 위해 친환경 제품을 생산한다. (O | X)

2 환경 문제를 해결하기 위해 친환경 제품을 개발하는 주체는? (　　　)

3 정부는 온실가스를 줄이는 등 (　　　　　　)의 목표를 실천하기 위해 노력한다.

환경을 생각하는 생산과 소비 활동을 알아볼까요?

1 환경을 생각하는 생산과 소비 활동

(1) ❶친환경 플라스틱

① 지구촌의 환경을 훼손하지 않고 자연에서 100% 분해될 수 있는 플라스틱이다.

② 밀, 고구마, 옥수수, 감자, 해조류 등을 이용해 만든다.

③ 열, 햇빛, 박테리아, 곰팡이 등에 의해 분해되거나 시간이 지나면서 자연스럽게 썩어 없어진다.

(2) 녹색 소비: 제품을 구매하고 사용한 후 버릴 때까지 전 과정에서 사회와 환경에 미치는 영향까지 생각하는 친환경 소비이다.

(3) 녹색 소비자: 환경 문제에 높은 관심을 보이며 녹색 소비를 실천하는 소비자이다.

내용+ 녹색 소비자가 많아지면, 많은 사람들이 환경을 생각하는 제품을 구매하게 되어 지구촌 환경 문제의 해결에 도움을 준다.

2 환경을 생각하는 생산과 소비가 미치는 영향

(1) 환경을 생각하는 생산과 소비의 영향 (속 시원한 활동 풀이)

① 소비자는 친환경 제품을 구매함으로써 지구촌 환경 문제 해결에 ❷기여한다.

② 기업은 환경을 지키는 것과 동시에 소비자들의 필요를 만족시키기 위해 친환경 제품을 생산한다.

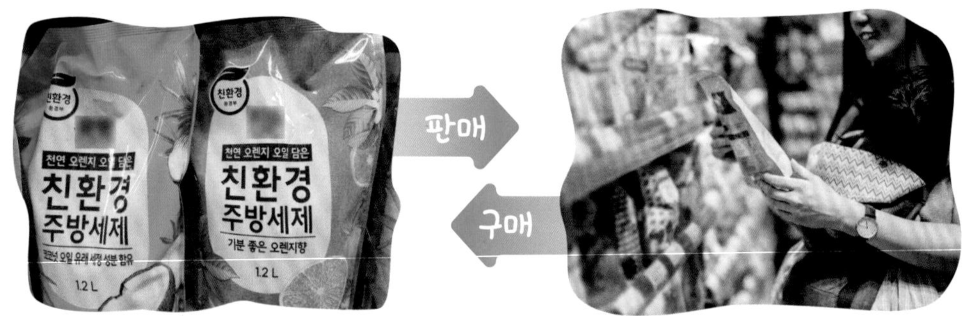

▲ 친환경 세제를 출시한 기업 ▲ 친환경 세제를 구매하는 소비자

③ 정부는 소비자들이 친환경 제품을 쉽게 확인하고 이용할 수 있도록 여러 가지 인증 마크를 상품에 표시한다. 보충 ❶, ❷

(2) 환경을 생각하는 생산과 소비 활동을 해야 하는 이유

① 환경을 생각하는 생산과 소비 활동을 통해 우리의 건강과 환경을 지킬 수 있다.

② 자원을 절약하고 환경 오염을 줄임으로써 지속 가능한 미래로 발전할 수 있다.

● 농식품 국가 인증 제도

▲ 친환경 농산물에 붙는 마크

농식품 국가 인증 제도란 품질, 원료, 재배 환경 등에 있어 특정한 조건을 갖춘 농축산물에 대해 국가가 인증 마크를 붙여 주는 제도이다.

소비자는 제품에 붙은 인증 마크를 통하여 해당 제품이 친환경 농식품인지 확인할 수 있고, 기업은 인증 제도의 기준에 맞추어 친환경 농식품을 생산할 수 있도록 노력한다. 이러한 마크는 환경을 생각하는 소비 활동을 촉진할 뿐만 아니라 환경을 생각하는 생산 활동에도 영향을 준다.

보충 ❶

◉ 환경 표지 제도

환경 표지 제도는 같은 용도의 다른 제품에 비해 '제품의 환경성'을 개선한 경우 그 제품에 환경 표지를 표시하는 제도이다. 환경 표지 제도를 통해 소비자는 환경친화적인 제품이 무엇인지 알 수 있고, 기업은 소비자의 친환경적 구매 욕구에 부응하는 친환경 제품을 개발하도록 유도할 수 있다.

보충 ❷

◉ 탄소 발자국

환경 성적 표지 환경 영향 범주 중 하나로, 제품 및 서비스의 원료 채취, 생산, 수송·유통, 사용, 폐기 등 전 과정에서 발생하는 탄소가 기후 변화에 미치는 영향을 계량적으로 나타낸 지표다. 탄소 발자국은 라벨 형태로 제품에 표시된다. 탄소 발자국은 개인 또는 단체가 직·간접적으로 발생시키는 온실 기체의 총량을 의미한다.

용어 사전

❶ **친환경**(親: 친할 친, 環: 고리 환, 境: 지경 경): 자연환경을 오염시키지 않고 자연 그대로의 환경과 잘 어울리는 일을 말한다.

❷ **기여**(寄: 부칠 기, 與: 더불 여): 도움이 되도록 이바지하는 것을 말한다.

2 단원

속 시원한 활동 풀이

다 함께 활동 친환경 제품을 찾아보고, 이러한 제품이 환경에 미치는 영향을 친구들과 이야기해 봅시다.

제품	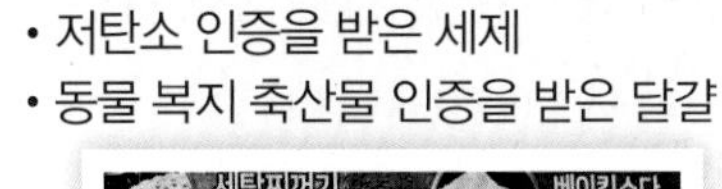 • 저탄소 인증을 받은 세제 • 동물 복지 축산물 인증을 받은 달걀  
영향	• 저탄소 인증은 탄소를 적게 배출하는 제품이 받는 인증으로, 기후 변화를 막는 데 도움이 된다. • 동물 복지 축산물 인증은 깨끗하고 안전한 환경에서 동물을 키운 농장에 주어지는 인증으로, 친환경 축산물을 먹을 수 있어 건강에 도움이 된다.

예 친환경 제품
- 유기농 인증을 받은 채소가 있다.
- 유기농 인증은 농약과 화학 비료를 사용하지 않고 재배한 농산물이 받는 인증으로, 친환경 농산물을 먹을 수 있어 소비자의 건강에 도움이 된다.

예 친환경 제품이 환경에 미치는 영향
- 친환경 제품을 개발·생산하고, 그 제품을 구매하여 사용함으로써 지구촌 환경 문제 해결에 기여할 수 있다.
- 친환경 제품의 생산과 소비 활동을 통해 지속 가능한 미래를 만들어 갈 수 있다.

잠깐! 확인해요

□□을/를 생각하는 생산과 소비 활동을 통해 지속 가능한 미래를 만들 수 있다. (환경)

확인 톡! 톡!

정답과 해설 14쪽

1 지구촌의 환경을 훼손하지 않고 자연에서 100% 분해되는 플라스틱은? ( )

2 ( )은/는 환경 문제에 높은 관심을 보이며 이를 실천하려고 노력하는 소비자를 말한다.

3 환경을 생각하는 생산과 소비 활동은 우리의 건강과 관련이 없다. (O | X)

빈곤과 기아 문제를 해결하기 위한 노력을 알아볼까요?

1 빈곤과 기아 문제 (속 시원한 활동 풀이)

(1) [1]빈곤: 가난하여 생활하는 것이 어려운 상태를 말한다.

(2) [2]기아: 먹을 것이 없어 굶주리는 것을 말한다.

(3) 빈곤과 기아 문제의 원인

① 전쟁으로 삶의 터전을 잃은 분쟁 지역에서는 빈곤과 기아 문제를 겪는 사람들이 늘어나고 있다.

② 가뭄이나 태풍 같은 자연재해로 인하여 물과 식량이 부족해져서 빈곤 문제가 심각해졌다. 보충 ①

▲ 전쟁으로 삶의 터전을 잃은 사람들

▲ 가뭄으로 마른 땅

(4) 빈곤과 기아 문제의 피해

① 많은 어린이가 굶주림으로 [3]영양 결핍을 겪거나 사망하기도 한다.

② 식량 부족으로 쓰레기 더미를 뒤져서 겨우 먹고살아 가는 사람들이 많다.

2 빈곤과 기아 문제의 해결 노력

(1) 빈곤과 기아 문제를 해결하기 위한 노력

구호 물품 지원	교육 활동 지원
부족한 물건과 식량 등을 지원함.	교육을 받지 못하는 학생들이 교육받을 수 있도록 도와줌.
농업 기술 지원	**빈곤 퇴치 캠페인** 보충 ②
농업 기술을 지원해 자립할 수 있도록 도와줌.	빈곤 문제를 알리는 다양한 캠페인 활동을 함.

(2) 빈곤과 기아 문제의 해결 노력을 통해 알게 된 점

① 빈곤과 기아 문제는 해당 지역만의 문제가 아니라 지구촌 모두의 문제이다.

② 빈곤과 기아 문제 해결을 위해 서로 협력하는 자세가 필요하다.

● 유엔 세계 식량 계획의 제로 헝거

유엔 세계 식량 계획(WFP)은 1961년 유엔 총회와 국제 식량 농업 기구 총회로부터 시작된 유엔 산하의 식량 원조 기구이다. 2019년 기준 세계 인구 1억 3,500만 명이 굶주림으로 고통을 받고 있는데, 전쟁과 기근으로 부르키나파소, 예멘, 콩고 민주 공화국, 나이지리아 등에서 기아를 겪는 사람들의 수가 늘고 있다.

유엔 세계 식량 계획은 제로 헝거(Zero Hunger) 즉, 기아 인구가 없는 세상을 목표로 한다. 유엔 세계 식량 계획은 식량 배분뿐 아니라, 재난 상황에서의 식량 지원과 식량 안보를 개선, 인프라 구축과 생계 회복 능력 강화를 위해서도 노력해 왔다. 2020년 유엔 세계 식량 계획은 노벨평화상을 수상했다.

보충 ①

◉ 기후 변화와 기아

지구 온난화로 인해 기온이 높아지면서 일부 지역에서는 심각한 가뭄이 발생하고 있다. 이러한 변화는 특히 빗물에 크게 의존하는 아프리카의 농업에 많은 영향을 준다.

보충 ②

◉ 세계 빈곤 퇴치의 날

매년 10월 17일은 세계 빈곤 퇴치의 날이다. 빈곤과 폭력, 기아로 인해 고통받는 사람들을 알리고, 빈곤 퇴치를 위한 캠페인 활동이 이루어진다.

용어 사전

❶ **빈곤**(貧: 가난할 빈, 困: 괴로울 곤): 가난하여 살기 어려운 것을 말한다.

❷ **기아**(飢: 주릴 기, 餓: 주릴 아): 먹을 것이 없어 굶주리는 것을 말한다.

❸ **영양 결핍**(營: 경영할 영, 養: 기를 양, 缺: 이지러질 결, 乏: 가난할 핍): 몸이 필요로 하는 영양분이 부족한 상태를 말한다.

속 시원한 활동 풀이

스스로 활동 지도를 보고 지구촌의 빈곤과 기아 문제에 관해 이야기해 봅시다.

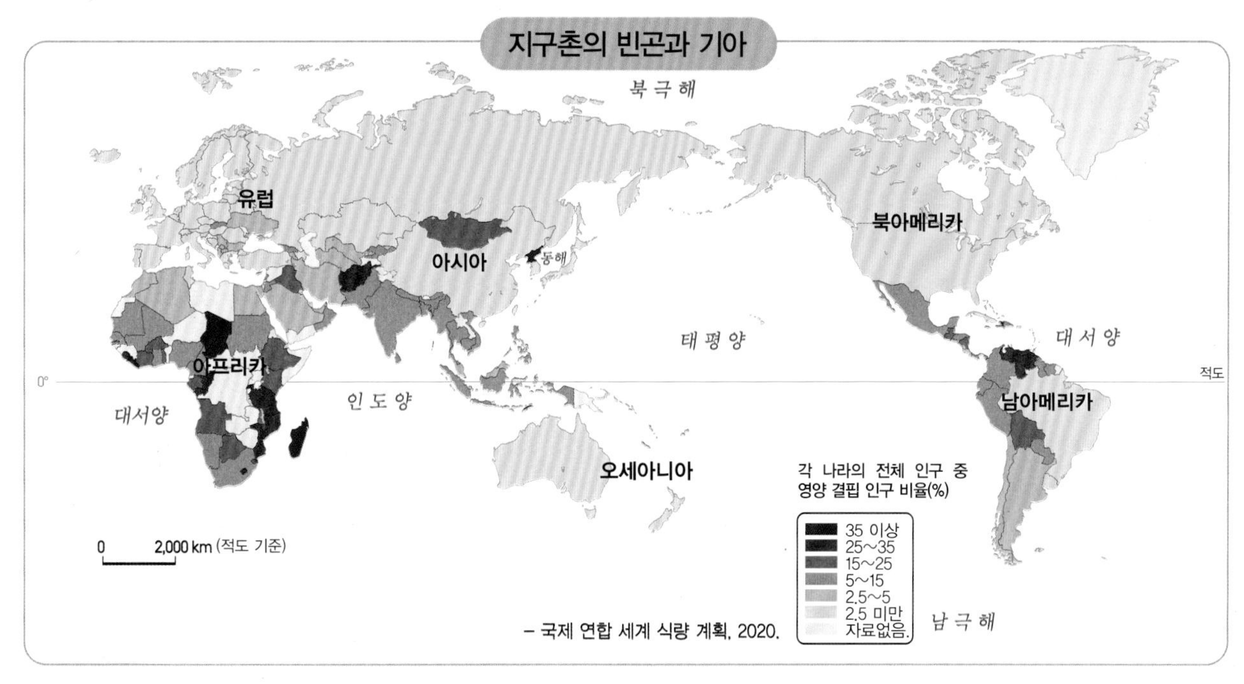

예
- 지구촌의 빈곤과 기아 현황을 나타낸 지도이다.
- 영양 결핍 인구 비율이 높은 나라는 아프리카 대륙에 많이 있다.
- 아프리카 대륙의 영양 결핍 비율이 높은 이유는 오랜 가뭄으로 식량이 부족하기 때문이다.
- 아프리카 대륙의 영양 결핍 비율이 높은 이유는 전쟁으로 삶의 터전을 잃었기 때문이다.
- 아프리카 대륙의 영양 결핍 비율이 높은 이유는 전쟁으로 식량을 생산하는 땅이 오염되었기 때문이다.
- 빈곤과 기아 문제가 계속되면 영양 결핍에 시달리는 아이들이 늘어난다.
- 빈곤과 기아 문제가 계속되면 병에 걸리거나 목숨을 잃는 사람들이 늘어난다.
- 빈곤과 기아 문제가 계속되면 교육을 받지 못하는 학생들이 늘어난다.

빈곤과 기아 문제는 지구촌 모두가 함께 해결해야 할 문제이다. (O | X)

확인 톡!톡!

정답과 해설 14쪽

1 가난하여 생활하는 것이 어려운 상태를 말하는 것은? (　　　)

2 지구촌에는 전쟁으로 삶의 터전을 잃고 빈곤과 기아 문제를 겪는 사람들이 있다. (O | X)

3 빈곤과 기아 문제를 해결하기 위해 식량 생산을 가능하게 하는 (　　　　　)을/를 지원해 자립할 수 있도록 도와준다.

문화적 편견과 차별이 없는 미래를 만들기 위해 노력해 볼까요?

① 문화적 편견과 차별

(1) **문화:** 세계 여러 나라에는 다양한 문화가 있으며, 문화는 그 지역의 환경에 알맞게 만들어진 것이기 때문에 좋고 나쁨을 따질 수 없다.

(2) **문화적 편견:** 어떤 문화가 좋고 어떤 문화가 나쁘다고 생각하는 것이다.

(3) **문화적 차별:** 우리의 문화와 다른 문화의 차이를 인정하지 않고 편견을 갖는 것이다.

(4) **문화적 편견과 차별의 사례**

손을 사용해 식사를 하는데, 사람들이 ❶비위생적이라고 생각해요.

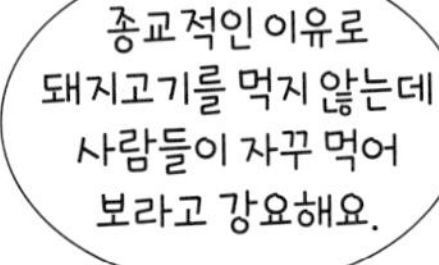

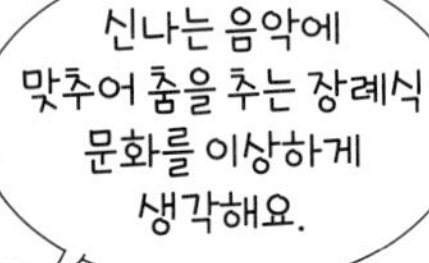

보충 ❶

◉ **세계 문화 다양성의 날**

5월 21일은 '발전과 대화를 위한 세계 문화 다양성의 날'이다. 2002년 12월 20일 국제 연합이 제정한 세계 문화 다양성의 날은 지구촌의 다양한 문화적 가치를 높이는 데 목적이 있다.

보충 ❷

◉ **세계 문화 다양성 선언**

2001년 제31차 유네스코 총회에서 채택되었다. 세계 문화 다양성 선언은 강대국이든 약소국이든 자국의 문화를 유지하고 종의 다양성을 보존해야 한다는 내용을 담고 있다.

② 문화적 편견과 차별이 없는 미래

(1) **문화적 편견과 차별을 해결하기 위한 노력**

① 문화 다양성을 ❷존중하는 교육 활동을 한다. 보충 ❶

② 서로의 문화를 존중하고 공감하는 캠페인에 참여한다.

③ 다양한 문화를 배우고 체험할 수 있는 행사를 개최한다.

④ 문화적 편견과 차별로 어려움을 겪는 사람들을 위한 상담을 지원한다.

(2) **문화적 편견과 차별을 해결하기 위한 자세** (속 시원한 활동 풀이)

① 우리와 다른 문화를 존중하고 공감한다. 보충 ❷

② 다른 문화를 가진 사람을 나와 같은 지구촌 ❸공동체의 한 사람으로 생각한다.

● **세계 문화 다양성 선언**

〈세계 문화 다양성 선언〉의 정식 명칭은 '문화 콘텐츠와 예술적 표현의 다양성 보호를 위한 협약'이다. 2001년 11월에는 '세계 문화 다양성 선언'이 채택되고, 2002년에는 5월 21일을 '세계 문화 다양성의 날'로 선포했다. 〈세계 문화 다양성 선언〉은 세계 각국의 문화적 다양성을 인정하는 국제 협약으로, 다음과 같은 내용을 담고 있다.

각 당사국의 문화 표현이 위협받거나 취약한 상황에 있을 경우, 자국 영토 안에서 문화적 표현의 다양성 보호와 증진을 목표로 규정을 만들거나 재정을 지원하는 방안을 채택할 수 있도록 했다. 그밖에 문화적 표현의 다양성 보호와 증진을 위한 책임 분담, 영화와 시청각 부문의 공동 제작과 공동 배급 협정 체결 장려, 국가 간 차원의 다양성 장려와 문화 다양성 감시 기구 설치 및 분쟁 해결 등의 내용을 담고 있다.

용어 사전

❶ **비위생적**(非: 아닐 비, 衛: 지킬 위, 生: 날 생, 的: 과녁 적): 건강에 좋지 않거나 알맞지 않은 것을 말한다.

❷ **존중**(尊: 높을 존, 重: 무거울 중): 높이어 귀중하게 대하는 것을 말한다.

❸ **공동체**(共: 함께 공, 同: 같을 동, 體: 몸 체): 생활이나 행동 또는 목적 따위를 같이하는 집단을 말한다.

속 시원한 활동 풀이

스스로 활동

1 우리 주변에서 문화가 다르다는 이유로 차별받는 사례를 듣거나 본 경험을 이야기해 봅시다.

예
- 무슬림 복장을 한 사람들이 무섭다는 사람들을 본 적이 있다.
- 외국 사람들이 인사를 할 때 나이가 많은 사람에게 손을 흔들어 인사하는 것을 보고 예의가 없다고 혼나는 것을 본 적이 있다.
- 한낮의 햇볕을 피해 낮잠을 자는 지역의 사람들을 게으르다고 하는 것을 본 적이 있다.

▲ 시에스타

2 문화적 편견과 차별을 해결하기 위해 우리가 할 수 있는 일을 찾아 실천해 봅시다.

나의 다짐

예 문화적 편견과 차별을 해결하기 위해 나는
다양한 문화를 체험할 수 있는 행사에 참가할 것이다.
왜냐하면 다른 문화에 대한 이해를 넓힐 수 있기 때문이다.
그리고 다른 문화를 차별하는 사람에게 잘못되었다고 말할 것이다.

– 김주영

예
- 차별을 하는 사람에게 잘못되었다고 이야기할 수 있다.
- 학교에 있는 다문화 친구들에게 관심을 가지고 친하게 지낼 수 있다.

잠깐! 확인해요

문화적 편견과 차별이 없는 미래를 위해 다른 문화를 존중하는 태도가 필요하다. (◯O | X)

확인 톡! 톡!

정답과 해설 14쪽

1 세계 여러 나라에는 (다양한 , 하나의) 문화가 있으며, 문화는 그 지역의 환경에 알맞게 만들어졌다.

2 어떤 문화가 좋고 어떤 문화가 나쁘다고 생각하는 것은? (   )

3 우리와 다른 문화를 존중하고 공감해야 한다. (O | X)

세계 시민으로서 우리가 할 수 있는 일은 무엇일까요?

❶ 세계 시민의 자세

(1) 세계 시민의 뜻과 세계 시민으로서의 자세 (시험 대비 핵심 자료)

① 세계 시민: 지구촌 문제가 우리의 문제임을 알고 이를 해결하고자 ❶협력하는 자세를 지닌 사람이다. 보충 ❶

② 세계 시민으로서의 자세가 필요한 이유: 지구촌은 우리 모두가 더불어 살아가는 곳이고, 미래 세대도 살아가야 하는 곳이기 때문이다.

(2) 지속 가능 발전 목표

① 국제 연합(UN)에서 정한 지구촌 사람 모두가 지속 가능한 미래를 만들 수 있도록 함께 실천할 목표이다.

② 세계 시민으로서 더불어 살아가기 위해 함께 실천해야 할 17개 목표를 말한다. 보충 ❷, ❸

❷ 지속 가능한 미래 실천 붙임 딱지를 만드는 방법

❶ 국제 연합의 '지속 가능 발전 목표'를 살펴보고 수업에서 배운 내용을 찾는다.
❷ 그중에서 내가 실천하고 싶은 목표 한 가지를 선택해 그 이유를 쓴다.
❸ 내가 선택한 지속 가능 발전 목표를 일상생활에서 어떻게 실천할 수 있을지 생각한다.
❹ 나의 실천 다짐을 적은 붙임 딱지를 만들고, 친구들에게 소개한다.

❸ 지속 가능한 미래 실천 붙임 딱지를 만드는 활동 (속 시원한 활동 풀이)

(1) 지속 가능 발전 목표를 보고 수업에서 배운 내용 찾기: 예 빈곤 퇴치, 기아 ❷종식, 지속 가능한 에너지, 지속 가능한 소비와 생산, 기후 변화와 대응, 해양 자원의 보존 등

(2) 실천하고 싶은 목표를 선택하고 이유 쓰기: 예 "지속 가능한 소비와 생산, 일회용품 사용을 줄여 지속 가능한 미래를 만드는 데 도움이 되고 싶기 때문이다."

(3) 선택한 목표를 어떻게 실천할지 생각하기: 예 불필요한 전등 끄기, 친환경 제품 구매하기, 물 아껴 쓰기 등

(4) 실천 다짐을 적은 붙임 딱지를 친구들에게 소개하기: 예 "종이컵 대신 텀블러를 들고 다니자는 내용을 적었어요." "사용하지 않는 전자 제품의 코드를 빼놓자는 내용을 적었어요."

보충 ❶

◉ **세계 시민 교육**
세계라는 공동체에서 시민으로 살아가기 위해 어떻게 해야 하는지에 대하여 고민하고 실천할 수 있도록 가르치고 배우는 교육을 말한다.

보충 ❷

◉ **지속 가능 발전 목표**
지속 가능한 발전이란 미래 세대의 필요를 충족시킬 수 있으면서 현재의 필요도 충족시킨다는 개념으로, 사회와 경제 발전뿐만 아니라 환경 보호를 함께 이루는 발전을 말한다. 이를 달성하기 위해서 국제 연합에서 모여 설정한 것이 '지속 가능 발전 목표'이다.

보충 ❸

◉ **지속 가능 발전 교육**
모든 사람들이 질 높은 교육의 혜택을 받을 수 있으며, 이를 통해 지속 가능한 미래와 사회 변화를 위해 필요한 가치, 행동, 삶의 방식을 배울 수 있는 사회를 지향하는 교육을 말한다.

용어 사전

❶ **협력**(協: 도울 협, 力: 힘 력): 힘을 합하여 서로 돕는 것을 말한다.
❷ **종식**(終: 마칠 종, 熄: 불꺼질 식): 한때 일어났던 현상이나 일이 끝나거나 없어지는 것을 말한다.

시험 대비 핵심 자료

폐기물 매립 제로

'폐기물 매립 제로'는 매립지로 가는 폐기물의 양을 줄이기 위한 환경친화적인 철학을 요약하는 폐기물 관리 산업 전반에 걸쳐 일반적으로 사용되는 용어다. '제로(Zero)'라고 하지만, 모든 유형의 폐기물이 다른 방식으로 처리될 수 있는 것은 아니며 결국 매립될 수 있다. 그러나 최근 들어 기업들은 쓰레기 매립지에서 배출되는 폐기물의 최소 99%까지 줄이는 것을 목표로 하고 있다. 폐기물 제로의 일반적으로 허용되는 기준치는 매립지의 폐기물 가운데 90%가 다른 용도로 전환되면 폐기물 제로로 보고 있다. 폐기물을 전환시키는 방법에는 재사용, 재활용, 퇴비, 동물 사료 등이 있다.

속 시원한 활동 풀이

세계 시민으로서 우리가 할 수 있는 일 알아보기

구분	내용
실천하고 싶은 지속 가능 발전 목표와 이유	예 • 목표: 기아 종식 • 이유: 자연재해나 전쟁 등으로 먹을 것이 없어 배고픔으로 고통받는 친구들을 도와주고 싶다.
생활 속 실천 방안	예 • 기아를 알리는 캠페인에 참가한다. • 기아로 고통받는 사람들을 돕는 국제기구 모금 활동에 모은 용돈을 기부한다. • 빈곤 퇴치에 도움이 되는 발명품 아이디어를 구상해 본다.
친구들에게 소개하기	예 • 국제 기구 통계를 조사하여 전 세계적 기아 현황을 친구들에게 알린다. • 기아를 돕는 국제기구 모금 방법을 친구들에게 알려주고 직접 모금한다. • 빈곤 퇴치에 도움이 되는 발명품을 조사하고 새로운 아이디어를 공유한다. • 새로운 아이디어를 동영상으로 만들어 인터넷에 공유하고 온라인 댓글로 소통한다.
활동 소감	예 • 친구들의 발표를 들으면서 세계 시민으로서 해야 할 일이 많다는 것을 알게 되었다. • 학급 게시판에 붙인 실천 방안 붙임 딱지를 보면서 지금부터 실천해야겠다고 다짐했다.

확인 톡!톡!

정답과 해설 14쪽

1 국제 연합에서 정한, 전 인류가 힘을 모아 지구촌 문제를 해결하고 지속 가능한 미래를 만들 수 있도록 함께 실천할 목표는? (　　　　　　)

2 (　　　　　　)은/는 지구촌 문제가 우리의 문제임을 알고 이를 해결하고자 협력하는 자세를 지닌 사람이다.

3 우리가 지구촌 문제를 일상생활 속에서 해결할 수 있는 방안은 없다. (O | X)

교과서 143쪽

'지속 가능한 지구촌'에서 배운 내용을 떠올리며, 틀린 내용의 번호를 건져 올려 바다를 깨끗하게 만들어 봅시다.

핵심 꿀꺽 질문

지구촌의 주요 환경 문제와 해결 방안을 제시할 수 있나요?

지속 가능한 미래를 위한 과제를 설명할 수 있나요?

지구촌의 지속 가능한 미래를 위한 세계 시민의 자세를 실천할 수 있나요?

1 **다음 자료와 관련 있는 환경 문제를 쓰시오.**

2 중요 **빈칸 ㉠, ㉡에 들어갈 알맞은 말을 쓰시오.**

- (㉠)에서 발생한 문제는 모든 지구촌 사람들이 함께 힘을 모아야만 해결할 수 있다.
- (㉡)(이)란 사람들이 현재뿐만 아니라 미래 세대의 발전을 위해 책임감 있게 행동해 지속 가능성을 높여가는 것을 말한다.

㉠:

㉡:

3 **지구촌의 환경 문제에 대한 설명으로 알맞지 않는 것은 어느 것입니까?** (　　　)

① 무분별한 개발로 열대 우림이 파괴되었다.
② 화석 연료 사용으로 미세 먼지가 증가했다.
③ 바다의 수온이 올라가서 산호가 하얗게 변했다.
④ 북극의 빙하가 녹아 북극곰이 살 곳을 잃게 되었다.
⑤ 사막화로 인해 생명이 살 수 없는 땅이 줄어들고 있다.

4 **빈칸에 들어갈 알맞은 말을 쓰시오.**

(　　　)(이)란 지구 온난화를 일으키는 원인이 되는 대기 중의 가스를 말한다.

5 중요 **빈칸 ㉠, ㉡에 알맞은 말이 바르게 짝 지어진 것은 어느 것입니까?** (　　　)

- 지구촌 환경 문제를 해결하고자 (㉠)은/는 일회용품 사용을 자제하고, 정확한 분리배출을 할 수 있도록 노력해야 한다.
- (㉡)은/는 정책과 법령을 마련하고 실천하도록 안내해야 한다.

	㉠	㉡
①	개인	기업
②	개인	정부
③	정부	기업
④	정부	개인
⑤	정부	세계

6 **빈칸에 공통으로 들어갈 알맞은 말을 쓰시오.**

(　　　)은/는 환경 문제를 해결하기 위해 친환경 제품을 생산하거나 친환경 소재를 개발한다. (　　　)은/는 환경 오염 물질의 배출량을 줄여 사회적 책임을 실천한다.

2 단원

7 환경 문제 해결을 위한 개인의 노력은 어느 것입니까? (　　　)

① 정책 만들기　② 법령 마련하기
③ 친환경 제품 사용　④ 국제 협약 목표 실천
⑤ 일회용품 사용 늘리기

8 비정부 기구와 해당되는 설명을 연결하시오.

(1) 세계 자연 기금 •　　• ㉠ 지구촌 전등 끄기 행사를 개최한다.

(2) 그린피스 •　　• ㉡ 플라스틱 고래 조각상을 만들어 전시했다.

중요
9 지구촌 환경 문제 해결을 위한 실천 규칙을 보기 에서 골라 기호를 쓰시오.

보기
㉠ 평소에 물을 아껴 쓴다.
㉡ 쓰레기는 분리배출한다.
㉢ 계단보다는 엘리베이터를 이용한다.
㉣ 전기 제품 플러그는 항상 꽂아 둔다.

10 지구촌 환경 문제 해결을 위한 노력으로 알맞은 것은 어느 것입니까? (　　　)

① 개인이 노력하여 해결할 수 있다.
② 세계 여러 나라는 환경 문제에 각자 대응한다.
③ 정부는 국제 협약 목표를 실천하고자 노력한다.
④ 비정부 기구는 지구촌 환경 문제와 관련이 적다.
⑤ 기업은 지속 가능한 미래를 위한 정책을 마련한다.

중요
11 다음에서 설명하는 용어를 쓰시오.

친환경 소비로, 제품을 구매하고 사용한 후 버릴 때까지 전 과정에서 사회와 환경에 미치는 영향까지 생각한다.

12 사진에 대한 설명으로 알맞은 것은 어느 것입니까? (　　　)

▲ 사탕수수를 이용한 용기

① 지구촌 환경을 훼손한다.
② 곰팡이 등에 의해 분해된다.
③ 시간이 지나도 썩지 않는다.
④ 햇빛에 의해 분해되지 않는다.
⑤ 자연에서 100% 분해되기 힘들다.

13 빈곤과 기아가 발생하는 원인으로 알맞은 것을 보기 에서 골라 기호를 쓰시오.

보기
㉠ 전쟁으로 땅이 황폐화되었다.
㉡ 자연재해로 깨끗한 물과 식량을 얻기가 어렵다.
㉢ 식량 부족으로 쓰레기 더미를 뒤지며 먹고살아 간다.
㉣ 많은 사람이 굶주림으로 영양 결핍을 겪거나 사망한다.

14 **빈곤과 기아 문제를 해결하기 위한 노력으로 알맞지 않은 것은 어느 것입니까?** (   )

① 구호 물품을 지원한다.
② 교육 활동을 지원한다.
③ 친환경 제품을 사용한다.
④ 빈곤 퇴치 캠페인에 참여한다.
⑤ 농업 기술을 지원해 식량 생산을 늘린다.

15 **(1), (2)에 해당하는 용어를 보기 에서 골라 기호를 쓰시오.**

(1) 국제 연합이 지구촌 문제 해결을 위해 함께 실천할 17개의 목표
(2) 지구촌 문제가 우리 문제임을 알고 이를 해결하고자 협력하는 사람

보기
㉠ 녹색 시민 ㉡ 세계 시민
㉢ 지구촌 공동체 목표 ㉣ 지속 가능 발전 목표

16 **빈칸에 들어갈 알맞은 말을 쓰시오.**

어떤 문화가 좋고 어떤 문화가 나쁘다고 생각하는 것은 문화적 편견이다. 우리의 문화와 다른 문화의 차이를 인정하지 않고 편견을 갖는 것은 문화적 [   ]이다.

워드 클라우드와 함께하는 서술형 문제

[17-18] 워드 클라우드의 단어를 이용하여 서술형 문제의 답을 쓰시오.

환경 문제 미래 개인 일회용품 기업 탄소 세계 기후 변화 정부 플라스틱 저탄소 인증 친환경 제품 빈곤 기아 문화 존중 공감

17 **다음 사진을 보고 환경을 생각하는 생산과 소비의 영향을 쓰시오.**

18 **다음과 같은 문제를 해결하는 방안을 두 가지 이상 쓰시오.**

손을 사용해 식사를 하는데 사람들이 비위생적이라고 생각해요.

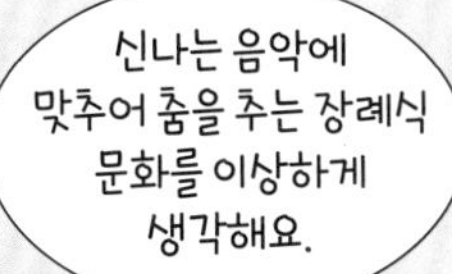

톡톡 튀는 이야기

모두를 위한 따뜻한 기술, 적정 기술

핵심 가치

‘적당한 기술, 알맞은 기술’이라는 말로, 해당 지역의 자원을 활용해서 누구나 쉽게 문제를 해결할 수 있는 기술을 말합니다. 최첨단 기술은 아니더라도 현지 사람들에게 필요한 것을 손쉽게 채워줄 수 있는 기술입니다. 특히 적정 기술은 적은 비용으로, 현지의 특징을 활용한 기술이기 때문에 지속 가능한 미래를 위해 꼭 필요합니다. 적정 기술에는 저렴한 비용, 적당한 크기와 간단한 사용법, 현지 환경을 고려한 개발, 현지 기술과 노동력을 활용한 일자리 창출, 친환경적 방법 등 다섯 가지 조건이 필요합니다.

적정 기술의 예

태양열로 요리하는 솔라 그릴

직사광 태양열을 이용한 친환경 그릴로 나무, 석탄, 석유, 가스 등의 연료를 완벽하게 대체할 수 있다. 450℃ 열에너지로 최대 25시간 동안 요리가 가능하도록 설계된 그릴이다. 캠핑, 파티용으로 사용하기 편리하다.

식수를 만들어 주는 필터 비닐 팩

비닐 팩 내부의 특수 용액에 의한 삼투압 현상으로 깨끗한 물이 내부로 흡입되어 사람들이 쉽게 마실 수 있다. 저수지나 연못 등의 물 위에 띄워 놓기만 하면 깨끗한 물이 만들어진다. 10시간 정도 물에 담가 놓으면 200mL의 식수를 만들 수 있다.

골판지로 만들어 가방도 되고 책상도 되는 헬프 데스크

재활용 센터와 제휴하여 버려진 각종 포장 박스를 수거해 제작된 제품이다. 책상이 책가방으로 변신할 수 있는 조립 방식의 아이디어가 들어 있다. 한 개에 200원 정도이며, 현재 인도 마하라슈트라 지역 학교에 보급되고 있다.

낮에는 축구공, 밤에는 전구

전기 생산 축구공은 개발도상국 어린이들이 좋아하는 축구와 LED를 결합한 제품이다. 축구공 내부에 진동을 감지하는 센서와 하이브리드형 발전 디바이스가 내장되어 있어 축구공을 차면 운동 에너지가 전기 에너지로 전환되어 배터리 내부에 축적 되는 원리이다. 30분 정도 공을 차면 3시간 정도 불을 켤 수 있는 전력을 만들어 낸다고 한다.

성장기 아이에 맞춰 자라는 신발

자라는 신발은 말 그대로 신발의 크기가 점점 커지는 기능을 가진 제품이다. 성장기의 어린이들이 발이 커지면 자라는 신발의 버클을 조절해 길이와 넓이를 스스로 조정하는 것이다. 신발이 없어 매일 흙투성이 발로 다니는 어린이들이 크고 작은 상처가 생기고, 제대로 치료받지 못해 패혈증이나 염증으로 숨지는 경우도 있었다. 자라는 신발은 저개발국 어린이에게 큰 도움이 되었다.

우리나라의 적정 기술 지원 현황

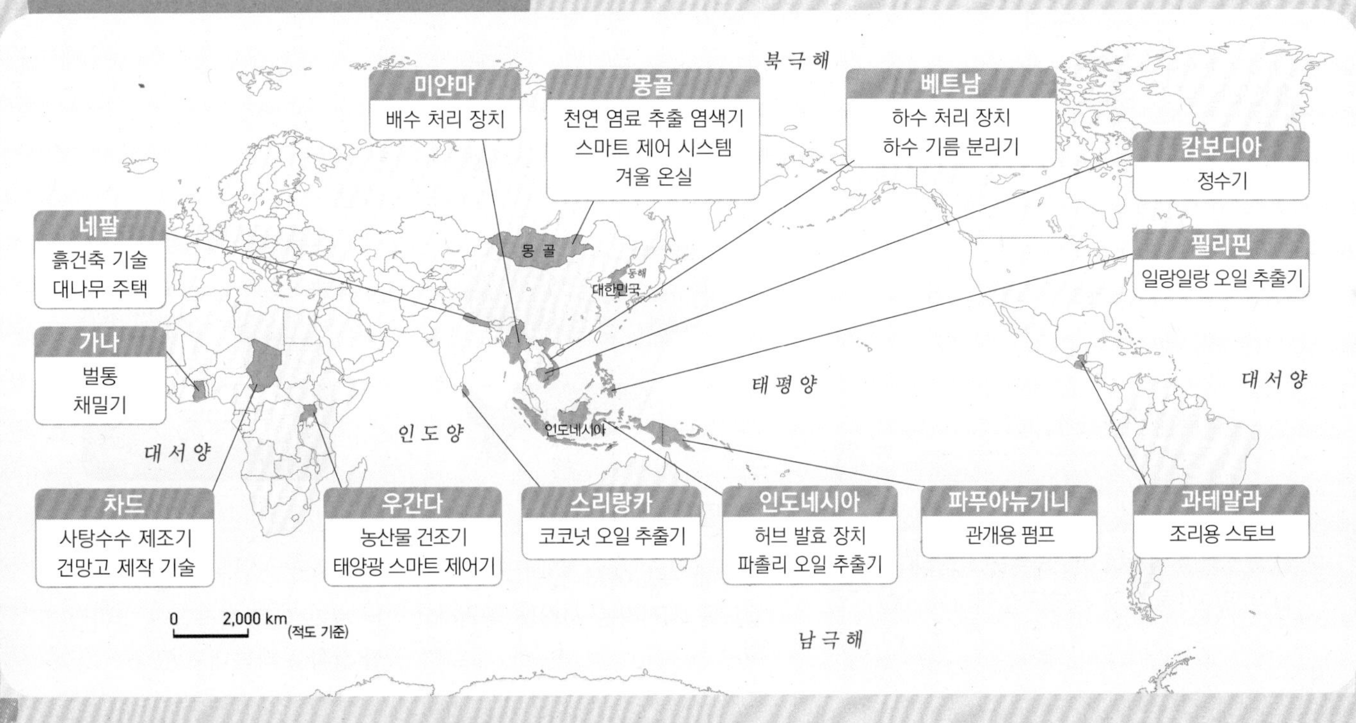

이 단원에서 배운 내용을 글과 그림으로 정리해 봅시다.

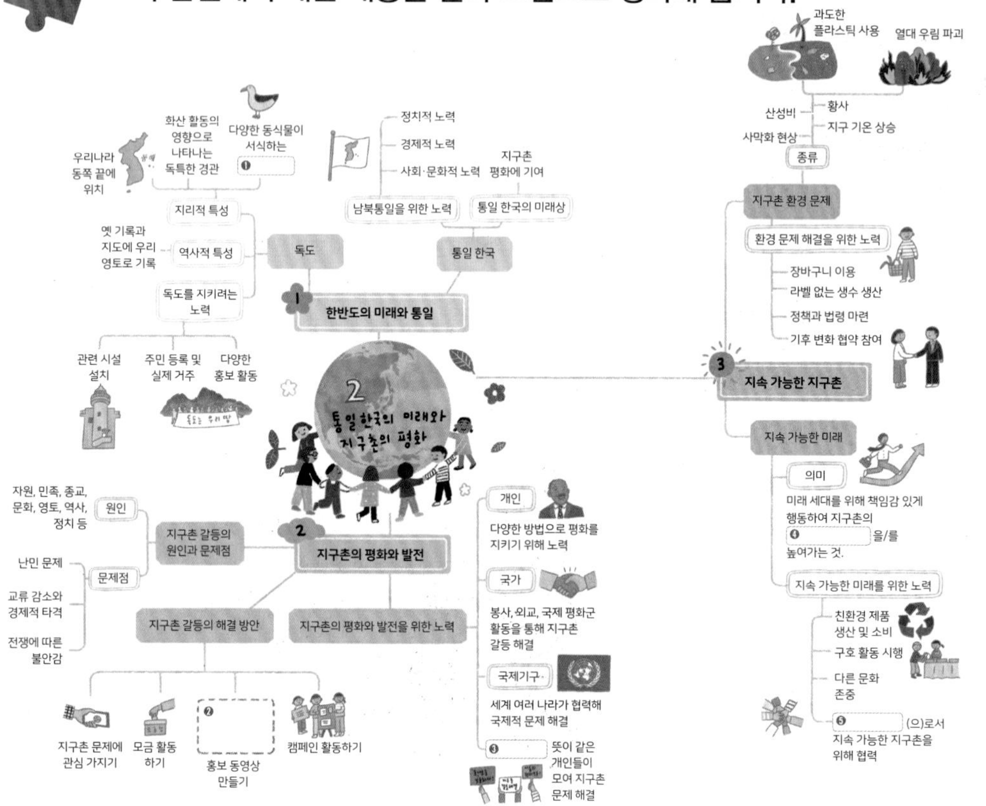

정답

❶ 생태계의 보고

❷ 예

❸ 비정부 기구

❹ 지속 가능성

❺ 세계 시민

통일 한국의 미래와 지구촌 평화를 주제로 이모티콘을 만들어 봅시다.

만드는 방법

❶ 아래의 주제 중 하나를 선택합니다.

☑ 독도 ☐ 통일 ☐ 지구촌 평화

☐ 세계 시민 ☐ 지속 가능한 미래

❷ 선택한 주제와 관련된 요소를 떠올립니다.

- 강치, 독도
- 독도를 지키려는 사람들
- 예 북극곰, 지구 온난화, 환경

❸ 요소를 조합하여 이모티콘을 그립니다.

❹ 이모티콘을 그린 후 친구들에게 소개합니다.

내가 만든 이모티콘

이모티콘: 예 강치	이모티콘: 예 북극곰
그림: 	그림: 
설명: 옛날에 독도에서 살았던 강치가 독도를 지키려는 사람을 응원하고 있다.	설명: 예 지구 온난화로 점점 녹고 있는 빙하 위에 북극곰이 앉아 곤란한 상황을 나타내고 있다.

평화로운 지구촌을 위한 활동 영상 만들기

주제 선정하기

예 환경 오염이 없는 지구촌을 위한 활동 영상 만들기

영상 만들기

예 영상 계획서 작성하기

제목	나는 학생 환경 운동가!	
주제	환경 오염이 없는 미래를 위해 환경 운동을 하자.	
내용	• 환경 오염이 없는 미래를 위해 캠페인 활동을 한다. • 연설문을 듣고 발표하고 있는 모습을 보여 준다.	
장소	학교	
역할	이름	역할
	○○	자료 조사하기
	◎◎	연설문 작성하기
	◇◇	영상 촬영 및 편집하기
	□□	영상 발표하기
	△△	연기하기
	☆☆	연기하기

영상 설명하기

예 • 환경 운동에 관심을 갖게 된 이유와 환경을 보호하자는 내용이 담긴 연설문을 발표하는 환경 운동가의 모습을 담았다.
• 학생들에게 지구촌 환경 문제를 알리기 위한 캠페인 활동을 하는 모습이다.

정답과 해설 16쪽

1 일본 지리학자가 만든 「삼국접양지도」에 독도는 조선의 것이라고 기록되어 있다. (○, ×)

2 외국에 독도가 우리 영토임을 알리고 우리나라와 관련된 잘못된 정보와 자료를 찾아 수정을 요구하는 활동을 하는 단체는? (　　　)

3 독도 주변에는 미래 에너지 자원으로 주목받는 (　　　　　)이/가 매장되어 있다.

4 남북 분단 상황이 길어지면서 다시 전쟁이 발발할 수 있다는 두려움이 해소되었다. (○, ×)

5 지구촌 갈등이 일어나는 원인은 자원, 종교, 언어, 인종, 민족, 역사, 정치 등 다양하다. (○, ×)

6 지구촌 갈등의 문제는 갈등이 발생한 지역에서만 영향을 미친다. (○, ×)

7 지구촌의 평화와 발전을 위해 민간단체 중심으로 자발적으로 만들어진 조직은? (　　　　　)

8 우리나라는 지구촌 평화를 위해 한국 국제 협력단을 설립하고 도움이 필요한 곳을 돕고 있다. (○, ×)

9 사람들이 현재뿐만 아니라 미래 세대의 발전을 위해 책임감 있게 행동하여 지속 가능성을 높여가는 것은? (　　　　　)

10 지구촌 환경 문제를 해결하기 위해 개인은 일회용품 사용을 줄이고 (　　　) 제품을 사용하며 환경 캠페인에 참여할 수 있다.

11 빈곤과 기아는 자연재해로 인해 식량 생산이 어렵거나, 전쟁으로 땅이 황폐화된 지역에서 심각하게 발생한다. (○, ×)

12 (　　　)은/는 그 지역의 환경에 알맞게 만들어진 것이기 때문에 좋고 나쁨을 따질 수 없다.

중요

1 **독도에 대한 설명으로 알맞은 것은 어느 것입니까?** (   )

① 최초의 독도 주민은 안용복 씨이다.
② 우리나라 동쪽 끝의 섬으로 강원도 울릉군에 속한다.
③ 『세종실록지리지』는 독도가 표기된 가장 오래된 지도다.
④ 「태정관 지령」을 가지고 일본은 독도가 일본 땅이라고 주장하고 있다.
⑤ 반크는 외국에 독도가 우리 영토임을 알리는 사이버 외교 사절단 역할을 한다.

2 **빈칸 ㉠, ㉡에 들어갈 알맞은 말을 쓰시오.**

- (㉠)은/는 수심 200m 이하의 바다에서 흐르며 다양한 제품의 원료로 활용된다.
- (㉡)/는 천연가스와 물이 결합한 고체 상태의 물질로 '불타는 얼음'이라고 불린다.

㉠:

㉡:

3 **빈칸에 들어갈 알맞은 말을 쓰시오.**

정부는 독도와 관련한 법령을 시행하여 독도에 대한 (   ) 주권을 행사하고 있다.

4 **남북통일의 필요성으로 알맞지 않은 것은 어느 것입니까?** (   )

① 정치적 긴장감 유지
② 효과적인 자원 활용
③ 이산가족의 아픔 극복
④ 언어·문화적 차이 극복
⑤ 전쟁에 대한 두려움 해소

5 **빈칸에 들어갈 알맞은 단어를 쓰시오.**

〈평화 (   )을/를 위한 남과 북의 노력들〉
- 1991년 남북 기본 합의서를 채택하다!
- 2005년 개성 공단이 가동하다!
- 2018 남북 이산가족이 다시 만나다!

중요

6 **남북통일을 위한 노력으로 알맞지 않은 것은 어느 것입니까?** (   )

① 남과 북은 1970년대부터 교류했다.
② 정부를 중심으로 정치 분야에서만 교류하고 있다.
③ 남북 기본 합의서에는 남북 화해, 교류, 협력 등의 내용이 담겨 있다.
④ 개성 공단은 지금은 중단되었지만 남북 경제 협력의 상징으로 남아 있다.
⑤ 남북 이산가족 상봉 행사를 통해 이산가족의 아픔을 잠시나마 덜 수 있다.

7 **통일 한국의 모습을 맞게 설명한 인물을 보기 에서 골라 기호를 쓰시오.**

보기

㉠ 예랑: 남북 분단의 가치를 알리는 영상을 만들어야지!
㉡ 나연: 나는 일본 여행을 다니는 여행가와 면담을 나눌 거야.
㉢ 하윤: 서울에서 기차 타고 유럽으로 떠나는 여행 포스터를 만들어서 알릴 거야.
㉣ 지호: 비무장 지대에서 개최하는 남북 체육 대회를 신문으로 만들어 봐야겠어.

8 **지구촌 갈등에 대한 설명으로 알맞지 않은 것은 어느 것입니까?** (　　　)

① 세계 곳곳에서는 다양한 이유로 갈등이 일어나고 있다.
② 갈등이 일어나는 원인은 자원, 종교, 언어, 인종, 민족 등 다양하다.
③ 지구촌 갈등은 발생한 지역에서 해결할 수 있고 그 영향력이 크지 않다.
④ 벨파스트 평화의 벽은 북아일랜드의 뿌리 깊은 갈등의 역사를 보여주고 있다.
⑤ 이스라엘-팔레스타인 갈등은 중동의 화약고라고 불릴 만큼 갈등이 끊이지 않고 있다.

9 **지구촌 갈등을 해결하는 방안으로 알맞지 않은 것은 어느 것입니까?** (　　　)

① 모금 활동하기
② 캠페인 활동 하기
③ 홍보 동영상 만들기
④ 지구촌 갈등 관심 갖기
⑤ 친환경 제품 사용하기

10 **다음 설명에 해당하는 인물은 누구입니까?** (　　　)

- 미국의 인권 운동가이자 목사
- 흑인 차별에 맞서 '버스 안 타기 운동'을 이끌었다.
- 평화적인 방법을 통해 불평등한 제도를 개선하고자 노력했다.

① 이태석 신부　② 14대 달라이 라마
③ 마틴 루서 킹　④ 조디 윌리엄스
⑤ 말랄라 유사프자이

11 **비정부 기구에 대한 설명으로 알맞지 않은 것은 어느 것입니까?** (　　　)

① 노벨 평화상을 탄 기구가 있다.
② 대표적인 단체로 유니세프가 있다.
③ 특정 분야에 관심 있는 사람들이 자발적으로 만들었다.
④ 지구촌 평화와 발전을 위해 조직한 민간단체 중심의 기구이다.
⑤ 환경, 인권, 빈곤 퇴치, 양성평등 등 다양한 분야에서 활동한다.

12 **다음 설명에 해당하는 단체를 쓰시오.**

- 지구촌 갈등에 따른 피해를 복구하거나 갈등을 멈추는 데 도움을 주기 위해 파병한다.
- 우리나라의 국군도 분쟁 지역에 파병해 지구촌 갈등 해결 및 피해 복구를 위해 노력한다.

____

13 **국제 기구와 해당되는 설명을 맞게 연결하시오.**

(1) 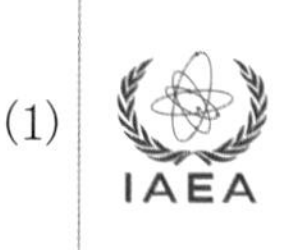

•　　 • ㉠ 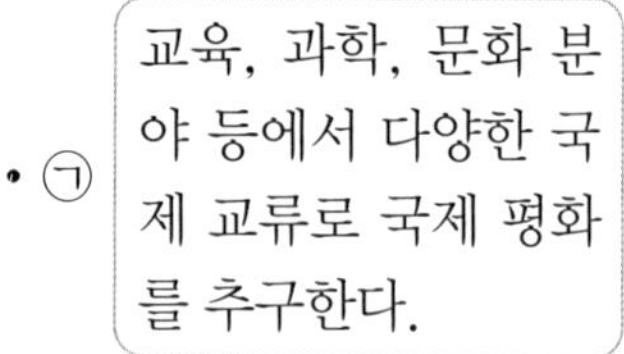

(2) 
•　　• ㉡ 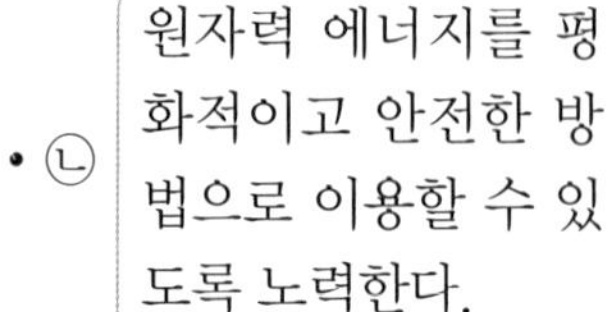

(3) 

•　　• ㉢ 전 세계의 노동 문제를 다루며 노동자의 지위 향상을 위해 노력한다.

14 지구촌 환경 문제에 대한 설명으로 알맞은 것을 보기 에서 골라 기호를 쓰시오.

보기
㉠ 아마존 개발을 통해 환경 오염을 막는다.
㉡ 화석 연료 사용으로 대기 오염이 심해졌다.
㉢ 바다가 깨끗해지면 흰색의 산호초가 많아진다.
㉣ 바다에 버려진 플라스틱이 해양 생태계를 파괴한다.

15 빈칸에 들어갈 알맞은 말을 쓰시오.

[ ]은/는 일회용 비닐봉지를 무상으로 제공하는 가게에 과태료를 부과한다.

중요

16 지구촌 환경 문제 해결을 위한 실천 규칙으로 알맞지 않은 것은 어느 것입니까? ( )

① 일회용 건전지 사용하기
② 쓰레기 분리해서 배출하기
③ 물건은 아껴 쓰고 재활용하기
④ 음식은 먹을 만큼만 덜어 먹기
⑤ 다 읽은 책은 친구와 바꿔 읽기

17 다음 설명에 해당하는 것을 쓰시오.

- 환경을 생각하며 옥수수 전분 등을 이용하여 만들었다.
- 자연에서 100% 분해될 수 있는 플라스틱이다.

18 빈칸 ㉠, ㉡에 들어갈 알맞은 말로 짝지어진 것은 어느 것입니까? ( )

[㉠]은/는 제품을 구매하고 사용한 후 버릴 때까지 전 과정에서 사회와 환경에 미치는 영향까지 생각하는 친환경 소비를 말한다. 이를 실천하려고 노력하는 소비자는 [㉡](이)라고 한다.

	㉠		㉡
①	녹색 생산	–	녹색 소비
②	녹색 소비	–	녹색 소비자
③	녹색 소비	–	녹색 생산자
④	녹색 생산	–	녹색 소비자
⑤	녹색 생산	–	녹색 생산자

19 빈곤과 기아에 대한 설명으로 알맞지 않은 것은 어느 것입니까? ( )

① 충분히 마실 물과 음식이 부족한 상태이다.
② 심한 경우 영양 결핍으로 사망할 수도 있다.
③ 지역 사람들의 노력으로 해결할 수 있는 문제이다.
④ 구호 물품이나 농업 기술 지원 등을 통해 해결한다.
⑤ 자연재해나 전쟁 등으로 황폐화된 지역에서 발생한다.

20 빈칸에 들어갈 알맞은 말을 쓰시오.

[ ]은/는 우리와 다른 문화의 차이를 인정하지 않고 편견을 갖는 상태를 말한다.

[1-2] 다음 지도를 보고 물음에 답하시오.

㉠
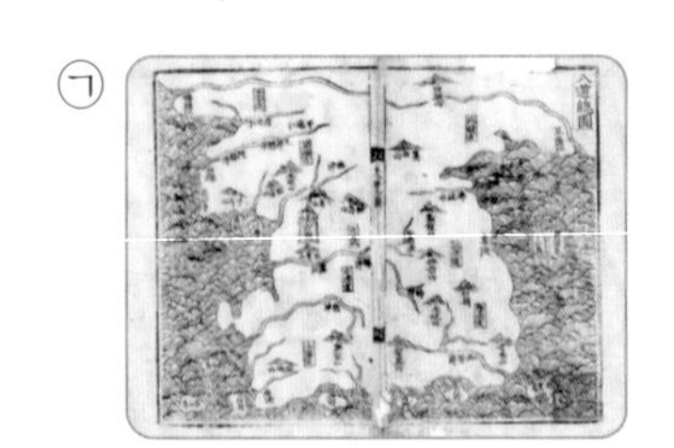
▲ 「팔도총도」

㉡
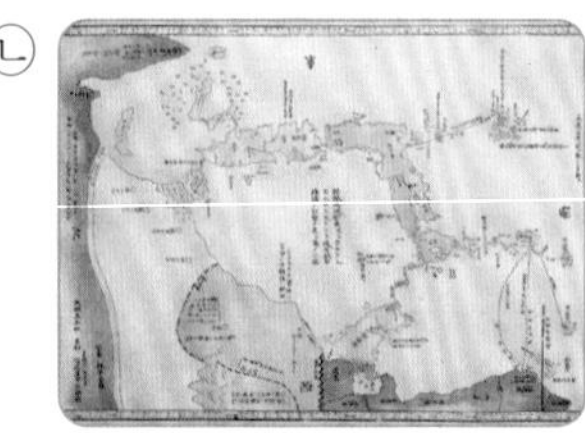
▲ 「삼국접양지도」

1 ㉠, ㉡ 지도의 특징을 각각 쓰시오.

㉠:

㉡:

2 ㉠, ㉡을 보고 알 수 있는 사실을 쓰시오.

[3-4] 다음을 보고 물음에 답하시오.

㉠ 그린피스, 세이브 더 칠드런, 해비타트
㉡ 유엔 난민 기구, 유니세프, 평화 유지군

3 ㉠, ㉡의 공통점을 쓰시오.

4 ㉠과 같은 조직의 이름을 쓰고, ㉡에 비해 ㉠이 갖는 특징을 쓰시오.

(1) 이름:

(2) 특징:

[5-6] 다음 사진을 보고 물음에 답하시오.

▲ 사탕수수를 이용한 플라스틱 용기

▲ 친환경 세제

▲ 저탄소 인증 제품

▲ 동물 복지 축산물

5 위의 사진 자료와 같은 제품의 특징을 쓰시오.

6 환경을 생각하는 소비를 실천하는 방법을 쓰시오.

1. 세계 여러 나라의 자연과 문화

2. 통일 한국의 미래와 지구촌의 평화

금성출판사

(1) 지구, 대륙 그리고 국가들

❶ 세계 여러 나라의 위치와 영역

(1) 여러 나라의 위치와 영역을 알아보는 방법
① (❶): 둥근 지구를 평면으로 나타낸 것이다.
② 지구본: 지구의 모습을 작게 줄여 만든 모형으로 실제 지구처럼 생김새가 둥글다.
③ 디지털 영상 지도: 인공위성이나 항공기에서 촬영한 사진 등을 바탕으로 다양한 정보를 표현한 지도이다.

구분	장점	단점
세계 지도	세계 여러 나라의 위치를 한눈에 살펴볼 수 있음.	나라와 바다의 모양, 거리가 실제와 다르게 표현되기도 함.
(❷)	특정한 나라의 위치나 나라 간의 위치를 파악하기 좋음.	전 세계의 모습을 한눈에 보기가 어려움. 가지고 다니기 불편함.
디지털 영상 지도	세계 지도나 지구본에서 찾기 어려운 정보를 얻을 수 있음.	인터넷을 연결해야 사용할 수 있음.

(2) 위선과 경선: 세계 지도와 지구본에 위치를 정확하게 나타내기 위한 선이다.
① 위선: 가로로 그은 선으로, 위도를 나타낸다. 적도를 기준으로 북쪽을 북위, 남쪽을 남위라고 한다. 각각 90°로 나눈다.
② 경선: 세로로 그은 선으로, 경도를 나타낸다. (❸)을/를 기준으로 동쪽을 동경, 서쪽을 서경이라 하며, 각각 180°로 나눈다.

❷ 지구의 땅과 바다 구분

	뜻	구분
대륙	바다로 둘러싸인 큰 땅덩어리	아시아, 아프리카, 유럽, 오세아니아, 북아메리카, 남아메리카(6대륙)
대양	매우 큰 바다	태평양, 대서양, 인도양, 북극해, 남극해(5대양)

❸ 대륙에 속한 나라들

(1) 아시아: 일본, 중국, 타이, 대한민국, 베트남, 인도 등
(2) 아프리카: 이집트, 케냐, 남아프리카 공화국 등
(3) (❹): 브라질, 칠레, 아르헨티나, 볼리비아, 페루 등
(4) 북아메리카: 캐나다, 미국, 멕시코, 과테말라 등
(5) 유럽: 영국, 독일, 프랑스, 스위스, 이탈리아 등
(6) 오세아니아: 오스트레일리아, 뉴질랜드, 투발루 등

❹ 세계 여러 나라의 면적

(1) 세계에서 영토가 가장 넓은 나라: 러시아〉캐나다〉미국〉중국〉브라질
(2) 세계에서 영토가 가장 좁은 나라: (❺)
(3) 우리나라의 영토 면적: 약 22만 km^2
(4) 우리나라 영토와 면적이 비슷한 나라: 라오스, 가이아나, 루마니아 등

❺ 세계 여러 나라의 영토 모양

(1) 해안선이 복잡한 나라: 아이슬란드, 인도네시아, 일본 등
(2) 해안선이 단조로운 나라: 미국, 캐나다, 나미비아, 사우디아라비아 등
(3) 영토가 동서로 길게 뻗은 나라: 감비아, 러시아, 중국 등
(4) 영토가 남북으로 길게 뻗은 나라: 칠레, 아르헨티나, 노르웨이 등
(5) 영토 모양이 도형과 가까운 나라: 프랑스(육각형), 탄자니아(원), 체코(원) 등

(2) 세계의 다양한 삶의 모습

❶ 세계의 다양한 기후

(1) (❻): 일정한 지역에서 오랜 기간에 걸쳐 나타나는 기온, 강수량, 바람 등의 평균 상태이다.
(2) 기후에 영향을 미치는 요인
① 위도: 위도가 낮을수록 기온이 높고, 위도가 높을수록 기온이 낮다.
② 위치나 지형: 각 나라의 위치나 지형에 따라서 기후가 다르게 나타나기도 한다.
(3) 기후 구분: 세계의 기후는 크게 열대 기후, 건조 기후, 온대 기후, 냉대 기후, 한대 기후로 구분한다. 해발 고도가 높은 곳에서 나타나는 고산 기후도 있다.

❷ 기후에 따른 사람들의 생활 모습

기후 분포	특성과 생활 모습
(❼): 적도를 중심으로 한 저위도 지역	• 계절의 변화가 거의 없으며 연중 기온이 높고 강수량이 많음. • 밀림이나 초원이 나타나기도 함. • 화전 농업(얌, 카사바 등) • 기름야자, 바나나, 커피 등을 대규모로 재배함. • 생태 관광 산업도 발달함.
건조 기후 지역: 강수량보다 증발하는 물의 양이 많은 지역	• 대표적인 건조 기후 지역은 사막임. • 사막 주변에는 초원이 발달하기도 함. • 하천과 오아시스 주변에서는 대추야자나 채소를 재배하기도 함. • 초원 지역에서는 가축을 이끌고 물과 풀을 찾아다니며 유목 생활을 함.
온대 기후 지역: 중위도 지역	• 따뜻하고 사계절이 비교적 뚜렷해 사람들이 많이 살고 있음. • 서부 유럽은 여름과 겨울의 기온 차가 크지 않고 연중 비가 고르게 내림. • 다양한 농업이 발달함.
(❽): 북반구의 중위도와 고위도 지역	• 온대 기후와 비슷하게 사계절이 있으나 겨울이 춥고 길며 기온의 연교차가 큼. • 여름에는 밀, 감자, 옥수수 등을 재배, 겨울에는 농사가 어려움. • 침엽수림이 널리 분포해 목재와 펄프를 많이 생산함.
한대 기후 지역: 고위도 지역(북극해 주변, 남극 중심)	• 식물이 자라기 어려운 지역이지만 짧은 여름이 되면 이끼류의 식물이 자라기도 함. • 유목 생활을 함(순록 사육). • 각국의 연구소와 기지가 있음.
고산 기후 지역: 해발 고도가 높은 산지 지역	• 같은 위도대의 해발 고도가 낮은 지역에 비해 기온이 현저히 낮음. • 일 년 내내 서늘하며 연교차가 작음. • 서늘한 기후를 이용해 감자, 옥수수를 재배함. • 일찍부터 잉카 문명 등 고대 문명이 발달함.

(3) 우리나라와 가까운 나라들

❶ 이웃 나라의 지리적 특성과 생활 모습

(1) (❾)의 지리적 특성과 생활 모습
① 영토가 넓어 고원, 사막, 평야 등 다양한 지형과 다양한 기후가 나타난다.
② 동부 해안 지역에는 주요 항구와 대도시를 중심으로 다양한 산업이 발달했다.
③ 세계에서 인구가 가장 많다.

(2) 일본의 지리적 특성과 생활 모습
① 국토의 대부분이 산지이고, 환태평양 조산대에 속한다.
② 태평양 연안에는 공업 도시가 발달, 온천·화산 등을 이용한 관광 산업이 발달했다.

(3) (❿)의 지리적 특성과 생활 모습
① 세계에서 영토가 가장 넓고, 동쪽에 높은 산지와 고원, 서쪽에 평원이 나타난다.
② 인구 대부분이 서남쪽 지역에 살며, 에너지 자원이 풍부해 이를 이용한 산업이 발달했다.

❷ 이웃 나라와의 교류 모습

(1) 우리나라는 이웃 나라와 다양하게 교류하며 긴밀한 (⓫) 관계를 맺고 있다.
(2) 정치·외교적 문제로 갈등도 있지만, 이를 해결하기 위해 서로 이해하고 협력한다.

❸ 우리나라와 관계 깊은 나라들

나라	교류 모습
(⓬)	우리나라와 정치·경제적으로 밀접하며, 미국에서 밀을 주로 수입함.
베트남	많은 베트남 근로자들이 우리나라에 살고 있음.
프랑스	우리나라 사람들이 프랑스 등 유럽 나라로 여행을 많이 감.
사우디아라비아	우리나라는 필요한 원유를 사우디아라비아에서 가장 많이 수입함.
(⓭)	최초로 자유 무역 협정(FTA)을 맺음.

❹ 세계 여러 나라의 다양한 생활 모습

(1) 사람들의 생활 모습은 자연환경에 따라 달라진다.
(2) 같은 자연환경이라도 (⓮)에 따라 독특한 생활 모습이 나타난다.

정답과 해설 18쪽

가로 문제와 세로 문제를 읽고, 퍼즐을 풀어 보시오.

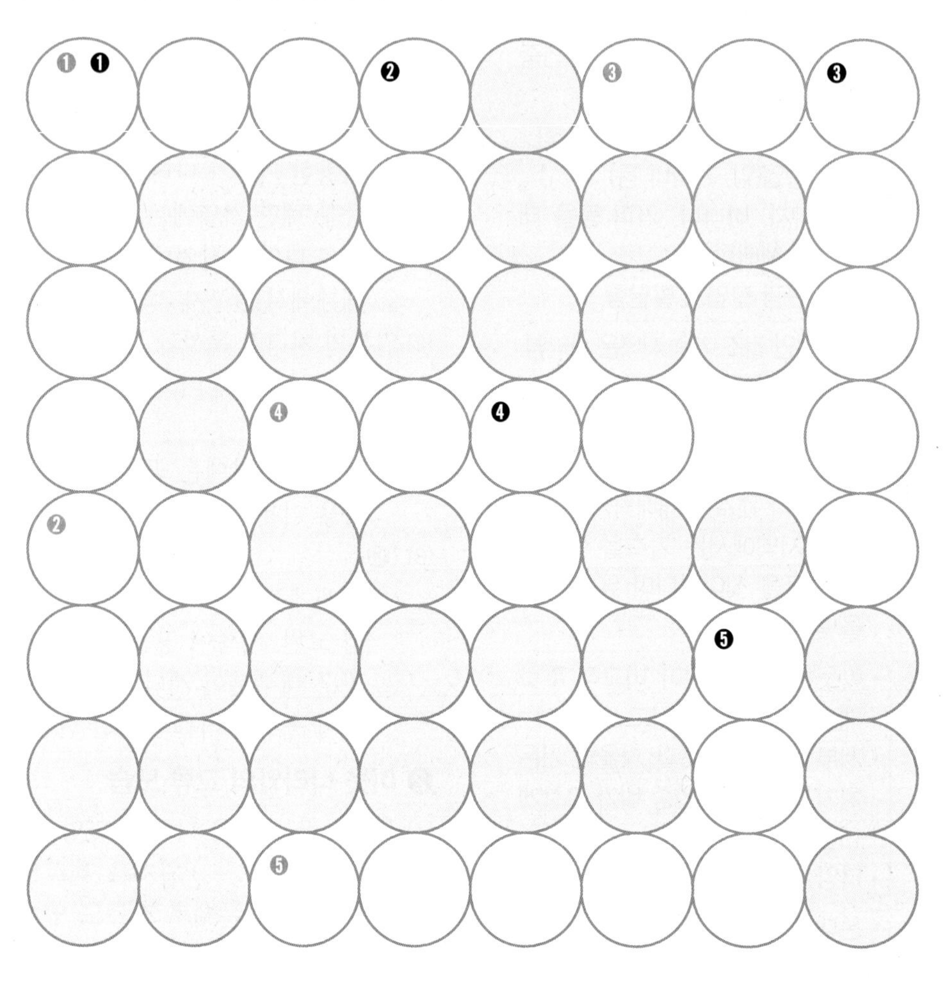

가로 문제

➊ 사람들의 생활 모습은 기온, 강수량 등의 □□□□에 따라 달라진다.

➋ 우리나라는 이웃 나라와 갈등을 겪을 때도 있지만, 이를 해결하기 위하여 서로 이해하고 □□하는 태도로 노력한다.

➌ □□□은/는 지구의 모습을 작게 줄여서 만든 모형이다.

➍ 대표적인 □□ □□ 지역은 사막이다. 사막 주변에는 약간의 비나 눈이 내려 짧은 풀이 자라는 초원이 발달하기도 한다.

➎ □□□□□ 대륙에는 오스트레일리아, 뉴질랜드, 파푸아뉴기니 등의 나라가 있다.

세로 문제

❶ 우리나라는 칠레와 최초로 □□ □□ □□을/를 체결했다.

❷ □□은/는 지구의 위치를 정확하게 나타내기 위해 지구본이나 세계 지도에 그어져 있는 세로선이다.

❸ 지구의 경도를 결정하는 데 기준이 되는 선은 □□ □□□이다.

❹ 기후는 일정 지역에서 오랜 기간에 걸쳐 나타나는 □□, 강수량, 바람 등의 평균 상태이다. 그 중에서 □□은/는 기후 특징을 가장 잘 드러낸다.

❺ 우리나라가 속한 □□□ 대륙은 6대륙 중에서 가장 면적이 넓다.

정답과 해설 18쪽

단원명 세계 여러 나라의 자연과 문화

평가 목표 세계 여러 나라의 기후 특징과 그에 따른 생활 모습을 파악할 수 있으며, 다양한 생활 모습에 대한 바람직한 태도를 가질 수 있다.

평가 문항

[1-3] 다음 사진을 보고 물음에 답하시오.

㉠ 
▲ 모로코

㉡ 
▲ 그리스

㉢ 
▲ 몽골

㉣ 
▲ 파푸아뉴기니

1 ㉠~㉣ 중 같은 기후에서 나타나는 주생활을 두 가지 고르고, 해당되는 기후를 쓰시오.

기호	기후
(　　　　)	

2 다음 표의 빈칸에 들어갈 알맞은 말을 각각 쓰시오.

㉠	사막에서는 구하기 쉬운 (　　　　)(으)로 집을 지었다.
㉡	(　　　　)을/를 반사해 집 내부를 시원하게 유지하기 위하여 벽을 하얗게 칠한다.
㉢	몽골의 게르는 분해와 조립이 쉬워서 (　　　　) 생활에 적합한 집의 형태이다.
㉣	땅에서 올라오는 열기와 습기를 피하기 위해 바닥과 땅이 떨어지게 (　　　　) 가옥을 짓는다.

3 위와 같은 세계 여러 나라의 다양한 생활 모습을 대하는 바른 태도를 쓰시오.

1 **빈칸 ㉠, ㉡에 들어갈 알맞은 말을 쓰시오.**

- (㉠)은/는 둥근 지구를 평면으로 나타낸 것으로, 세계 여러 나라의 위치와 영역을 한눈에 살펴볼 수 있다.
- (㉡)은/는 지구의 모습을 작게 줄여 만든 둥근 모형이다.

㉠: ____________________

㉡: ____________________

중요

2 **다음 중 알맞지 않은 설명은 어느 것입니까?** (　　　)

① 위도를 결정하는 데 기준이 되는 것은 적도이다.
② 위선과 경선은 세계 지도와 지구본에 그어져 있다.
③ 경도를 결정하는 데 기준이 되는 것은 본초 자오선이다.
④ 위선과 경선에는 숫자가 쓰여 있는데, 이를 위도와 경도라고 한다.
⑤ 위도는 각각 180°로 나누어 북위와 남위라고 하고, 경도는 각각 90°로 나누어 동경과 서경이라고 한다.

3 **빈칸 ㉠, ㉡에 들어갈 숫자로 알맞은 것은 어느 것입니까?** (　　　)

우리가 사는 지구는 육지와 바다로 이루어져 있다. 그 중에서 육지의 면적은 약 (㉠)%, 바다의 면적은 약 (㉡)%이다.

	㉠	㉡		㉠	㉡
①	20	80	②	30	70
③	40	60	④	60	40
⑤	70	30			

[4-6] 다음 세계 지도를 보고 물음에 답하시오.

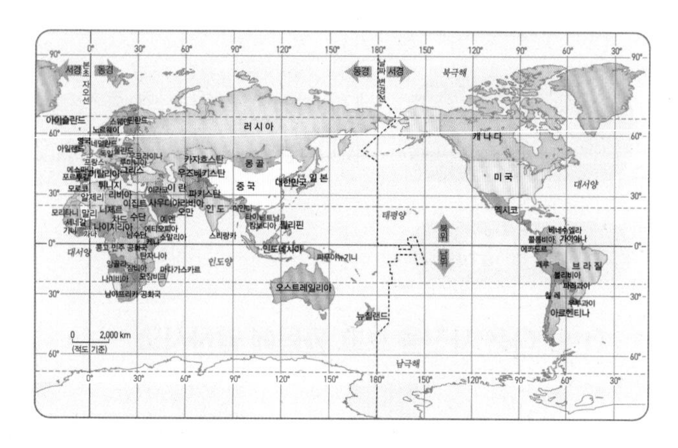

4 **다음 설명에 해당하는 대륙을 쓰시오.**

아시아 다음으로 큰 대륙이며, 북반구와 남반구에 걸쳐 있다.

____

5 **아시아 대륙의 서쪽에 있으며 다른 대륙에 비해 면적은 좁지만 많은 나라가 속해 있는 대륙을 쓰시오.**

____

중요

6 **다음 중 알맞지 않은 설명은 어느 것입니까?** (　　　)

① 북아메리카는 북반구에 속해 있다.
② 뉴질랜드가 속해 있는 대륙은 오세아니아이다.
③ 이탈리아가 속해 있는 대륙은 대륙 중 가장 크기가 작다.
④ 우리나라가 속해 있는 대륙은 세계 육지 면적의 약 30%를 차지한다.
⑤ 남아메리카는 대부분 남반구에 속해 있으며, 남쪽은 남극해와 접해 있다.

7 지구의 5대양 중 가장 큰 바다는 어느 것입니까? ( )

① 태평양 ② 대서양
③ 인도양 ④ 남극해
⑤ 북극해

8 각각의 나라와 위치하고 있는 대륙을 연결하시오.

(1) 스위스 • • ㉠ 아시아
(2) 이집트 • • ㉡ 아프리카
(3) 필리핀 • • ㉢ 유럽

9 우리나라(22만 km^2)와 영토 면적이 비슷한 나라를 보기에서 골라 기호를 쓰시오.

보기
㉠ 미국 ㉡ 브라질
㉢ 라오스 ㉣ 가이아나
㉤ 오스트레일리아

10 영토 모양이 남북으로 긴 ㉠ 나라는 어느 곳입니까? ( )

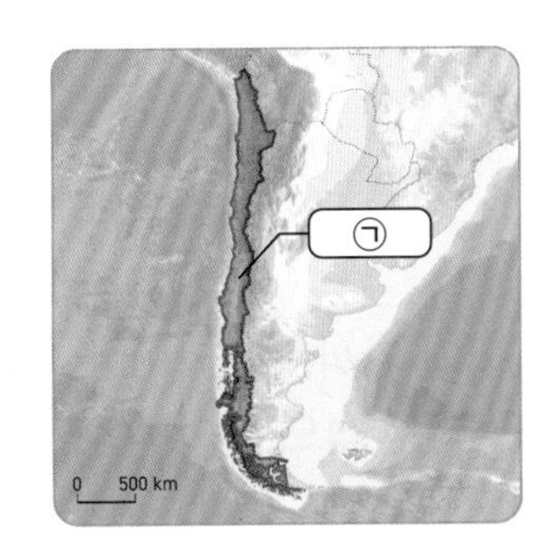

① 미국 ② 칠레
③ 가나 ④ 감비아
⑤ 노르웨이

11 다음 설명에 해당하는 기후는 어느 것입니까? ( )

일 년 내내 기온이 높고 비가 많이 내리며, 건기와 우기가 나타나는 곳도 있다.

① 열대 기후 ② 건조 기후
③ 온대 기후 ④ 냉대 기후
⑤ 고산 기후

중요

12 다음 글의 밑줄 친 설명에 해당하지 않는 기후는 어느 것입니까? ( )

위도는 지역 간 기온 차에 가장 큰 영향을 주는 요인이다. 적도 부근은 태양열을 많이 받아 기온이 높고, 고위도로 갈수록 태양열이 적어져 기온이 낮아진다.

① 열대 기후 ② 고산 기후
③ 온대 기후 ④ 냉대 기후
⑤ 한대 기후

서술형

13 사진과 같은 모습을 볼 수 있는 기후의 특징과 사람들의 생활 모습을 쓰시오.

▲ 남극 과학 기지

14 기후와 해당 기후 지역에서 주로 재배되는 작물을 연결하시오.

(1) 열대 기후 • • ㉠ 대추야자

(2) 건조 기후 • • ㉡ 올리브

(3) 온대 기후 • • ㉢ 카사바

서술형

15 냉대 기후 지역에서 자연환경을 이용하여 주로 발달한 산업에 대해 쓰시오.

16 고산 기후 지역에서 볼 수 있는 생활 모습을 보기 에서 골라 기호를 쓰시오.

보기
㉠ 숲을 태워 농사지을 밭을 마련한다.
㉡ 일 년 내내 서늘하여 일찍부터 고대 문명이 발달했다.
㉢ 계절의 변화가 뚜렷해 다양한 의식주 문화가 발달했다.
㉣ 초원 지역 사람들은 가축에게 먹일 물과 풀을 찾아 이동한다.

서술형

17 사진과 같은 의생활이 나타나는 이유를 쓰시오.

중요

18 빈칸 ㉠과 ㉡에 들어갈 수 있는 단어를 짝 지은 것으로 알맞지 않은 것은 어느 것입니까? (　　　)

세계 여러 나라 사람들의 생활 모습은 ㉠ 와/과 같은 자연환경에 따라 달라진다. 그러나 같은 자연환경이라도 ㉡ 와/과 같은 인문환경에 따라 독특한 생활 모습이 나타나기도 한다.

	㉠	㉡
①	기온	풍습
②	지형	전통
③	기후	문화
④	문화	전통
⑤	기후	종교

19 우리나라와 가까운 나라이며, 네 개의 큰 섬과 수천 개의 작은 섬으로 이루어진 나라는 어느 곳입니까? (　　　)

① 일본　② 중국　③ 러시아　④ 필리핀　⑤ 싱가포르

20 중국에 대한 설명으로 알맞지 않은 것은 어느 것입니까? (　　　)

① 수도는 베이징이다.
② 큰 강 유역에는 농업이 발달했다.
③ 세계에서 인구가 가장 많은 나라이다.
④ 세계에서 영토가 가장 넓은 나라이다.
⑤ 동부 해안 지역에 다양한 산업이 발달했다.

21 빈칸 ㉠, ㉡에 들어갈 알맞은 말을 바르게 짝 지은 것은 어느 것입니까? (　　　)

> 러시아는 [㉠]에는 높은 산지와 고원이 있으며, [㉡]에는 평원이 나타난다.

	㉠	㉡		㉠	㉡
①	서쪽	동쪽	②	서쪽	남쪽
③	동쪽	서쪽	④	동쪽	남쪽
⑤	북쪽	남쪽			

22 각 나라와 해당되는 설명을 맞게 연결하시오.

(1) 중국 • 　　　• ㉠ 화산, 온천
(2) 일본 • 　　　• ㉡ 만리장성
(3) 러시아 • 　　　• ㉢ 바이칼호

[23-24] 다음 자료를 보고 물음에 답하시오.

23 빈칸에 들어갈 알맞은 말을 쓰시오.

> 우리나라는 이웃 나라와 다양하게 교류하며 긴밀한 협력 관계를 맺고 있다. 제시된 자료는 특히 [ ][ ] 분야의 교류 모습을 보여준다.

24 제시된 자료에 대한 설명으로 알맞지 않은 것은 어느 것입니까? (　　　)

① 중국은 우리나라에서 반도체, 컴퓨터를 수입한다.
② 우리나라의 수출국, 수입국 1위는 모두 중국이다.
③ 우리나라는 러시아에서 원유, 석유 제품을 수입한다.
④ 우리나라는 러시아보다 일본과 무역을 더 많이 한다.
⑤ 일본은 우리나라에 반도체 제조용 장비, 반도체를 수출한다.

25 다음 설명에 해당하는 나라를 쓰시오.

> • 이 나라의 근로자들이 우리나라에서 많이 살고 있다.
> • 쌀국수가 유명하며, 하노이가 수도이다.

1 **빈칸 ㉠, ㉡에 들어갈 알맞은 말을 쓰시오.**

위선과 경선의 숫자를 각각 위도와 경도라고 한다. 위도의 기준은 (㉠)로, 위도가 (㉡)°이다.

㉠:

㉡:

2 **디지털 영상 지도의 특징으로 알맞지 않은 것은 어느 것입니까?** ( )

① 일반 지도를 위성 지도로 바꿔 볼 수 있다.
② 확대와 축소, 거리 계산, 검색 기능 등이 포함되어 있다.
③ 어떤 장소의 실제 모습을 여러 각도에서 살펴볼 수 있다.
④ 항공기나 인공위성에서 촬영한 사진을 바탕으로 만들어진 지도이다.
⑤ 자동차, 대중교통, 도보 경로는 찾을 수 있지만, 자전거나 항공편의 경로는 찾기 어렵다.

3 **다음 설명에 해당하는 용어를 쓰시오.**

바다로 둘러싸인 큰 땅덩어리이다.

중요

4 **다음 설명 중 알맞은 것은 어느 것입니까?** ( )

① 유럽은 아시아 대륙의 동쪽에 있다.
② 세계의 대륙은 5개로 나뉘어져 있다.
③ 세계의 대양은 6개로 나뉘어져 있다.
④ 아시아는 세계 육지 면적의 약 30%를 차지하고 있다.
⑤ 남아메리카는 대부분 남반구에 속해 있으며, 대륙의 면적은 좁지만 많은 나라가 위치해 있다.

5 **각각의 대륙과 해당되는 설명을 연결하시오.**

(1) 아시아 • • ㉠ 세계에서 가장 큰 대륙이다.

(2) 북아메리카 • • ㉡ 대서양과 접하며 면적은 좁지만 많은나라가속해있다.

(3) 유럽 • • ㉢ 북반구에 있으며 캐나다, 미국 등이 속해 있다.

6 **다음 설명에 해당하는 대륙을 쓰시오.**

대륙 중 가장 작다. 남반구에 위치하며 오스트레일리아, 뉴질랜드, 파푸아뉴기니 등의 나라가 이 대륙에 속한다.

7 **태평양과 인접해 있지 않은 대륙은 어느 곳입니까?** ( )

① 아시아
② 아프리카
③ 남아메리카
④ 북아메리카
⑤ 오세아니아

8 다음 설명에 해당하는 나라를 쓰시오.

- 북아메리카에 위치한다.
- 동쪽에 대서양을 접하고 있다.
- 남쪽에 미국과 접하고 있다.

____

9 밑줄 친 '이 나라'가 속한 대륙을 쓰시오.

- '이 나라'는 서쪽에 캄보디아가 있으며, 북위 8°~23°, 동경 103°~109°에 위치한다.
- 쌀농사를 많이 짓고 쌀국수가 유명하다.
- 이 나라 사람들이 우리나라에 와서 많이 일하고 있다.

____

중요

10 빈칸 ㉠과 ㉡에 들어갈 나라로 알맞은 것은 어느 것입니까? (　　　)

[㉠]은/는 세계에서 가장 영토 면적이 넓은 나라이고, [㉡]은/는 세계에서 가장 영토 면적이 좁은 나라이다.

㉠ ㉡
① 미국 – 바티칸 시국
② 러시아 – 바티칸 시국
③ 러시아 – 모나코
④ 캐나다 – 바티칸 시국
⑤ 캐나다 – 모나코

중요

11 다음 중 가장 고위도 지역에서 나타나는 기후는 어느 것입니까? (　　　)

① 온대 기후
② 한대 기후
③ 열대 기후
④ 냉대 기후
⑤ 건조 기후

12 사진과 같은 모습을 볼 수 있는 기후 지역은 어느 곳입니까? (　　　)

① 온대 기후
② 한대 기후
③ 열대 기후
④ 냉대 기후
⑤ 고산 기후

서술형

13 건조 기후 지역의 기후 특징과 사람들의 생활 모습을 쓰시오.

____

____

____

____

서술형

14 온대 기후 지역 중 유럽·아메리카와 아시아의 주요 재배 작물을 비교하여 쓰시오.

서술형

15 다음과 같은 주생활이 나타나는 까닭을 쓰시오.

중요

16 인문환경의 영향으로 나타난 세계 여러 나라의 생활 모습을 보기에서 골라 기호를 쓰시오.

보기

㉠ 멕시코 전통 모자는 챙이 넓은 모양이다.
㉡ 튀르키예 사람들은 주로 양고기를 넣은 케밥을 먹는다.
㉢ 알래스카에서는 순록의 털과 가죽으로 옷을 만들어 입는다.
㉣ 인도 사람들은 주로 닭고기를 이용해서 만든 음식을 많이 먹는다.

17 사진과 같은 생활 모습이 나타나는 기후 지역에 대한 설명으로 알맞지 않은 것은 어느 것입니까? (　　　)

① 사파리 관광 산업이 발달했다.
② 전통적으로 화전 농업이 발달했다.
③ 바나나, 커피를 대규모로 재배한다.
④ 전통 집의 벽은 햇빛을 반사하기 위해 하얗게 칠한다.
⑤ 우기와 건기가 번갈아 나타나며 초원이 넓게 펼쳐진 곳도 있다.

서술형

18 다음과 같이 세계 여러 나라에 다양한 문화가 나타나는 까닭은 무엇인지 쓰시오.

- 에스파냐, 그리스에서는 낮잠을 자는 '시에스타' 풍습이 있다.
- 티베트에서는 사람이 죽으면 시신을 산꼭대기에 두고 그대로 독수리의 먹이가 되도록 하는 '천장'이라는 장례 방식이 있다.

19 빈칸 ㉠, ㉡에 들어갈 말로 알맞은 것은 어느 것입니까? (　　　)

중국은 영토가 (㉠) 고원, 사막, 평야 등 다양한 지형이 나타난다. 또한 열대, 건조, 온대, 냉대 등 다양한 (㉡)이/가 나타난다.

	㉠	㉡		㉠	㉡
①	좁아	날씨	②	좁아	기후
③	넓어	날씨	④	넓어	기후
⑤	넓어	환경			

20 밑줄 친 '이 나라'에서 발달한 음식을 보기에서 골라 기호를 쓰시오.

'이 나라'는 네 개의 큰 섬과 수천 개의 작은 섬으로 이루어진 섬나라로 국토의 대부분이 산지이며, 환태평양 조산대에 속해 화산과 지진이 많이 일어난다.

보기

㉠ 흑빵 ㉡ 스시 ㉢ 라멘
㉣ 딤섬 ㉤ 훠궈

중요

21 지도의 ㉠ 나라에 대한 설명으로 알맞지 않은 것은 어느 것입니까? ( )

① 세계에서 영토가 가장 넓다.
② 인구 대부분이 서남쪽 지역에 거주한다.
③ 한대 기후나 건조 기후가 나타나는 곳도 있다.
④ 영토의 대부분의 지역에서 온대 기후가 나타난다.
⑤ 석유, 석탄, 천연가스 등 에너지 자원이 풍부하다.

22 다음 설명에 해당하는 기차를 쓰시오.

'이 열차'를 타면 아시아에서 유럽까지 기차를 타고 갈 수 있다. 단일 노선으로는 세계 최장 거리이다.

23 다음과 같이 우리나라와 이웃 나라의 전통 운동에서 비슷한 부분이 있는 까닭을 쓰시오.

▲ 한국의 씨름

▲ 일본의 스모

[24-25] 다음 지도를 보고 물음에 답하시오.

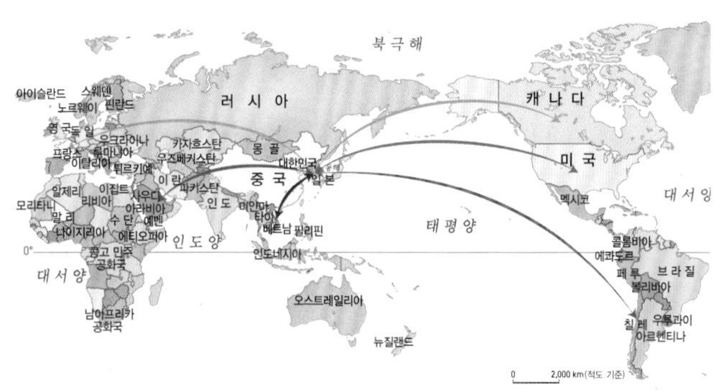

▲ 우리나라의 정치적 · 경제적 교류

24 우리나라가 밀을 주로 수입하고 있으며, 정치·경제적으로 매우 밀접한 북아메리카에 위치한 나라를 쓰시오.

25 다음 빈칸에 알맞은 말을 쓰시오.

우리나라와 세계 여러 나라가 지도 내용과 같이 활발하게 교류하는 까닭은, 우리나라가 세계 여러 나라와 정치·경제·문화적으로 □□ □□ 관계에 있기 때문이다.

[1-2] 다음 지구본을 보고 물음에 답하시오.

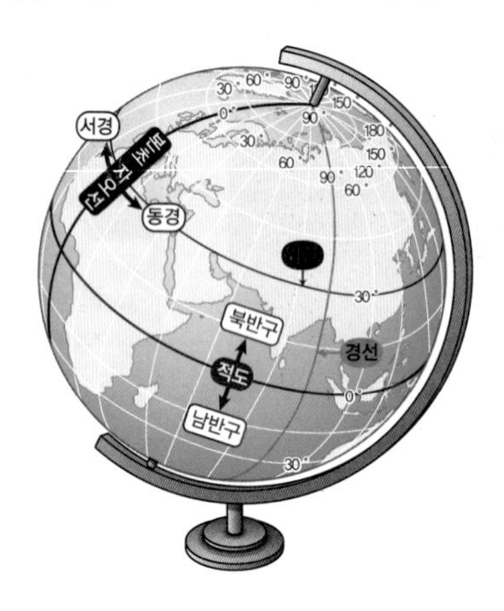

중요

1 자료의 모형을 활용해 여러 나라의 위치와 영역을 살펴볼 때의 장점과 단점을 쓰시오.

평가 실마리
- **관련 내용** 교과서 15쪽, 개념 톡톡 14쪽
- **출제 의도** 지구본의 특징 파악하기
- **선생님의 한마디**
"지구본은 실제 지구처럼 생김새가 둥글다는 점을 떠올려 보세요."

2 위 사진의 모형에서 가로선의 기준은 무엇이고, 어떻게 장소의 위치를 나타내는지 쓰시오.

평가 실마리
- **관련 내용** 교과서 15쪽, 개념 톡톡 14쪽
- **출제 의도** 위선의 기준 및 장소를 나타내는 방법 이해하기
- **선생님의 한마디**
"기준을 중심으로 어떤 방향으로 그 장소의 위치를 나타내는지 생각해 보세요."

3 ㉠, ㉡ 나라의 이름을 각각 쓰고, 두 나라 영토 모양의 공통점을 쓰시오.

㉠

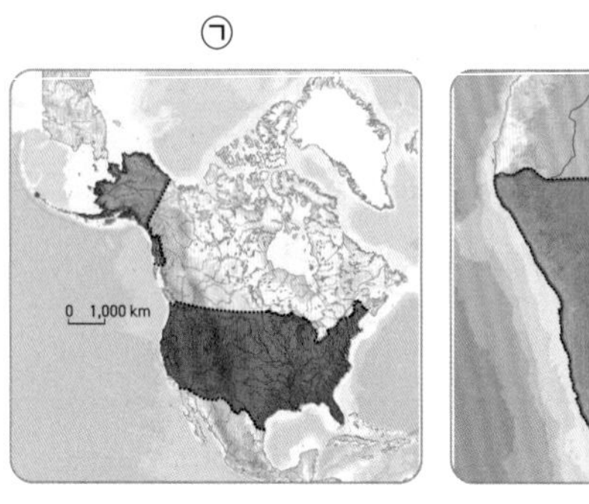

㉡

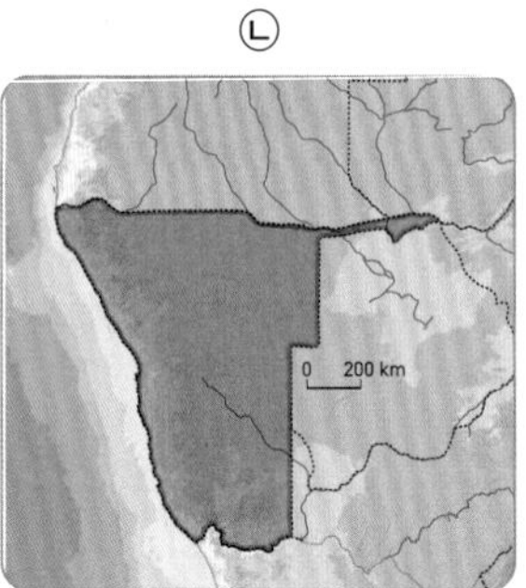

평가 실마리
- **관련 내용** 교과서 28~29쪽, 개념 톡톡 22쪽
- **출제 의도** 다양한 영토 모양의 특징 알기
- **선생님의 한마디**
"두 나라의 국경선을 잘 살펴보세요."

4 지도에 표시된 지역에 분포하는 기후 지역에서 주로 발달한 농업을 쓰시오.

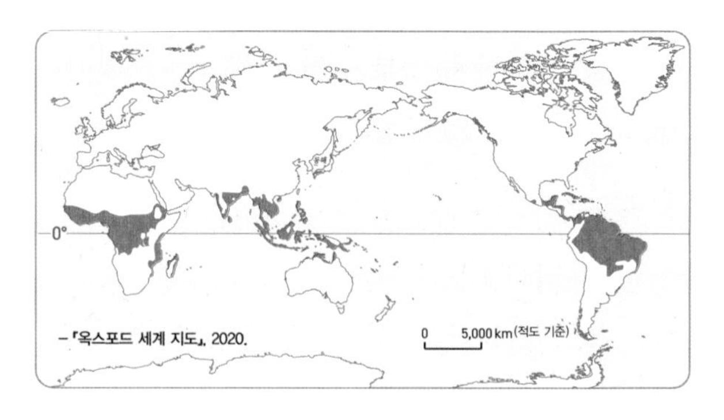

-『옥스포드 세계 지도』, 2020.

평가 실마리
- **관련 내용** 교과서 41쪽, 개념 톡톡 34쪽
- **출제 의도** 열대 기후 지역에서 발달한 농업 이해하기
- **선생님의 한마디**
"적도 부근의 기후인 것을 잘 생각해 보세요."

5 **사진과 같은 고대 문명이 발달한 까닭을 기후 특징과 관련지어 쓰시오.**

- **관련 내용** 교과서 44~45쪽, 개념 톡톡 36쪽
- **출제 의도** 고산 기후 지역에 고대 문명이 발달한 까닭 알기
- **선생님의 한마디**
  "산이 많은 환경을 잘 생각해 보세요."

평가 실마리

6 **세계 여러 나라 사람들이 함께 어울려 살기 위해서는 어떤 태도가 필요한지 쓰시오.**

- **관련 내용** 교과서 52~53쪽, 개념 톡톡 44쪽
- **출제 의도** 세계 여러 나라의 생활 모습을 존중하는 태도 갖기
- **선생님의 한마디**
  "세계 여러 나라의 생활 모습은 매우 다양하며 고유한 가치를 지니고 있음을 생각해 보세요."

평가 실마리

7 **지도에 표시된 ㉠ 나라의 자연환경적인 특징을 두 가지 쓰시오.**

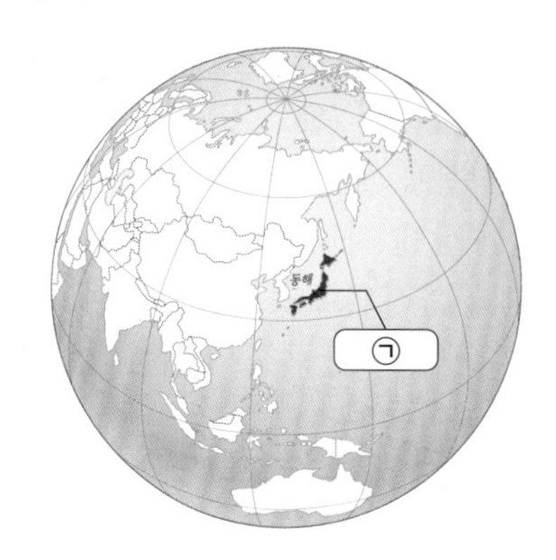

- **관련 내용** 교과서 63쪽, 개념 톡톡 56쪽
- **출제 의도** 일본의 자연환경 파악하기
- **선생님의 한마디**
  "지형과 기후 특징에 주목해 보세요."

평가 실마리

8 **다음과 같은 사례를 통해 알 수 있는 점이 무엇인지 쓰시오.**

- 한·중·일 환경 장관 회의
- 한·중·일 문화 관광 장관 교류·협력 방안 협의
- 코로나바이러스 감염증-19 대응 협력 및 교류를 위한 외교 장관 회의

- **관련 내용** 교과서 66~67쪽, 개념 톡톡 58쪽
- **출제 의도** 우리나라와 이웃 나라의 교류 모습 이해하기
- **선생님의 한마디**
  "정치적 분야의 교류 모습임을 생각해 보세요."

평가 실마리

(1) 한반도의 미래와 통일

❶ 독도의 위치와 역사

(1) 독도의 위치
① 우리나라의 (❶) 끝에 있는 섬으로, 경상북도 울릉군에 속한다.
② 동해상에 자리잡고 있어 선박의 항로뿐만 아니라 군사적으로 중요한 위치에 있다.

(2) 우리나라 영토인 독도의 역사적 증거
①『세종실록지리지』: "우산(독도)과 무릉(울릉도) 두 섬은 거리가 멀지 않아 날씨가 맑으면 서로 바라볼 수 있다."라고 기록되어 있다.
②『신증동국여지승람』에 실린 「팔도총도」: 우리나라에서 (❷)이/가 표기된 가장 오래된 지도이다.
③「삼국접양지도」: 일본 지리학자가 독도를 조선과 같은 노란색으로 칠하고 독도 왼편에 '조선의 것'이라고 기록했다.
④「태정관 지령」: 당시 일본 최고 행정 기관인 태정관은 '울릉도와 독도는 일본과 관계가 없다는 것을 명심할 것'이라는 지시를 내렸다.
⑤「대한제국 칙령」 제41호가 실린『관보』: 지금의 독도인 석도가 울릉군의 관할임을 명확히 했다.
⑥「연합국 최고 사령관 각서」 제677호 부속 지도: 제2차 세계 대전 후 연합국 최고 사령관은 울릉도와 독도, 제주도를 우리나라의 영토 구획선 내에 포함했다.

❷ 독도를 지키려는 노력

(1) 정부의 노력
① 등대, 경비 시설, 선박 접안 시설 등을 설치했다.
② 독도와 관련한 여러 법령을 시행하여 영토 주권을 행사한다.

(2) 개인과 민간단체의 노력
① 독도에 거주하며 주민 등록을 한다.
② 독도를 알리기 위해 다양한 활동을 펼친다.

❸ 독도의 지리적 특성과 가치

(1) 지리적 특성
① 독도는 화산 폭발로 생긴 화산섬으로 동도와 서도를 중심으로 독특한 지형과 경관을 볼 수 있다.
② 우리나라는 독도 전체를 (❸) 제336호로 지정해 보호하고 있다.

(2) 독도의 가치
① 독도 주변 바다는 따뜻한 바닷물과 차가운 바닷물이 만나 여러 해양 생물이 살기 좋은 환경을 갖췄다.
② 바닷속 깊은 곳에는 해양 심층수가 흐르고, 미래 에너지 자원으로 주목받는 (❹) 이/가 매장되어 있다.

❹ 남북통일의 필요성과 통일을 위한 노력

(1) 남북통일의 필요성: 이산가족의 아픔, 전쟁에 대한 두려움, 자원 활용의 어려움, 언어와 문화적 차이 등이 발생한다.

(2) 통일을 위한 노력
① 정치적 노력: 남북 기본 합의서, 남북 정상 회담 등
② (❺) 노력: 개성 공단 가동, 경의선·동해선 연결 및 현대화 착공식 등
③ 사회·문화적 노력: 남북 이산가족 상봉, 남북 예술단 합동 공연, 평창 동계 올림픽 남북한 선수단 공동 입장 등

(2) 지구촌의 평화와 발전

❶ 다양한 지구촌의 갈등

(1) 지구촌 갈등의 원인: 자원, 종교, 인종, 민족, 역사 등 다양한 이유로 지구촌 갈등이 발생한다.

(2) 지구촌 갈등의 문제점: 갈등이 발생한 지역뿐만 아니라 다른 여러 나라에 영향을 미치고, 문제를 해결하기 위해 세계 여러 나라가 함께 협력해야 한다.

(3) 지구촌 갈등 사례 조사 방법: 뉴스 프로그램, 신문 기사, 인터넷, 면담 등이 있다.

(4) 지구촌 갈등 사례
① 아부무사섬 분쟁: 이란과 아랍 에미리트의 자원 갈등
② (❻) 분쟁: 인도와 파키스탄의 종교·정치적 갈등
③ 북아일랜드 분쟁: 북아일랜드 내 종교·정치적 갈등
④ 이스라엘-팔레스타인 분쟁: 이스라엘과 팔레스타인 사이의 영토, 종교, 역사 등이 복합적으로 얽힌 갈등

(5) 우리가 할 수 있는 지구촌 갈등 해결 방안: 지구촌 문제에 관심 갖기, 홍보 동영상 만들기, 모금 활동하기, 캠페인 활동하기 등이 있다.

정답과 해설 25쪽

❷ 지구촌 평화를 위한 다양한 노력

(1) 개인과 민간단체: 지구촌 평화를 위해 다양한 분야에 관심을 갖고 활동하고 있다.

(2) (❼): 지구촌 평화를 위해 국가가 아닌 민간단체 중심으로 자발적으로 만든 조직이다.
 ① 그린피스: 환경 파괴의 위험성을 알린다.
 ② 해비타트: 가난한 지역이나 전쟁과 자연재해 등으로 삶의 터전을 잃어버린 사람들에게 집을 지어 준다.
 ③ 세이브 더 칠드런: 아동의 권리 및 생존과 보호를 돕는다.

(3) 국가: 지구촌 평화를 위해 우리나라는 한국 국제협력단(KOICA)의 봉사 활동, 평화를 위한 외교 활동, 평화 유지군 활동 등을 하고 있다.

(4) 국제기구와 국제 연합
 ① 국제기구: 지구촌 갈등 해결을 위해 세계 여러 나라가 만든 조직이다.
 ② (❽): 전쟁을 방지하고 환경 문제, 문맹 퇴치, 난민 지원 등 국제적 문제를 해결하고자 노력하는 대표적인 국제기구이다.
 ③ 국제 연합의 관련 기구: 국제 노동 기구(ILO), 국제 원자력 기구(IAEA), 세계 보건 기구(WHO), 유엔 난민 기구(UNHCR), 유네스코(UNESCO) 등

(3) 지속 가능한 지구촌

❶ 환경 문제와 해결 방안

(1) 오늘날 환경 문제의 특징: 한 지역의 문제가 아니라 전 세계의 문제가 되고 있다.

(2) 지구촌 곳곳의 환경 오염과 문제점
 ① 온난화: 북극 빙하가 녹고 해수면이 상승한다.
 ② 사막화: 사람과 동물이 살 수 없는 땅이 많아진다.
 ③ 대기 오염: 화석 연료 사용으로 미세 먼지가 증가한다.
 ④ 해양 오염: 바다의 쓰레기가 해양 생태계를 파괴한다.
 ⑤ 열대 우림 파괴: 무분별한 (❾)로 나무가 사라지며 지구의 산소가 부족해진다.

(3) 지속 가능한 미래를 위한 생산과 소비 활동
 ① 자연에서 분해되는 친환경 플라스틱을 사용한다.
 ② 소비자는 사회와 환경에 미치는 영향을 생각하며 친환경 소비를 실천한다.
 ③ 기업은 환경을 지키며 소비자의 필요를 만족시키기 위해 (❿)을/를 생산한다.

(4) 지구촌 환경 문제 해결을 위한 다양한 노력
 ① 개인: 친환경 제품 사용, 일회용품 사용 줄이기 등
 ② 기업: 친환경 소재 개발, 환경 오염 물질 감소 등
 ③ 정부: 정책과 법령 마련, 국제 협약 실천 등
 ④ 세계: 국제 협약 체결, 국제적 문제 해결 동참 등

❷ 빈곤과 기아 문제와 해결 방안

(1) 빈곤과 기아: 사람들이 충분히 먹을 음식과 마실 물이 부족해 발생한 문제이다. 자연재해로 식량 생산이 어렵거나 전쟁으로 땅이 황폐화된 지역에서 주로 발생한다.

(2) 빈곤과 기아 해결 방안: 구호 물품 지원, 농업 기술 지원, 교육 활동 지원, 빈곤 퇴치 캠페인 등

❸ 문화적 편견과 차별이 없는 미래

(1) 문화의 특징: 세계 여러 나라에는 다양한 문화가 있고 그 지역의 환경에 알맞게 만들어진 것이기 때문에 좋고 나쁨을 따질 수 없다.

(2) 문화적 편견: 어떤 문화가 좋고 나쁘다고 생각하는 것이다.

(3) (⓫): 우리의 문화와 다른 문화의 차이를 인정하지 않고 편견을 갖는 것이다.

(4) 문화적 편견과 차별이 없는 미래를 만드는 방법
 ① 다른 문화를 가진 사람을 지구촌 공동체로 인정한다.
 ② 서로 존중하고 공감하는 태도를 지닌다.

❹ 세계 시민으로서 우리가 할 수 있는 일

(1) (⓬): 지구촌 문제가 우리 문제임을 알고 이를 해결하고자 협력하는 자세를 지닌 사람이다.

(2) (⓭) 발전 목표: 국제 연합에서 인류가 힘을 모아 지구촌 문제를 해결하고 지속 가능한 미래를 만들 수 있도록 실천할 17개의 목표를 제시했다.

정답과 해설 25쪽

가로 문제와 세로 문제를 읽고, 퍼즐을 풀어 보시오.

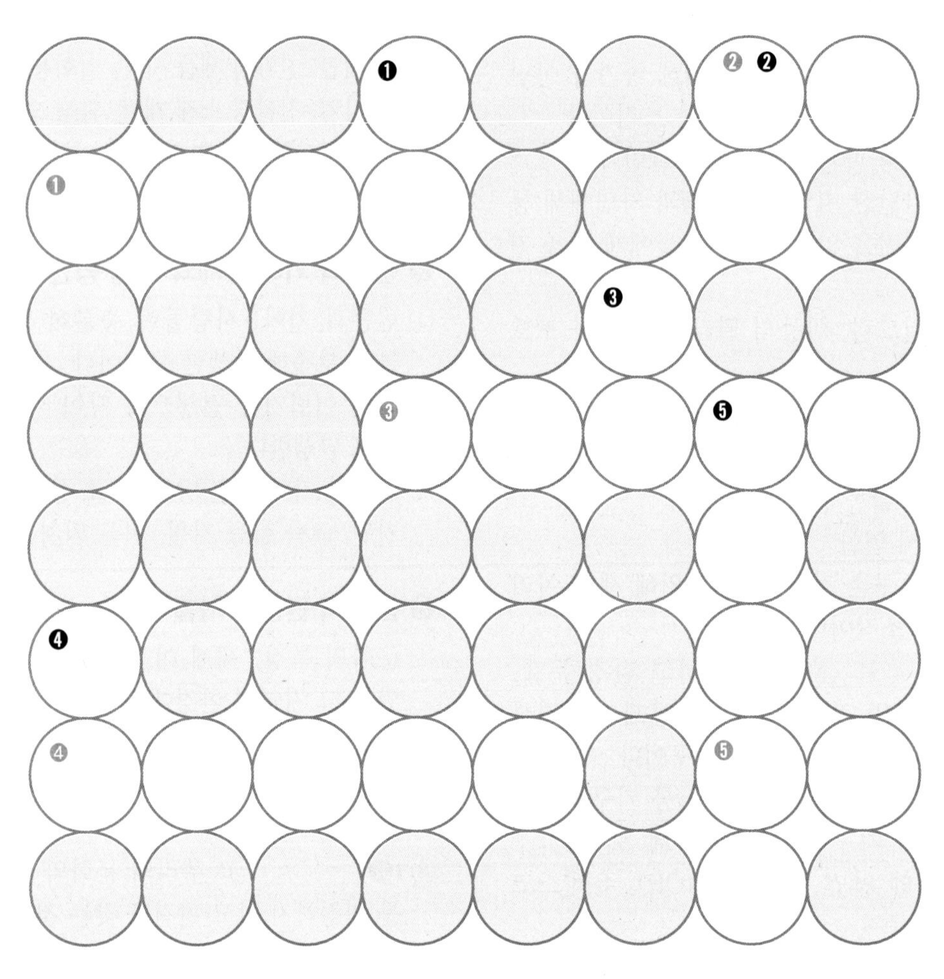

가로 문제

① 『신증동국여지승람』에 실린 우리나라 옛지도 중 독도가 표기된 가장 오래된 지도이다.

② 갈등이 깊어져 시끄럽고 복잡하게 다투는 모습을 말한다.

③ 환경 문제에 높은 관심을 보이며 녹색 소비를 실천하려고 노력하는 소비자를 말한다.

④ 어떤 문화가 좋고 나쁘다고 생각하는 것이다.

⑤ 물건을 생산하고 판매하며 돈을 버는 곳으로 최근 환경을 지키며 소비자의 필요를 만족시키기 위해 친환경 제품을 생산하는 곳이 많아졌다.

세로 문제

❶ 우리나라의 동쪽 끝에 있는 화산섬으로 비교적 큰 동도와 서도와 작은 섬들로 이루어져 있다.

❷ 결합되어 이루어진 것이 낱낱이 나누는 과정으로, 친환경 플라스틱은 자연에서 □□될 수 있다.

❸ 무분별한 개발로 열대 우림이 파괴되어 지구에 필요한 □□이/가 부족해진다.

❹ 우리가 정보를 조사하는 방법으로, 이곳에 실린 기사를 통해 다양한 소식을 접할 수 있다.

❺ 지구촌 평화를 위해 국가가 아닌 민간단체 중심으로 자발적으로 만든 조직이다.

정답과 해설 25쪽

단원명 통일 한국의 미래와 지구촌의 평화

평가 목표 지구촌의 평화와 발전을 위해 노력하는 다양한 주체의 활동 사례를 설명할 수 있다.

평가 문항

[1-3] 다음 자료를 보고 물음에 답하시오.

㉠

▲ 세이브 더 칠드런

㉡ KOICA 한국국제협력단

▲ 한국 국제 협력단

1 **㉠~㉡과 관련 있는 대상을 각각 찾아 쓰시오.**

개인　기업　국가　소비자　국제기구　비정부 기구

㉠		㉡	

2 **다음 글의 빈칸에 들어갈 알맞은 말을 각각 쓰시오.**

㉠	비정부 기구는 (　　　　　)단체가 중심이 되어 자발적으로 만든 조직이다.
㉡	우리나라는 한국 국제 협력단을 설립하고 (　　　　　) 활동을 통해서 도움이 필요한 곳의 경제·사회 발전을 돕고 있다.

3 **지구촌 평화와 발전을 위해 우리가 기여할 수 있는 방안을 쓰시오.**

1 **독도에 대한 설명으로 알맞은 것은 어느 것입니까?** ( )

① 강원도 울릉군에 속해 있다.
② 바위섬으로 경제적 가치가 적다.
③ 독도는 우리나라 서쪽 끝에 있는 섬이다.
④ 독도는 울릉도보다 일본 오키섬이 더 가깝다.
⑤ 항로뿐만 아니라 군사적으로도 중요한 위치에 있다.

중요 서술형

2 **다음 지도를 보고 알 수 있는 것을 쓰시오.**

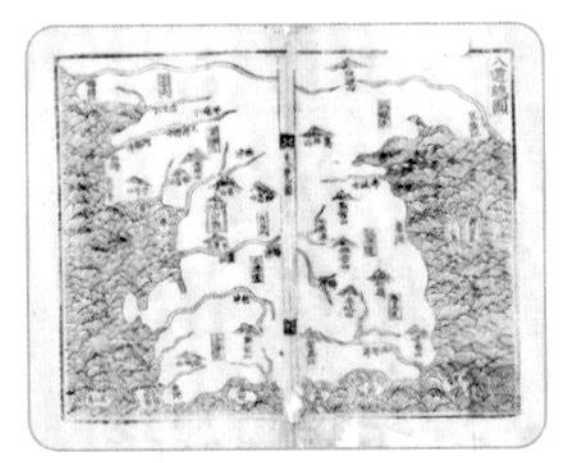
▲「팔도총도」

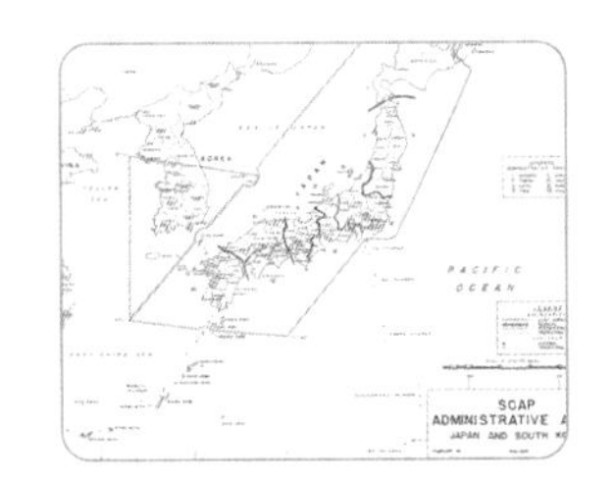
▲「연합국 최고 사령관 각서」 제677호 부속 지도

3 **독도를 지키기 위한 노력을 맞게 연결하시오.**

(1) 정부 • • ㉠ 외국에 독도가 우리 영토임을 알리는 활동을 함.

(2) 독도 경비대 • • ㉡ 독도를 지키고 관광객을 보호함.

(3) 사이버 외교 사절단 • • ㉢ 독도와 관련한 여러 법령을 시행해 영토 주권을 행사함.

4 **독도 주변 바다에 매장되어 있는 대표적인 미래 에너지 자원은 무엇입니까?** ( )

① 석유 ② 섬기린초
③ 해양 심층수 ④ 괭생이모자반
⑤ 가스 하이드레이트

[5-6] 다음 그림을 보고 물음에 답하시오.

5 **그림과 관련 있는 남북 분단의 어려움을 쓰시오.**

6 **남과 북이 위와 같은 문제를 평화롭게 해결하기 위해 해 온 정치적 노력은 어느 것입니까?** ( )

① 남북 이산가족 상봉
② 남북 예술단 합동 공연
③ 남북 기본 합의서 채택
④ 경의선·동해선 연결 및 현대화 착공식
⑤ 평창 동계 올림픽 남북한 선수단 공동 입장

7 **통일 한국의 미래 모습으로 알맞지 않은 것은 어느 것입니까?** ( )

① 남과 북의 긴장 상태가 유지된다.
② 헤어졌던 이산가족이 다시 만난다.
③ 비무장 지대에서 체육대회를 개최한다.
④ 부산에서 유럽까지 기차타고 여행을 간다.
⑤ 북한의 풍부한 자원과 남한의 기술력을 함께 이용한다.

8 지구촌 곳곳의 갈등 사례를 조사하는 방법으로 알맞지 않은 것은 어느 것입니까? ( )

① 인터넷 검색 ② 전문가 면담
③ 백지도 확인 ④ 방송 자료 수집
⑤ 신문 기사 검색

9 제시된 갈등 사례를 보고 알 수 있는 것을 쓰시오.

- 벨파스트 평화의 벽은 북아일랜드의 뿌리 깊은 갈등의 역사를 보여주고 있다.
- 이스라엘-팔레스타인 갈등은 영토, 종교 등 복합적인 원인으로 일어났다.

10 지구촌 갈등에 대한 설명으로 알맞은 것은 어느 것입니까? ( )

① 지구촌 곳곳에서 다양한 갈등이 발생하고 있다.
② 지구촌 갈등은 보통 그 지역만의 문제로 끝난다.
③ 지구촌 갈등은 합의를 통해 쉽게 해결할 수 있다.
④ 우리나라는 다른 지역의 갈등에 영향을 받지 않는다.
⑤ 지구촌의 갈등은 어린이들의 일상 생활에는 영향을 크게 미치지 않는다.

11 그림과 같이 지구촌 갈등을 해결하기 위해 우리가 할 수 있는 방법은 어느 것입니까? ( )

① 전문가 면담하기 ② 모금 활동 하기
③ 캠페인 활동 하기 ④ 갈등 지역 방문하기
⑤ 지구촌 문제에 관심 갖기

12 다음 설명에 해당하는 인물은 누구입니까? ( )

- 파키스탄의 인권 운동가이다.
- 누리 소통망 서비스(SNS)를 이용해 탈레반 점령 지역의 어려운 생활과 여성 교육 문제를 알렸다.
- 어린이 인권 보호를 위해 노력했다.
- 2014년 노벨 평화상을 수상했다.

① 마틴 루서 킹 ② 14대 달라이 라마
③ 조디 윌리엄스 ④ 이태석 신부
⑤ 말랄라 유사프자이

13 비정부 기구와 해당되는 설명을 연결하시오.

(1) 그린피스 • • ㉠ 삶의 터전을 잃어버린 사람들에게 집을 지어줌.

(2) 해비타트 • • ㉡ 평화적인 방법으로 환경 파괴의 위험성을 알림.

중요

14 세계 평화를 위한 우리나라의 노력을 보기에서 골라 기호를 쓰시오.

보기
㉠ 평화 유지군 활동
㉡ 남북 분단 유지 활동
㉢ 평화를 위한 외교 활동
㉣ 한국 국제 협력단의 봉사 활동

15 국제 연합과 관련된 기구 중 전 세계 사람들의 건강과 위생에 관한 일을 담당하는 곳은 어느 곳입니까? (　　　)

① 유네스코(UNESCO)
② 국제 노동 기구(ILO)
③ 세계 보건 기구(WHO)
④ 국제 원자력 기구(IAEA)
⑤ 유엔 난민 기구(UNHCR)

16 다음 글의 빈칸에 들어갈 내용은 어느 것입니까? (　　　)

현재뿐만 아니라 미래 세대의 발전을 위해 책임감 있게 행동해야 (　　　)이/가 가능하다.

① 녹색 소비　② 세계 시민
③ 평화 통일　④ 문화적 다양성
⑤ 지속 가능한 미래

17 다음 사진과 관련 있는 설명은 어느 것입니까? (　　　)

① 화석 연료 사용으로 미세 먼지가 증가했다.
② 북극의 빙하가 녹아 북극곰이 살 곳을 잃어버린다.
③ 무분별한 개발이 진행되면 지구의 산소가 부족해진다.
④ 바다에 버려진 플라스틱이 해양 생태계를 파괴하고 있다.
⑤ 사막화 현상으로 생명이 살 수 없는 땅이 늘어나고 있다.

18 지구촌 환경 문제를 해결하기 위한 실천 규칙으로 알맞지 않은 것은 어느 것입니까? (　　　)

① 물을 아껴 쓴다.
② 일회용품을 사용한다.
③ 쓰레기는 분리배출한다.
④ 학용품에 내 이름을 쓴다.
⑤ 엘리베이터보다 계단을 이용한다.

19 빈칸 ㉠, ㉡에 들어갈 말로 알맞은 것은 어느 것입니까? (　　　)

지구촌 환경 문제를 해결하고자 (㉠)은/는 친환경 소재를 개발하고 환경 오염 물질을 줄여야 한다. (㉡)은/는 정책과 법령을 마련하고 실천하도록 안내해야 한다.

	㉠	㉡
①	기업	개인
②	개인	기업
③	기업	정부
④	개인	정부
⑤	정부	개인

20 **빈곤과 기아에 대한 설명으로 알맞지 않은 것은 어느 것입니까?** ( )

① 많은 어린이가 굶주림으로 영양 결핍을 겪는다.
② 자연재해로 빈곤과 기아 문제가 발생할 수 있다.
③ 분쟁 지역에서 빈곤과 기아 문제가 많이 발생한다.
④ 빈곤과 기아는 해당 지역에서 해결해야 하는 문제이다.
⑤ 전 세계적으로 빈곤과 기아 문제를 겪고 있는 지역이 많다.

서술형

21 **지구촌의 빈곤과 기아 문제를 해결하기 위해 지구촌 사람들이 하는 활동을 두 가지 쓰시오.**

중요

22 **㉠~㉢ 지역 문화의 특징을 맞게 설명한 것은 어느 것입니까?** ( )

> ㉠ 한낮에 햇볕을 피해 낮잠을 자는 문화가 있다.
> ㉡ 신나는 음악에 맞추어 춤추는 장례식을 한다.
> ㉢ 손을 사용해서 식사를 한다.

① ㉠ 지역의 사람들은 게으르다.
② ㉡ 지역의 장례식은 이상하다.
③ ㉢ 지역의 사람들은 비위생적이다.
④ 문화는 좋고 나쁨을 따질 수 있다.
⑤ 문화는 그 지역의 환경에 따라 다를 수 있다.

23 **문화적 다양성을 존중하는 방법을 보기에서 골라 기호를 쓰시오.**

> 보기
> ㉠ 장바구니를 이용해 소비한다.
> ㉡ 지구촌 전등 끄기 행사에 참가한다.
> ㉢ 다양한 문화를 체험하는 행사를 개최한다.
> ㉣ 문화 다양성을 존중하는 교육 활동에 참가한다.
> ㉤ 곡물과 견과류를 필요한 양만큼 담아 구매한다.

24 **빈칸 ㉠에 들어갈 알맞은 말을 쓰시오.**

25 **세계 시민으로 실천할 수 있는 일로 알맞지 않은 것은 어느 것입니까?** ( )

① 음식은 먹을 만큼 덜어서 먹는다.
② 다 읽은 책은 친구와 바꿔 읽는다.
③ 계단보다는 엘리베이터를 자주 이용한다.
④ 지구촌 문제를 알리는 캠페인에 참여한다.
⑤ 문화적 다양성을 존중하고 공감하는 태도를 갖는다.

1 독도에 해당되는 설명을 보기에서 골라 기호를 쓰시오.

보기
㉠ 우리나라 남쪽 끝에 있는 섬이다.
㉡ 독도는 우리나라의 소중한 영토이다.
㉢ 두 개의 큰 섬과 크고 작은 바위섬이 있다.
㉣ 남해상에 자리잡고 있어 선박의 항로뿐만 아니라 군사적으로도 중요한 위치에 있다.

중요
2 독도의 역사적 자료에 대한 설명으로 알맞지 않은 것은 어느 것입니까? ( )

① 「팔도총도」는 독도가 표기된 가장 오래된 지도이다.
② 「대한 제국 칙령」을 보면 대한 제국의 독도 영유권을 국내외에 알렸다.
③ 일본 지리학자가 만든 「삼국접양지도」에서는 독도가 조선의 것이라고 기록되어 있다.
④ 「태정관 지령」을 보면 일본 최고 행정 기관인 태정관에서 울릉도와 독도는 일본과 관계있다고 지시했다.
⑤ 『세종실록지리지』에는 우산과 무릉 두 섬은 거리가 멀지 않아 날씨가 맑으면 서로 보인다고 기록되어 있다.

3 독도를 지키기 위한 노력과 관련이 없는 것은 어느 것입니까? ( )

① 독도에 주민 등록을 하고 실제로 살고 있다.
② 독도가 우리 영토임을 알리는 활동을 하고 있다.
③ 여러 법령을 시행하여 영토 주권을 행사한다.
④ 독도에 등대, 경비 시설, 선박 접안 시설을 만들었다.
⑤ 독도에는 좋은 어장이 형성되어 어업 활동이 활발하게 이루어진다.

4 수심 200 m 이하 바다에서 흐르며, 다양한 제품의 원료로 활용되는 것을 쓰시오.

5 독도에 서식하는 동식물의 명칭과 사진을 맞게 연결하시오.

(1) 도화새우 • • ㉠

(2) 해국 • • ㉡

(3) 섬기린초 • • ㉢

[6-7] 다음 그림을 보고 물음에 답하시오.

6 그림과 관련 있는 남북 분단의 어려움을 쓰시오.

7 남과 북이 위와 같은 남북 분단 문제를 평화롭게 해결하기 위해 해 온 경제적 노력은 어느 것입니까? ( )

① 남북 이산가족 상봉
② 남북 예술단 합동 공연
③ 남북 기본 합의서 채택
④ 경의선·동해선 연결 및 현대화 착공식
⑤ 평창 동계 올림픽 남북한 선수단 공동 입장

8 다음 글의 빈칸에 들어갈 알맞은 단어를 쓰시오.

남과 북은 분단을 극복하고 평화 ☐☐을/를 위해 정부와 민간단체를 중심으로 정치, 경제, 사회·문화 분야에서 노력해 왔다.

9 다음 글의 빈칸 ㉠, ㉡에 들어갈 알맞은 단어는 무엇입니까? (   )

시리아 내전과 같이 지구촌에는 다양한 이유로 ㉠ 이/가 발생하고 있다. 이로 인해 음식과 물이 부족하고 가족이 흩어지는 등 여러 가지 ㉡ 이/가 발생한다.

	㉠	㉡		㉠	㉡
①	갈등	문제점	②	축제	문제점
③	갈등	해결 방안	④	축제	해결 방안
⑤	문제점	해결 방안			

서술형

10 이스라엘-팔레스타인 갈등의 원인과 문제점을 정리한 그림을 보고 알 수 있는 내용을 쓰시오.

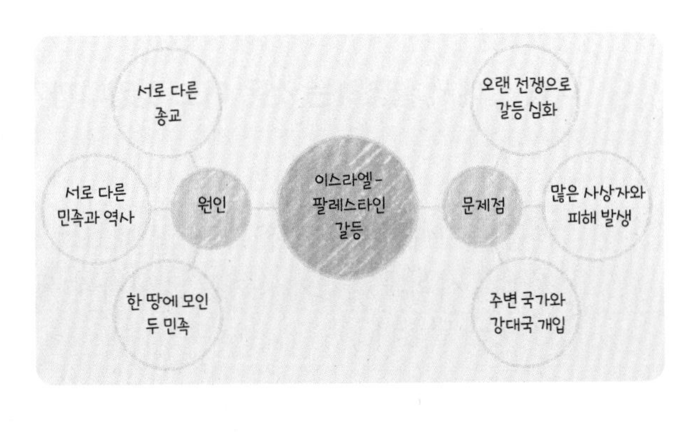

11 다음 설명에 해당하는 용어를 쓰시오.

전쟁이나 재해 등으로 자기 나라를 떠나 고향으로 돌아갈 수 없는 사람

12 그림과 같이 지구촌 갈등을 해결하기 위해 우리가 할 수 있는 방안을 보기에서 골라 기호를 쓰시오.

보기
㉠ 모금 활동 하기
㉡ 전문가 면담하기
㉢ 홍보 동영상 만들기
㉣ 지구촌 문제에 관심갖기

13 다음 설명에 해당하는 인물은 누구입니까? (   )

- 1997년 노벨 평화상을 수상했다.
- 미국의 사회 운동가로 1992년 지뢰 금지 국제 운동 단체를 설립했다.
- 이 단체의 노력으로 123개국이 사람에게 지뢰를 사용하지 않겠다는 약속을 체결했다.

① 이태석 신부 ② 마틴 루서 킹
③ 14대 달라이 라마 ④ 조디 윌리엄스
⑤ 말랄라 유사프자이

서술형 중요

14 다음에 제시한 단체들의 특징을 쓰시오.

- 국제 앰네스티
- 국경 없는 의사회
- 세이브 더 칠드런

15 아래 마크와 관련 있는 국제 연합 기구에서 하는 일은 무엇입니까? ( )

① 난민들을 보호하고 돕는다.
② 전 세계의 노동 문제를 다룬다.
③ 건강과 보건, 위생에 관한 일을 한다.
④ 교육, 과학, 문화 등을 교류하며 국제 평화를 추구한다.
⑤ 원자력 에너지를 평화적이고 안전한 방법으로 이용할 수 있도록 노력한다.

16 다음 설명과 관련 있는 국제기구를 쓰시오.

- 어린이의 인권 보호와 평화를 위해 캠페인을 한다.
- 전쟁과 같은 갈등으로 피해를 입은 곳에서 아이들을 도와준다.
- 난민이 된 어린이와 가족들에게 마실 물, 예방 접종, 학교 등을 제공한다.

17 다음 그림과 관련 있는 환경 오염은 어느 것입니까? ( )

① 온난화
② 사막화
③ 대기 오염
④ 토양 오염
⑤ 해양 오염

18 제시된 사진과 관련 있는 설명은 어느 것입니까? ( )

① 무분별한 개발로 열대 우림이 파괴되었다.
② 화석 연료 사용으로 미세 먼지가 증가했다.
③ 빙하가 녹아 북극곰이 살 곳을 잃어버린다.
④ 사막화 현상으로 생명이 살 수 없는 땅이 늘어난다.
⑤ 바다에 버려진 플라스틱이 해양 생태계를 파괴한다.

19 다음 글에서 설명하는 것은 어느 것입니까? ( )

제품을 구매하고 사용한 후 버릴 때까지 전 과정에서 사회와 환경에 미치는 영향까지 생각하는 것을 말한다.

① 세계 시민
② 녹색 소비
③ 평화 통일
④ 문화적 다양성
⑤ 지속 가능한 개발

20 환경을 보호하는 실천 방안으로 알맞지 않은 것은 어느 것입니까? ( )

① 개인은 친환경 제품을 사용한다.
② 정부는 정책과 법령을 마련한다.
③ 기업은 친환경 소재를 개발한다.
④ 기업은 환경 오염 물질을 줄인다.
⑤ 세계 여러 나라는 환경 문제에 각각 대응한다.

21 다음 사진을 보고 빈곤과 기아가 발생하는 이유를 간략하게 쓰시오.

22 빈곤과 기아 문제를 해결하기 위한 방법으로 알맞지 않은 것은 어느 것입니까? ( )

① 교육 활동 지원
② 구호 물품 지원
③ 농업 기술 지원
④ 빈곤 퇴치 캠페인
⑤ 일회용품 사용 줄이기

23 다음 글에서 설명하는 것이 무엇인지 쓰시오.

세계 여러 나라에는 다양한 □□이/가 있다. □□은/는 그 지역의 환경에 알맞게 만들어진 것이기 때문에 좋고 나쁨을 따질 수 없다.

24 빈칸 ㉠, ㉡에 들어갈 말로 알맞은 것은 어느 것입니까? ( )

어떤 문화가 좋고 어떤 문화가 나쁘다고 생각하는 것은 문화적 ㉠ (이)다. 우리의 문화와 다른 문화의 차이를 인정하지 않고 ㉠ 을/를 갖는 것은 문화적 ㉡ (이)다.

	㉠	㉡		㉠	㉡
①	차별	편견	②	편견	차별
③	차별	존중	④	편견	존중
⑤	차별	배려			

25 국제 연합에서 제시한 지속 가능한 발전의 목표가 아닌 것은 어느 것입니까? ( )

① 지구촌 협력
② 빈곤 퇴치와 기아 종식
③ 평화롭고 포용적인 사회
④ 지속 가능한 소비와 생산
⑤ 화석 에너지의 지속적인 사용

1 다음 일본의 역사적 자료를 통해 독도에 대해 알 수 있는 사실을 쓰시오.

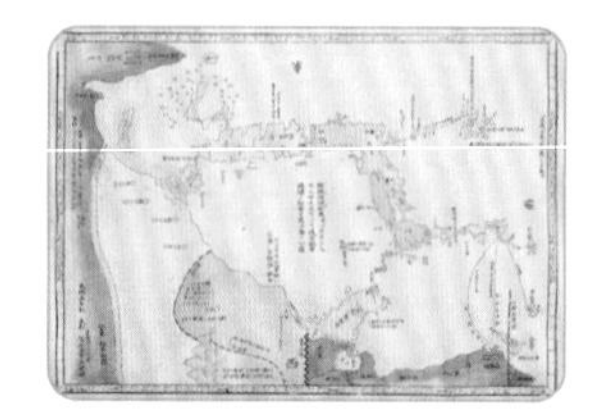

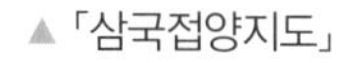

▲「삼국접양지도」

▲「태정관 지령」

평가 실마리
- **관련 내용** 교과서 86쪽, 개념 톡톡 84쪽
- **출제 의도** 독도의 역사
- **선생님의 한마디**
"지도가 가진 역사적 가치를 생각해 보세요."

2 사진 속 섬의 지명을 쓰고, 이 섬의 지리적 특성을 쓰시오.

평가 실마리
- **관련 내용** 교과서 90쪽, 개념 톡톡 86쪽
- **출제 의도** 독도의 가치
- **선생님의 한마디**
"독도가 가진 다양한 가치를 생각해 보세요."

3 다음 사진을 보고 남북통일의 필요성을 쓰시오.

평가 실마리
- **관련 내용** 교과서 94쪽, 개념 톡톡 88쪽
- **출제 의도** 남북통일의 필요성
- **선생님의 한마디**
"남북통일을 하면 어떤 점이 좋을 지 생각해 보세요."

4 제시된 사례를 읽고 지구촌 곳곳에서 다양한 갈등이 발생하는 까닭을 쓰시오.

- 아부무사섬은 석유 자원이 많이 매장되어 있어 이란과 아랍 에미리트 간 갈등이 있다.
- 카슈미르 지역 사람들은 대부분 이슬람교도여서 파키스탄에 속하기를 원했지만, 힌두교를 믿는 카슈미르의 지도자는 주민들의 요구와는 반대로 인도에 속하기로 결정했다.

평가 실마리
- **관련 내용** 교과서 107쪽, 개념 톡톡 100쪽
- **출제 의도** 지구촌 갈등의 원인
- **선생님의 한마디**
"지구촌 곳곳에서 일어나는 다양한 갈등을 생각해 보세요."

맞은 개수 ____개 공부한 날 __월 __일

[5-6] 다음 글을 읽고 물음에 답하시오.

㉠ 티베트의 정신적 지도자로 중국으로부터 독립하기 위한 운동을 평화적으로 펼쳤다.
㉡ 1971년에 의사들이 설립한 비정부 기구로 의료 지원을 받지 못하거나 전쟁, 질병, 자연재해 등으로 고통받는 사람들을 돕고 있다.

5 ㉠과 ㉡의 공통점을 쓰시오.

평가 실마리
- **관련 내용** 교과서 114쪽, 개념 톡톡 106쪽
- **출제 의도** 지구촌 갈등을 해결하려는 노력
- **선생님의 한마디**
"노벨 평화상은 어떻게 받을 수 있는지 생각해 보세요."

6 ㉡과 같은 비정부 기구의 특징을 쓰시오.

평가 실마리
- **관련 내용** 교과서 116쪽, 개념 톡톡 106쪽
- **출제 의도** 비정부 기구의 특징
- **선생님의 한마디**
"비정부 기구의 특징을 생각해 보세요."

7 다음 사진을 보고 이를 해결하기 위해 실천할 수 있는 방안을 쓰시오.

평가 실마리
- **관련 내용** 교과서 136쪽, 개념 톡톡 126쪽
- **출제 의도** 빈곤과 기아 문제 해결 방안
- **선생님의 한마디**
"빈곤과 기아 문제를 해결할 수 있는 방안을 생각해 보세요."

8 세계 시민의 뜻을 쓰고, 세계 시민으로서 우리가 할 수 있는 일을 쓰시오.

(1) 세계 시민:

(2) 할 수 있는 일:

평가 실마리
- **관련 내용** 교과서 140쪽, 개념 톡톡 130쪽
- **출제 의도** 세계 시민의 자질과 태도
- **선생님의 한마디**
"세계 시민으로서 할 수 있는 일을 생각해 보세요."

사회 보드게임

정답과 해설 31쪽

1 14쪽
지구의 경도를 결정하는 데 기준이 되는 선은?

2 18쪽
아프리카, 유럽, 아메리카 대륙에 둘러싸여 있는 대양은?

3 22쪽
세계에서 가장 작은 나라의 이름은?

4 36쪽
따뜻하고 사계절이 비교적 뚜렷해 예로부터 사람들이 많이 모여 살고 있는 기후는?

5 38쪽
고산 기후는 □□□□이/가 높은 지역에서 나타난다.

6 40쪽
세계 여러 나라 사람들의 생활 모습은 지형, 기후와 같은 □□□□에 따라 달라진다.

7 52쪽
중국, 일본, 러시아는 우리나라와 □□□(으)로 가까운 나라입니다.

8 54쪽
중국에 있는 세계에서 가장 긴 성벽의 이름은?

9 60쪽
우리나라와 최초로 자유 무역 협정(FTA)을 맺은 나라는?

보드게임 진행 방법

1. 가위바위보로 주사위를 던질 순서를 정해요.
2. 주사위를 던져서 나온 숫자만큼 이동한 후, 문제에 대한 답을 말해요.
3. 정답을 말하면 제자리, 말하지 못하면 이전 위치로 돌아가요.
4. 화살표가 있는 칸에서 정답을 말하지 못하면 가리킨 곳으로 이동해요.
5. 마지막 칸에 먼저 도착하는 사람이 우승이에요.

10 82쪽

□□은/는 우리나라의 동쪽 끝에 위치해 있는 소중한 영토로 두 개의 큰 섬과 크고 작은 바위섬으로 이루어져 있다.

11 84쪽

조선 숙종 때 사람으로 일본으로부터 울릉도와 독도가 조선의 영토임을 확인한 사람은?

12 88쪽

6.25 전쟁으로 남과 북이 분단되어 어쩔 수 없이 흩어져서 서로 소식을 모르는 가족은?

13 102쪽

지구촌 □□의 원인은 자원, 종교, 언어, 인종, 민족, 역사, 정치 등 다양하다.

14 106쪽

지구촌 평화에 기여한 인물이나 단체에게 □□ □□□을/를 수여하고 있다.

15 108쪽

□□□□(이)란 지구촌 갈등 해결을 위해 세계 여러 나라가 만든 조직이다. 대표적인 □□□□(으)로 국제 연합이 있다.

16 120쪽

바다에 버려진 플라스틱이 □□ □□□을/를 파괴한다.

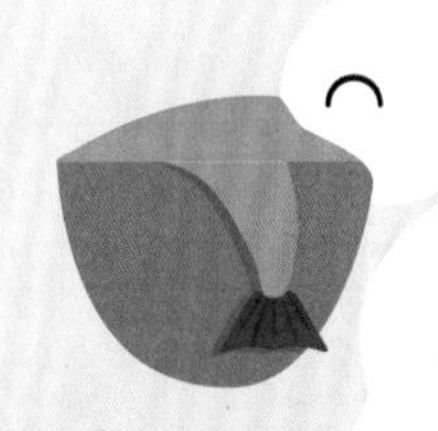

17 128쪽

세계 여러 나라에는 다양한 □□이/가 있고, 그 지역의 환경에 알맞게 만들어진 것이기 때문에 좋고 나쁨을 따질 수 없다.

18 130쪽

국제 연합에서는 인류가 힘을 모아 지구촌 문제를 해결하고자 17개의 □□ □□ □□ □□을/를 제시했다.

도착!

MEMO

초등 사회
자습서&평가 문제집 6-2

정답 톡톡

금성출판사

똑똑한
교과서 풀이로
언택트 시대
자기 주도 학습을
돕습니다.

정답과 해설

개념 톡톡 정답과 해설

문제 톡톡 정답과 해설

개념 톡톡 답지

1. 세계 여러 나라의 자연과 문화

❶ 지구, 대륙 그리고 국가들

확인 톡! 톡!

13쪽 1 올림픽 2 ○ 3 세계 지도
15쪽 1 ○ 2 위선 3 위치
17쪽 1 빨라진다 2 지구본 3 ×
19쪽 1 ○ 2 큰 3 태평양
21쪽 1 아시아 2 대륙 3 ○
23쪽 1 러시아 2 디지털 영상 지도 3 ×
25쪽 1 ○ 2 세계 지도 3 아시아

주제 톡톡 문제 27~29쪽

1 ④ 2 ㉠: 동경 ㉡: 서경 3 적도 4 디지털 영상 지도 5 ㉠, ㉡, ㉣ 6 유럽 7 ㉠, ㉣ 8 ㉠: 대양 ㉡: 북극해 9 ㉠: 남극 ㉡: 땅이 존재하지만 대륙이라고 할 수 없다. → 땅이 존재하여 대륙이다. 10 ② 11 ⑤ 12 ㉠, ㉢, ㉣ 13 ④ 14 ㉡, ㉢ 15 ① 16 (1)-㉢ (2)-㉠ (3)-㉡ 17 예 지구본은 지구의 모습을 작게 줄여 만든 모형으로 세계 여러 나라의 위치나 나라 간의 거리를 비교적 정확하게 파악할 수 있다. 18 예 각 나라는 자신의 나라를 세계 지도의 중심에 두기 때문이다.

1 세계 지도는 세계 여러 나라의 위치와 영역을 한눈에 살펴볼 수 있다.

오답 확인

①, ②, ⑤ 지구본에 대한 설명이다.

③ 세계 지도는 둥근 지구를 평면으로 나타낸 것이기 때문에 실제 모습과 다른 점이 있다.

2 본초 자오선은 경도 0°로 지구의 경도를 결정하는 데 기준이 되는 선이다. 본초 자오선의 동쪽을 동경, 서쪽을 서경이라고 하며 각각 180°로 나눈다.

3 지구의 자전축에 대해 직각으로 지구의 중심을 지나도록 자른 평면과 지표면이 만나는 선인 위도 0°선은 적도이다.

한눈에 쏙쏙 위선·경선·적도·본초 자오선

구분	내용
위선	• 가로로 그은 선으로, 위도를 나타냄. • 적도를 기준으로 북쪽을 북위, 남쪽을 남위라고 함.
경선	• 세로로 그은 선으로, 경도를 나타냄. • 본초 자오선을 기준으로 동쪽은 동경, 서쪽은 서경이라고 함.
적도	• 위선의 기준이 되는 위도 0°선임. • 지구의 자전축에 대해 직각으로 지구의 중심을 지나도록 자른 평면과 지표면이 만나는 선임.
본초 자오선	• 경선의 기준이 되는 경도 0°선임. • 영국의 그리니치 천문대를 지나는 경선임.

4 자료가 설명하는 내용은 디지털 영상 지도이다. 디지털 영상 지도는 다양한 정보가 연결되어 있어서 세계 여러 나라나 장소와 관련된 정보를 편리하게 찾을 수 있다.

5 오세아니아 대륙은 태평양, 인도양, 남극해와 접하고 있다.

6 아시아 대륙의 서쪽에는 유럽 대륙이 있다. 유럽은 다른 대륙에 비해 면적은 좁지만 많은 나라가 위치하고 있다.

한눈에 쏙쏙 대륙의 위치와 범위

대륙	내용
아시아	가장 큰 대륙이며 세계 육지 면적의 30%를 차지함.
아프리카	아시아 다음으로 큰 대륙이며, 북반구와 남반구에 걸쳐 있음.
유럽	두 번째로 작은 대륙이며 아시아 대륙의 서쪽에 있음.
오세아니아	대륙 중 가장 작으며 남반구에 있음.
북아메리카	북반구에 속하며 북쪽은 북극해와 접해 있음.
남아메리카	대부분 남반구에 속함.

7 태평양은 아시아, 오세아니아, 아메리카 대륙의 사이에 있다. 그리고 대서양은 아프리카, 유럽, 아메리카 대륙에 둘러싸여 있다.

오답 확인

㉡ 남극해는 남극을 둘러싸고 있다. 북극해는 아시아, 유럽, 북아메리카 대륙에 둘러싸여 있다.

㉢ 인도양은 아시아, 아프리카, 오세아니아 대륙에 인접해 있다.

8 매우 큰 바다는 대양이라 한다. 세계에는 태평양, 대서양, 인도양, 북극해, 남극해 5대양이 있다고 한다. 북극해는 아시아, 유럽, 북아메리카 대륙으로 둘러싸여 있고, 대부분 얼음으로 덮여 있다.

9 제시된 글은 남극에 관한 내용이다. 남극은 빙하 아래에 땅, 즉 대륙이 존재하여 남극 대륙이라고 한다. 하지만 북극은 얼음덩어리로만 존재하며 대륙이라고 할

수 없다. 최근 남극에서는 과학적 연구와 자원 개발에 대한 관심으로 다양한 연구 활동이 이루어지고 있다.

10 아시아, 유럽, 아프리카, 북아메리카, 남아메리카, 오세아니아 6대륙 중에서 오세아니아가 가장 작다.

11 대륙은 아시아, 아프리카, 유럽, 오세아니아, 북아메리카, 남아메리카가 있다.

12 ㉠은 베트남으로 아시아 대륙에 속하며 캄보디아의 동쪽에 위치하고 있다. 베트남은 우리나라에 많은 외국인 근로자가 살고 있으며, 우리나라와 긴밀한 관계를 맺고 있다.

오답 확인

㉡ 이 나라의 동쪽에는 태평양이 있다.

13 북아메리카에 속하며 미국의 북쪽에 있는 나라는 캐나다이다.

오답 확인

① 중국은 우리나라의 서쪽에 있는 나라로 아시아 대륙에 위치하고 있다.

② 멕시코는 북아메리카에 속하며 미국의 남쪽에 위치한다.

③ 러시아는 아시아와 유럽 대륙에 걸쳐 있는 나라이며, 세계에서 영토가 가장 넓다.

⑤ 브라질은 남아메리카 대륙에 위치한 나라이다.

14 아프리카 대륙에 위치하는 나라는 케냐와 이집트이다. 그 외에 아프리카 대륙에 위치하는 나라로는 에티오피아, 앙골라, 소말리아, 탄자니아, 가나, 가봉, 수단, 남아프리카 공화국, 짐바브웨, 알제리 등이 있다.

오답 확인

㉠ 몽골은 아시아 대륙에 위치하고 있다.

㉣ 아르헨티나는 세계에서 8번째로 영토 면적이 넓으며, 남아메리카 대륙에 위치하고 있다.

15 남아메리카 대륙에 위치해 있는 브라질은 세계에서 5번째로 영토 면적이 큰 나라이다.

16 프랑스는 유럽 대륙, 나미비아는 아프리카 대륙, 미국은 북아메리카 대륙에 위치한 나라이다.

(1) 프랑스의 영토는 육각형에 가까운 모양이다.

(2) 나미비아는 국경선이 단조로운 편이다.

(3) 미국은 국경선이 반듯하며 알래스카를 포함하고 있다.

17 세계 지도, 지구본, 디지털 영상 지도의 특징과 장단점이 서로 다르다. 지구본은 지구의 모습을 작게 줄여서 만든 모형이다. 세계 지도는 둥근 지구를 평면으로 나타낸 것으로 세계 여러 나라의 위치를 한눈에 살펴볼 수 있다. 디지털 영상 지도는 인공위성, 항공기에서 촬영한 사진을 바탕으로 다양한 정보를 표현한 지도로 인터넷 연결을 해야 사용할 수 있다.

[채점 기준] '지구본은 세계 여러 나라의 위치나 나라 간의 거리를 비교적 정확히 파악할 수 있다.'의 내용을 포함해 바르게 썼다.

한눈에 쏙쏙 **세계 지도·지구본·디지털 영상 지도**

구분	내용
세계 지도	• 둥근 지구를 평면으로 나타낸 것 • 세계 여러 나라의 위치를 한눈에 살펴볼 수 있음.
지구본	• 지구의 모습을 작게 줄여 만든 모형 • 세계 여러 나라의 위치나 나라 간의 거리를 비교적 정확하게 파악할 수 있음.
디지털 영상 지도	• 인공위성, 항공기에서 촬영한 사진을 바탕으로 다양한 정보를 표현한 지도 • 스마트폰이나 컴퓨터 등 디지털 기기를 이용해 인터넷 연결을 해야 사용할 수 있음.

18 영국을 중심으로 만들어진 세계 지도에는 유럽이 지도의 가운데에 위치하고 우리나라는 동쪽 끝에 위치한다. 그러나 오스트레일리아를 중심으로 만들어진 세계 지도에는 오세아니아가 지도의 가운데에 위치하고 북반구와 남반구의 위치도 거꾸로 뒤집혀져 있다. 이와 같이 영국과 오스트레일리아의 세계 지도가 다른 까닭은 각 나라는 자신의 나라를 세계 지도의 중심에 두기 때문이다.

[채점 기준] '각 나라는 자기 나라를 가운데에 둔다.', '자신의 나라를 세계 지도의 중심에 두기 때문이다.' 등의 내용을 포함해 바르게 썼다.

❷ 세계의 다양한 삶의 모습

33쪽 1 기후 2 ○ 3 위도
35쪽 1 ○ 2 생태 관광 3 건조
37쪽 1 중위도 2 침엽수림 3 ×
39쪽 1 × 2 적도 3 고산
41쪽 1 터번 2 케밥 3 ○
43쪽 1 게르 2 쌀 3 ○
45쪽 1 ○ 2 환경 3 이해

47~49쪽

1 기후 2 ㉠: 위도 ㉡: 고위도 3 ④ 4 온대 기후 5 냉대 기후, 한대 기후 6 ⑤ 7 ② 8 ㉠, ㉡, ㉢ 9 ⑤ 10 ㉢, ㉣ 11 ④ 12 냉대 기후 13 ④ 14 ㉠: 한대 기후 ㉡: 건조 기후 15 ④ 16 ㉠ 17 예 건조 기후 지역인 알제리에서는 햇빛이 매우 강하고 땅에서 뜨거운 열기가 올라오기 때문에 머리를 보호하기 위해 터번을 쓴다. 18 예 튀르키예 사람들은 이슬람교를 믿는데 이슬람교에서는 돼지고기를 금기시하기 때문이다. 인문환경인 종교 때문이다.

1 세계에는 지역마다 다양한 기후가 나타난다. 기후는 기온, 강수량, 바람 등으로 구분한다.

2 기후에 가장 큰 영향을 미치는 요인은 기온이며, 기온에 가장 큰 영향을 주는 요인은 위도이다. 저위도로 갈수록 기온이 높아지고, 고위도로 갈수록 기온은 낮아진다.

3 사진은 아프리카에서 사파리 관광을 하는 모습을 찍은 것이다. 열대 기후는 연중 기온이 높고 습한데, 건기와 우기가 나타나는 초원에서는 사파리 관광 산업이 발달했다.

4 사계절이 비교적 뚜렷한 기후는 온대 기후이다. 계절별로 기온과 강수량이 달라지며, 지역에 따른 차이도 있다. 우리나라의 대부분의 지역은 온대 기후에 속한다.

한눈에 쏙쏙 세계의 기후

기후	특징
건조 기후	• 강수량보다 증발하는 물의 양이 많은 지역에 나타남. • 대표적인 건조 기후 지역은 사막임.
온대 기후	• 기온이 따뜻하며 사계절이 뚜렷하게 나타남. • 중위도 지역에 주로 나타남.
열대 기후	• 기온이 높고 연 강수량이 많은 편임. • 건기와 우기가 나타나는 곳도 있음.
냉대 기후	• 북반구의 중위도와 고위도에 걸쳐 널리 분포함. • 온대 기후와 비슷하게 사계절이 있으나 겨울이 춥고 길며 기온의 연교차가 크다는 특징이 있음.
한대 기후	• 고위도 지역인 북극해 주변과 남극 중심으로 분포함. • 기온이 매우 낮은 것이 특징이며, 식물이 자라기 어려운 지역임.
고산 기후	• 높은 산지에서 나타나며, 같은 위도대의 해발 고도가 낮은 지역과 비교하면 기온이 현저히 낮음. • 일 년 내내 서늘하며 연교차가 작음.

5 고위도 지방은 기온이 낮기 때문에 주로 냉대 기후와 한대 기후가 나타난다.

6 고산 기후는 높은 산지에서 나타나며, 같은 위도대의 해발 고도가 낮은 지역에 비교하여 기온이 현저히 낮다. 일 년 내내 서늘하여 연교차가 작다.

오답 확인
① 온대 기후의 특징이다.
② 고산 기후는 해발 고도가 높은 지역에서 나타난다.
③ 건조 기후의 특징이다.
④ 냉대 기후의 특징이다.

7 열대 기후는 적도를 중심으로 한 저위도 지역에서 주로 나타난다. 계절의 변화가 거의 없으며, 연중 기온이 높고 강수량이 많다. 열대 기후 지역은 햇볕이 강하게 내리쬐고 비가 많이 내려 열대 식물들이 밀림을 이루는 곳이 있다. 또한 우기와 건기가 번갈아 나타나며 초원이 넓게 펼쳐진 곳도 있다.
② 열대 기후 지역은 건기와 우기가 번갈아 나타나는 곳도 있다.

8 지도의 A 기후 지역에서는 건조 기후가 나타난다. 건조 기후에서는 사막, 진흙집, 오아시스, 짧은 풀이 자라는 초원 등을 볼 수 있다. 이집트의 나일강과 같은 하천이나 오아시스 주변 지역에서는 대추야자나 채소를 재배하기도 한다.

오답 확인
㉣ 올리브 농장은 온대 기후 지역의 지중해 주변 지역에서 볼 수 있다.

9 건조 기후가 나타나는 지역에서도 나일강과 같은 하천이나 오아시스 주변에서는 대추야자나 채소를 재배하기도 한다.

오답 확인
① 밀은 온대와 냉대 기후 지역에서 재배할 수 있다. 밀은 유럽과 아메리카에서 주로 재배한다.
② 벼는 아시아에서 주로 재배하는 작물이다.
③, ④ 열대 기후 지역에서 전통적으로 숲을 태워 농사

짓는 화전 농업이 이루어진다. 옥수수, 타로감자, 카사바 등을 많이 재배한다.

10 열대 기후 지역에서는 전통적으로 숲을 태워 농사짓는 화전 농업으로 얌, 카사바, 타로감자, 옥수수를 재배했다. 요즘에는 기름야자나 바나나, 커피를 대규모로 재배하며, 생태 관광 산업도 발달하고 있다.

11 온대 기후 지역은 사계절이 비교적 뚜렷하며 계절별로 기온과 강수량이 달라진다. 지중해 주변의 온대 기후 지역은 여름보다 겨울에 강수량이 많다. 같은 온대 기후라도 지형, 해류, 바람 등의 영향으로 지역에 따라 기후 차이도 있다.
④ 건조 기후 지역에 해당하는 설명이다. 온대 기후 지역은 중위도 지역에서 주로 나타난다.

12 사진과 같이 침엽수림이 널리 분포하는 지역에서는 냉대 기후가 나타나는데, 북반구의 중위도와 고위도 지역에 걸쳐 있다. 냉대 기후 지역은 나무를 이용한 산업이 발달했고, 펄프용 목재를 주로 생산한다.

13 사진은 페루 중남부 안데스산맥의 고지에 있는 잉카 제국의 유적지인 마추픽추이다. 마추픽추는 고산 기후 지역에 만들어진 유적지이다.

14 ㉠은 순록으로 한대 기후, ㉡은 건조 기후 지역에서 찍을 수 있는 사진이다.

한눈에 쏙쏙 세계의 기후 분포 특성과 사람들의 생활 모습

열대 기후	• 적도를 중심으로 한 저위도 지역에서 주로 나타남. • 열대 식물이 들어찬 밀림이 형성되어 있음. • 바나나, 기름야자, 커피를 대규모로 재배하기도 함.
건조 기후	• 위도 20°~30° 일대와 바다와 멀리 떨어진 곳에 나타남. • 건조 기후 지역에서는 사막이 형성되기도 함. • 초원에서는 물과 풀을 찾아 이동하며 가축을 기르는 유목 생활을 함.
온대 기후	• 사계절이 나타나고, 인구 밀도가 높음. • 계절별 특성이 다양하게 나타남. • 다양한 농업이 발달함.
냉대 기후	• 북반구의 중위도와 고위도 지역에 분포함. • 침엽수림이 넓게 분포함. • 침엽수림을 이용해 목재를 생산함.
한대 기후	• 일 년 내내 영하의 기온을 보이나 짧은 여름이 나타나는 곳도 있음. • 순록을 키우며 유목 생활을 함.
고산 기후	• 같은 위도대의 해발 고도가 낮은 지역과 비교하면 기온이 현저히 낮음. • 서늘한 기후를 이용해 감자나 옥수수와 같은 작물을 주로 재배함.

15 튀르키예에서 양고기 케밥을 먹는 이유는 인문환경 때문이다. 튀르키예 국민 대부분이 이슬람교를 믿는데, 이슬람교에서는 돼지고기를 금기시하기 때문이다.
① 몽골 유목민들이 사는 전통 가옥을 게르라고 한다. 몽골은 겨울이 길고 비가 적게 내려 농사짓기가 어렵기 때문에 초원에서 유목 생활을 한다. 나무와 천으로 이루어진 게르는 분해와 조립이 쉬워 가축과 함께 이동해야 하는 유목 생활에 유리하다. 따라서 몽골의 게르는 자연환경의 영향을 받은 것이다.
② 베트남은 고온 다습하여 1년에 2~3번의 쌀 수확이 가능해 쌀을 이용한 음식이 발달했다. 따라서 베트남의 쌀로 만든 쌀국수가 유명한 것은 자연환경의 영향을 받은 것이다.
③ 영국은 섬나라로 수산물이 풍부하고 감자 농사가 발달해 이를 이용한 음식을 즐겨 먹는다. 영국의 피시앤드칩스는 자연환경의 영향을 받은 것이다.
⑤ 멕시코에서는 햇볕이 강렬하여 모자로 그늘을 만들기 위해 챙이 넓은 모자를 쓴다.

16 연중 고온 다습한 곳은 열대 기후 지역이다. 그림의 고상 가옥은 열대 기후 지역에서 볼 수 있다.
오답 확인
㉡ 일 년 내내 서늘하여 연교차가 작게 나타나는 곳은 고산 기후 지역이다.
㉢ 여름철 햇빛이 강하고 뜨거우며 건조한 것은 지중해성 기후의 특징이다.

17 건조 기후 지역은 햇빛이 매우 강하고 땅에서 뜨거운 열기가 올라오기 때문에 머리를 보호하기 위해 사진과 같은 터번을 쓰는 생활 모습이 나타난다.

[채점 기준] '알제리는 건조 기후 지역으로 햇빛이 강하기 때문에 머리를 보호하기 위해 터번을 쓴다.' 등의 내용을 포함해 바르게 썼다.

18 이슬람교에서는 돼지고기를 금기시하기 때문에 돼지고기를 먹지 않는다. 주민 대부분이 이슬람교 신자인 튀르키예에서는 돼지고기 대신 양고기로 만든 케밥을 주로 먹는다. 그 이유는 인문환경인 종교 때문이다.

[채점 기준] '튀르키예 사람들이 믿는 이슬람교에서 돼지고기를 금기시하기 때문이다.', '튀르키예 사람들이 믿는 종교 때문이다.' 등의 내용을 포함해 바르게 썼다.

③ 우리나라와 가까운 나라들

53쪽 1 중국 2 ○ 3 북아메리카
55쪽 1 × 2 긴 3 중국
57쪽 1 × 2 유럽 3 젓가락
59쪽 1 ○ 2 중국 3 협동
61쪽 1 사우디아라비아 2 ○ 3 자연환경
63쪽 1 교류 2 ○ 3 세계화

65~67쪽

1 중국 2 (1)-㉢ (2)-㉠ (3)-㉡ 3 만리장성 4 ㉠ 러시아 ㉡ 중국 ㉢ 일본 5 ⑤ 6 ② 7 일본 8 ① 9 ㉠, ㉢ 10 ③ 11 ⑤ 12 ③ 13 ㉡, ㉢, ㉣ 14 ⑤ 15 (1) 미국-㉡ (2) 칠레-㉠ (3) 베트남-㉢ 16 상호 의존 17 예 우리나라, 중국, 일본이 지리적으로 가까이 위치해 오래전부터 활발하게 교류하여 세 나라 모두 한자 문화의 영향을 받았고 비슷한 점들이 많기 때문이다. 18 예 러시아 인구의 대다수가 유럽에 가까운 서남쪽 지역에 모여 살기 때문이다.

1 우리나라가 수입과 수출을 가장 많이 하는 나라는 모두 중국이다. 우리나라의 주요 수입국 순위는 중국>미국>일본 순이고, 주요 수출국 순위는 중국>미국>베트남 순이다.

2 중국의 수도는 베이징, 일본의 수도는 도쿄이다. 그리고 러시아의 수도는 모스크바이다.

3 사진은 세계에서 가장 크고 긴 성벽으로, 중국에 있는 만리장성이다.

한눈에 쏙쏙 만리장성

개요	1987년 유네스코 세계문화유산으로 지정됨. 중국의 역대 왕조들이 북방 유목 민족의 침공을 막기 위해 세운 성벽으로 '장성(長城)'으로 줄여 부르기도 함.
성벽의 축조	오늘날 남아 있는 성벽은 대부분 15세기 이후 명나라 때에 쌓은 것임.
성벽의 길이	길이가 총 2,700km에 이르는데, 지형의 높낮이 등을 반영하면 실제 성벽의 길이는 6,352km에 이르는 것으로 알려져 있음.
기타	인류 최대의 토목 공사라고 불리며, 2007년에 세계 7대 불가사의 가운데 하나로 선정되었음.

4 지도의 ㉠은 대한민국을 중심으로 북쪽에 있는 세계에서 영토 면적이 가장 넓은 러시아이다. ㉡은 우리나라 서쪽에 있는 중국이다. ㉢은 우리나라 남동쪽의 섬나라 일본이다.

5 ㉡ 국가는 중국으로, 주요 항구와 큰 도시를 중심으로 여러 가지 산업이 발달한 지역은 서부가 아니라 동부 해안 지역이다.

6 ㉠ 후지산은 일본 시즈오카현 북동부와 야마나시현 남부에 걸쳐 있으며, 일본을 대표하는 산이다.
㉢ 오사카성은 일본 오사카에 있는 성으로, 1583년 도요토미 히데요시가 축성했다.

오답 확인

㉡ 자금성은 중국 베이징에 있는 왕궁이다. 지금까지 남아 있는 왕궁 건축물 가운데 가장 큰 규모의 세계문화유산이다.
㉣ 고비 사막은 중국 내몽골 자치구와 몽골에 걸쳐 있는 사막이다.

7 우리나라의 남동쪽에 위치한 일본은 국토의 대부분이 산지이다. 일본은 환태평양 조산대에 속해 화산과 지진이 많이 일어난다.

8 일본은 주로 온대 기후에 속해 있지만, 북쪽으로 갈수록 냉대 기후가 나타난다.

9 일본은 온천, 화산 등 자연환경을 이용한 관광 산업이 발달했다. 원료의 수입과 제품의 수출에 유리한 태평양 연안에 주요 공업 도시가 발달했다는 것은 일본의 산업과 관련 있는 내용이다.

오답 확인

㉡ 석탄, 석유, 천연가스 등 에너지 자원이 풍부하여 이를 이용한 산업이 발달한 이웃 나라는 러시아이다.

10 라멘과 스시는 일본의 대표 음식이다. 홋카이도의 다이세쓰산은 산 전체가 특별 천연기념물이자 국립공원으로 지정되어 있다. 태평양을 둘러싸고 있는 환태평양 조산대에는 일본도 속해 있으며, 지구상의 지진과 화산 활동의 대부분이 이 지역에서 일어난다.
③ 시짱고원은 중국 남서부 히말라야 산맥에 있는 고원이다. 티베트고원이라고도 하며, 평균 고도가 4,000m 이상인 세계 최고의 고원이다.

11 지도에 표시된 ㉠은 러시아이다. 러시아는 서쪽이 아니라 동쪽에 높은 산지와 고원이 있으며, 서쪽에 평원이 나타난다.

12 러시아에 위치하며 세계에서 가장 깊은 호수는 바이칼호이다.

오답 확인

① 레만호는 스위스와 프랑스의 국경에 위치하고 있는 알프스 지역 최대의 호수이다.

② 카스피해는 남쪽은 이란, 동·서·북쪽은 러시아 및 카자흐스탄, 아제르바이잔, 투르크메니스탄 등에 둘러싸여 있고 남한 국토의 4배에 달하는 면적을 가진 세계 최대의 함수호이다. 카스피해는 세계에서 3번째로 깊은 호수이다.

④ 칼데라호는 '커다란 솥'이란 뜻으로 화산 지형인 칼데라 바닥에 형성된 호수이다. 세계적으로 유명한 칼데라호로는 미국의 국립 공원인 오리건주의 크레이터호이다. 우리나라에서는 백두산의 천지가 유일한 칼데라호이다.

⑤ 빅토리아호는 우간다, 케냐, 탄자니아의 경계에 위치하고 있으며, 면적으로는 세계 2위이다.

한눈에 쏙쏙 해협 vs 호수 vs 해 vs 대양

해협	육지 사이에 끼여 있는 좁고 긴 바다임.
호수	땅이 우묵하게 들어가 물이 괴어 있는 곳으로 대체로 못이나 늪보다 훨씬 넓고 깊음.
해	육지와 섬이 가로막아 큰 바다와 떨어진 작은 바다임.
대양	매우 큰 바다로 태평양, 대서양, 인도양 등이 있음.

13 러시아와 관련 있는 것은 샤실리크, 마트료시카, 시베리아 횡단 열차이다.

㉡ 샤실리크는 러시아 요리의 일종으로, 꼬치구이 요리이다.

㉢ 마트료시카는 러시아의 전통 인형이다. 속이 비어 있는 큰 인형 안에서 작은 인형이 나오고 또 그 속에서 더 작은 인형이 잇따라 나오는 장난감이다.

㉣ 시베리아 횡단 열차는 러시아 모스크바의 야로슬라브스키 역에서부터 블라디보스토크의 블라디보스토크 역 구간을 연결하고 있다. 단일 노선으로는 세계에서 가장 긴 거리의 철도이다.

오답 확인

㉠ 스모는 일본의 전통 스포츠이다. 우리나라의 씨름과 비슷하다.

14 우리나라는 이웃 나라와 많은 교류가 있지만 정치적·외교적으로 갈등을 겪을 때도 있다.

15 (1) 우리나라에서 밀을 주로 수입하는 나라는 미국이다.
(2) 우리나라가 최초로 자유 무역 협정(FTA)을 체결한 나라이다.
(3) 베트남은 우리나라의 주요 수출입국 중 하나로, 베트남 근로자들은 우리나라에서 많이 살고 있다.

16 오늘날 세계 여러 나라와 교류가 활발해지면서 우리나라와 세계 여러 나라가 서로에게 미치는 영향은 더욱 커지는 상호 의존의 관계를 맺고 있다.

17 우리나라, 중국, 일본은 예로부터 지리적으로 가까웠기 때문에 많은 교류를 해왔고, 세 나라의 문화를 비교해보면 문화적으로 비슷한 점들이 많다.

[채점 기준] '우리나라, 중국, 일본이 지리적으로 가까워서 한자 문화의 영향을 받았기 때문에' 등의 내용을 포함해 바르게 썼다.

18 러시아에서는 대부분 서남쪽 지역에 모여 살기 때문에 언어, 음식, 문화 등 생활 모습이 유럽과 비슷하다.

[채점 기준] '러시아 인구의 대다수가 유럽에 가까운 서남쪽 지역에 모여 살기 때문이다.' 등의 내용을 포함해 바르게 썼다.

쪽지 시험 72쪽

1 적도 **2** ○ **3** 아프리카 **4** × **5** 바티칸 시국 **6** 위도 **7** 건조 기후 **8** 온대 **9** 침엽수림 **10** 러시아 **11** 동부 **12** 환태평양 조산대

단원 톡톡 문제 73~75쪽

1 ② **2** ㉠: 위선 ㉡: 경선 **3** 예 세계 여러 나라의 위치와 영역을 알 수 있다. **4** ㉠: 대륙 ㉡: 대양 **5** ㉠: 인도양 ㉡: 북아메리카 **6** ② **7** ㉢ **8** ④ **9** ㉠: 아이슬란드 ㉡: 해안선이 복잡하다. **10** ㉣-한대 ㉢-냉대 ㉡-온대 ㉠-열대 **11** ④ **12** ④ **13** (1)-㉡ (2)-㉢ (3)-㉠ **14** ㉠, ㉡ **15** 예 같은 위도대의 해발 고도가 낮은 지역보다 기온이 현저히 낮다. 고산 기후는 일 년 내내 서늘하며 연교차가 작다. **16** (1)-㉡ (2)-㉢ (3)-㉠ **17** ⑤ **18** ㉡, ㉣ **19** 예 우리나라는 필요한 원유를 사우디아라비아에서 가장 많이 수입한다. **20** ①

1 지구의 모습을 작게 줄여 실제 지구처럼 둥글게 만든 모형이 지구본이다.

오답 확인

①, ③ 세계 지도에 대한 설명이다.

④, ⑤ 디지털 영상 지도에 대한 설명이다.

2 ㉠ 적도를 중심으로 하는 가로선을 위선이라고 한다. ㉡ 본초 자오선을 중심으로 하는 세로선을 경선이라고 한다.

3 세계 지도, 지구본, 디지털 영상 지도는 세계 여러 나라의 위치와 영역을 알 수 있다는 공통점이 있다.

4 ㉠ 바다로 둘러싸인 큰 땅덩어리는 대륙이다.
㉡ 매우 큰 바다는 대양이고, '해'로 불리는 바다는 육지와 섬이 가로막아 큰 바다와 떨어진 작은 바다를 말한다.

5 ㉠은 아프리카, 아시아, 오세아니아 대륙으로 둘러싸인 인도양이다. ㉡은 캐나다, 미국 등이 위치한 북아메리카 대륙이다.

6 태평양은 우리나라와 인접한 바다로 아시아, 오세아니아, 아메리카 대륙의 사이에 있다. 아시아 대륙은 세계 육지 면적의 30%를 차지하며, 세계에서 가장 넓은 대륙이다.
② 아프리카 대륙은 북반구와 남반구에 걸쳐 있다.

7 오스트레일리아는 남위 9°~43°, 동경 112°~153°에 위치한 나라로, 오세아니아 대륙에 속한다.

8 캐나다는 세계에서 러시아 다음으로 영토 면적이 넓은 나라이다. 제시된 나라 중 영토 면적이 가장 넓다.
제시된 국가들을 면적이 넓은 순서대로 나열하면 캐나다>미국>중국>브라질>프랑스 순이다.

9 제시된 지도는 아이슬란드이다. 아이슬란드의 영토 모양의 특징은 해안선이 복잡하다는 것이다. 아이슬란드처럼 해안선이 복잡한 나라는 우리나라, 인도네시아, 일본 등이 있다.

한눈에 쏙쏙 독특한 영토 모양을 가진 나라들

해안선이 복잡한 나라	아이슬란드, 대한민국, 인도네시아, 일본 등
국경선이 반듯한 나라	미국, 캐나다, 나미비아, 사우디아라비아 등
동서로 길게 뻗은 나라	감비아, 러시아, 중국 등
남북으로 길게 뻗은 나라	칠레, 아르헨티나, 노르웨이 등
도형 모양에 가까운 나라	프랑스(육각형), 탄자니아(원), 체코(원), 이집트(사각형), 레소토(원) 등

10 기후는 일반적으로 고위도일수록 기온이 낮고, 저위도일수록 기온이 높다. 따라서 가장 추운 한대 기후가 가장 고위도 지역에 분포한다. 그 다음은 냉대 기후, 온대 기후, 그리고 가장 더운 열대 기후가 가장 저위도에 나타난다.

11 극지방은 가장 위도가 높은 지역이다. 이곳에서는 주로 가장 추운 한대 기후가 나타난다.

12 한대 기후는 가장 추운 기후로 일 년 내내 기온이 매우 낮고 빙하가 나타나며, 평균 기온이 가장 높은 달도 10℃보다 낮다.

오답 확인

① 해발 고도가 높아 서늘한 날씨가 이어지는 곳은 고산 기후 지역이다.

② 온대 기후는 기온이 온화하고 사계절이 비교적 뚜렷하다.

③ 냉대 기후에 대한 설명이다.

⑤ 연 강수량이 500mm가 안 되는 것은 건조 기후에 해당되는 설명이다.

13 ㉠은 열대 기후 지역, ㉡은 온대 기후 지역, ㉢은 냉대 기후 지역과 관계있는 사진이다.

14 지도에 표시된 A 지역은 온대 기후가 나타난다. 온대

기후 지역은 중위도 지역에 주로 나타나며, 농사짓기에 적당한 날씨로 다양한 농업이 발달했다.

오답 확인

㉢ 초원 지역 사람들이 유목 생활을 한다는 내용은 건조 기후에 대한 설명이다.

㉣ 온대 기후가 나타나는 서부 유럽은 여름과 겨울의 기온차가 크지 않다.

한눈에 쏙쏙 기후에 따른 농사 관련 생활 모습

열대 기후	• 화전 농업으로 얌, 카사바, 타로감자, 옥수수 등을 재배함. • 기름야자나 바나나, 커피를 대규모로 재배하기도 함.
건조 기후	• 나일강과 같은 하천이나 오아시스 주변에서 대추야자나 채소를 재배하기도 함.
온대 기후	• 다양한 농업이 발달함. • 유럽과 아메리카에서는 주로 밀을 재배하고, 아시아에서는 벼농사가 많이 이루어짐. • 지중해 주변 지역에서는 올리브와 포도 등을 재배함.
냉대 기후	• 여름에는 밀, 감자, 옥수수 등을 재배할 수 있음. • 겨울에는 농사짓기가 어려움.
고산 기후	• 서늘한 기후를 이용해 감자나 옥수수와 같은 작물을 주로 재배함.
한대 기후	• 식물이 자라기 어려워 농사가 어려움. • 짧은 여름에 이끼류의 식물 정도만 자람.

15 지도의 ㉠ 기후 지역은 고산 기후가 나타난다. 고산 기후의 특징은 같은 위도대의 해발 고도가 낮은 지역보다 기온이 현저히 낮다. 이곳은 일 년 내내 서늘하며 연교차가 작다.

16 (1) 중국은 훠궈(㉡), 딤섬이 유명하다. (2) 일본 스시(㉢), 라멘이 유명하다. (3) 러시아는 샤실리크(㉠), 흑빵 등이 유명하다.

한눈에 쏙쏙 중국·일본·러시아의 대표 음식

중국	훠궈, 딤섬, 북경오리, 마파두부, 마라샹궈 등
일본	스시, 라멘, 가라아게, 오코노미야키, 낫토, 돈카츠, 돈부리, 소바, 스키야키 등
러시아	샤실리크, 흑빵, 보르시(수프) 등

17 동부의 해안 지역에 주요 항구와 대도시를 중심으로 산업이 발달한 나라는 중국이다.

18 중국은 세계에서 가장 인구가 많으며, 영토가 넓어 지역마다 열대, 건조, 온대, 냉대 기후 등 다양한 기후가 나타난다.

오답 확인

㉠ 후지산은 일본에 있는 산이다.

㉢ 신도는 일본 고유의 민족 신앙이다.

19 우리나라는 사우디아라비아를 포함한 서남아시아의 국가에서 원유를 많이 수입한다. 사우디아라비아는 우리나라와 지리적으로 멀리 떨어져 있지만, 교류가 활발한 나라이다.

20 햄버거는 미국의 대표적 음식 중 하나이다.

브로드웨이는 미국 뉴욕시의 맨해튼을 남북으로 가로지르는 큰 길로, 연극과 뮤지컬 공연 극장이 많이 자리하여 미국의 연극, 뮤지컬계를 일컫는 말로도 쓰인다.

나이아가라 폭포는 미국과 캐나다의 국경을 따라 흐르는 거대한 폭포로 세계 3대 폭포 중 하나이다.

자유의 여신상은 미국 뉴욕항의 리버티섬에 세워진 거대한 여신상으로 1984년에 유네스코 세계 문화유산으로 지정되었다. 미국 독립 100주년을 기념하여 프랑스에서 기증한 것이다.

오답 확인

② 칠레는 남아메리카의 국가로, 우리나라가 최초로 자유 무역 협정(FTA)을 맺은 나라이다.

③ 프랑스는 유럽의 국가로, 우리나라 사람들이 여행을 많이 간다.

④ 캐나다는 북아메리카에 위치하며 자연환경이 깨끗하고 아름답다.

⑤ 베트남은 동남아시아의 국가로 쌀국수가 유명하며 우리나라의 주요 수출 시장이자 4대 교역국이다. 최근 베트남에서는 한류가 점점 확대되는 추세이며, 베트남 근로자들은 우리나라에서 많이 일하고 있다.

76쪽

1 ㉡-나미비아, ㉢-미국 2 예 ㉣은 칠레, 칠레의 영토는 남북으로 길게 뻗은 모양이다. 3 예 세계 지도는 구형인 지구를 평면으로 나타내면서 나라의 크기와 형태가 왜곡된 부분이 많기 때문에 정확한 면적 비교가 어렵다. 4 ㉠: 온대 기후 ㉡: 냉대 기후 ㉢: 한대 기후 5 예 냉대 기후 지역은 침엽수림이 널리 분포해 나무를 이용한 산업이 발달했다. 펄프용 목재를 주로 생산한다. 6 예 기온이 매우 낮기 때문에 사람들이 살지 못하는 지역이 많다. 짧은 여름이 되면 이끼류 등의 식물이 자라기도 하며 사람들은 순록을 키우며 유목 생활을 한다. 남극에는 동물만이 살 수 있는데, 이 지역을 연구하기 위한 많은 연구소와 기지들이 있다.

1 제시된 지도에는 독특한 영토 모양을 가진 나라들이 표시되어 있다. 국경선이 단조롭고 반듯한 나라는 ㉡ 나미비아와 ㉢ 미국이다.
㉠은 프랑스, ㉣은 칠레이다.

한눈에 쏙쏙 특징적인 영토를 가진 나라

해안선이 복잡한 나라	우리나라, 아이슬란드, 인도네시아, 일본 등
국경선이 반듯한 나라	미국, 캐나다, 나미비아, 이집트, 리비아, 알제리, 사우디아라비아 등
영토 모양이 동서로 길게 뻗은 나라	러시아, 중국, 감비아 등
영토 모양이 남북으로 길게 뻗은 나라	칠레, 아르헨티나, 노르웨이 등

2 지도의 ㉣ 국가는 칠레이다. 칠레는 영토 모양이 남북으로 길쭉한 형태이다.

[채점 기준] '칠레', '영토 모양이 남북으로 길쭉하다.', '땅 모양이 세로로 긴 모양이다.' 등의 내용을 포함해서 바르게 썼다.

3 둥근 모양의 지구를 평면으로 나타낸 세계 지도는 대륙이나 바다의 모양과 거리가 실제와 다르기 때문에 정확한 면적 비교가 어렵다.

[채점 기준] '세계 지도는 둥근 지구를 평면으로 나타내어 실제 땅 모양의 크기와 형태가 왜곡된 부분이 많아서 나라별 면적 비교가 어렵다.' 등의 내용을 포함해 바르게 썼다.

한눈에 쏙쏙 세계 지도, 지구본, 디지털 영상 지도의 특징

세계 지도	• 세계 여러 나라의 위치를 한눈에 살펴볼 수 있음. • 나라와 바다의 모양, 거리가 실제와 다르게 표현되기도 함. • 인터넷 사용이 불가능한 곳에서 사용하기 편리함.
지구본	• 지구의 실제 모습처럼 생김새가 둥근 모양임. • 전 세계의 모습을 한눈에 보기 어렵고, 가지고 다니기 불편함. • 세계 여러 나라의 위치와 영토 등의 지리 정보가 세계 지도보다 더 정확함.
디지털 영상 지도	• 세계 지도나 지구본에서 찾기 어려운 다양한 정보를 얻을 수 있음. • 스마트폰, 컴퓨터 등이 필요하며, 인터넷을 연결해야 다양한 기능을 사용할 수 있음. • 스마트 기기에 설치해 가고 싶은 장소를 쉽게 찾아갈 수 있음.

4 ㉠은 온대 기후에서 볼 수 있는 활엽수림이고, ㉡은 냉대 기후에서 주로 볼 수 있는 침엽수림이다. ㉢은 한대 기후에서 보이는 빙하와 북극곰이다.

5 냉대 기후 지역은 북반구의 중위도와 고위도 지역에 널리 분포하며, 남반구에서는 거의 나타나지 않는다. 냉대 기후 지역에서는 침엽수림이 대표적이며, 목재와 펄프를 많이 생산한다.

[채점 기준] '침엽수림이 주로 분포해 목재와 펄프를 많이 생산한다.' 등의 내용을 포함해 바르게 썼다.

6 한대 기후는 고위도 지역인 북극해 주변과 남극 중심으로 분포한다. 한대 기후 지역은 사람이 살지 못하는 지역이 많지만 순록을 키우며 유목 생활을 하기도 한다. 남극에는 사람이 살지 못하지만, 이 지역을 연구하기 위한 연구소들이 많이 세워져 있다.

[채점 기준] '기온이 매우 낮기 때문에 사람들이 살지 못하는 지역이 많다.', '짧은 여름이 되면 이끼류 등의 식물이 자라기도 한다.', '사람들은 순록을 키우며 유목 생활을 한다.', '남극에는 이 지역을 연구하기 위한 많은 연구소와 기지들이 있다.' 등의 내용을 포함해 바르게 썼다.

2. 통일 한국의 미래와 지구촌의 평화

❶ 한반도의 미래와 통일

83쪽 1 독도 2 ○ 3 동해
85쪽 1 세종실록지리지 2 팔도총도 3 ○
87쪽 1 × 2 생태계의 보고 3 가스 하이드레이트
89쪽 1 이산가족 2 × 3 남북 정상 회담
91쪽 1 ○ 2 이산가족 3 통일된

주제 톡톡 문제 93~95쪽

1 ④ 2 ㉠: 팔도총도 ㉡: 삼국접양지도 3 ㉡, ㉣ 4 안용복 5 반크 6 (1) ㉡ (2) ㉠ 7 가스 하이드레이트 8 ① 9 ㉠, ㉡, ㉣ 10 예 전쟁에 대한 두려움 11 이산가족 12 ③ 13 ⑤ 14 ㉠, ㉣ 15 ⑤ 16 ⑤ 17 예 독도 주변의 바다는 난류와 한류가 만나 황금어장이 형성된다. 18 예 남북한이 평화통일을 위해 정치, 경제, 사회·문화 분야에서 교류와 협력을 이어가고 확대해야 한다.

1 독도는 우리나라 동쪽 끝 동해에 있는 소중한 영토로 천연기념물 제336호로 지정되어 뛰어난 경관을 자랑한다. 독도는 항로뿐만 아니라 군사적·경제적 가치를 지니고 있다.
④ 독도에서 울릉도까지의 거리는 일본 오키섬까지의 거리보다 약 70km 가깝다.

2 옛 기록과 지도에는 독도가 우리나라 영토라는 사실이 나타나 있다. 「팔도총도」는 독도 표기가 가장 오래된 지도이다. 「삼국접양지도」는 독도를 조선과 같은 노란색으로 칠하고 '조선의 것'이라고 기록되어 있다.

3 제시된 자료는 「연합국 최고 사령관 각서」로 제2차 세계 대전 후 일본의 통치 범위를 나타내고 있다. 이 문서에는 울릉도와 독도, 제주도를 일본의 영역에서 제외하고 우리나라 영토 구획선에 포함했다.

오답 확인
㉠ 독도에 대한 가장 오래된 지도는 『신증동국여지승람』에 실린 「팔도총도」이다.
㉢ 「연합국 최고 사령관 각서」에서는 제1차 세계 대전 후가 아니라 제2차 세계 대전 후의 일본의 통치 범위를 나타내고 있다.

한눈에 쏙쏙 독도에 대한 역사적 자료

자료	내용
「세종실록지리지」	우산(지금의 독도)과 무릉(지금의 울릉도)의 거리가 멀지 않아 날씨가 맑으면 서로 바라볼 수 있다고 기록되어 있음.
「팔도총도」	우리나라 옛 지도 중 독도가 표기된 가장 오래된 지도
「삼국접양지도」	일본의 지리학자가 독도를 조선과 같은 노란색으로 칠하고 독도의 왼편에 '조선의 것'이라고 기록함.
「태정관 지령」	일본의 최고 행정 기관인 태정관이 울릉도와 독도는 일본과 관계가 없다는 것을 명심하라는 지시를 내림.
「대한 제국 칙령」 제 41호 제2조	석도(지금의 독도)가 울릉군의 관할임을 명확히 하였고, 제국의 독도 영유권을 국내외에 알림.
「연합국 최고 사령관 각서」 제677호	울릉도와 독도, 제주도를 일본의 영역에서 제외하고 우리나라의 영토 구획선 내에 포함했음.

4 안용복은 조선 숙종 때 동래에 살던 어부였다. 안용복은 일본에 가서 울릉도와 독도가 우리 영토임을 주장하고 확인했다.

5 반크는 사이버 외교 사절단이다. 반크는 1999년 1월 인터넷상에서 전세계 외국인에게 한국을 알리기 위해 설립되었다.

6 우리나라 정부뿐만 아니라 개인과 민간단체도 독도를 지키기 위해 다양한 노력을 하고 있다.
(1) 최종덕 씨는 최초의 독도 주민으로, 독도에 처음으로 주민 등록을 옮기고 거주했다.
(2) 반크는 사이버 외교 사절단으로 외국에 독도가 대한민국의 영토임을 알리고, 우리나라와 관련된 잘못된 정보를 찾아 수정을 요구하는 활동을 하고 있다.

7 가스 하이드레이트는 '불타는 얼음'이라고 불리고 이산화 탄소 발생량이 적은 청정에너지이다. 가스 하이드레이트는 독도 인근 바닷속에 매장되어 있고, 향후 개발이 된다면 경제적 가치가 기대된다.

8 독도는 화산 폭발로 생긴 화산섬이다. 독도 전체가 천연기념물 제336호로 지정될 만큼 경관이 뛰어날 뿐만 아니라 다양한 동식물이 서식하는 생태계의 보고이기도 하다. 또한 해양 심층수가 흐르고, 가스 하이드레이트가 매장되어 있어 경제적 가치도 높다.

오답 확인
② 독도는 동도와 서도 2개의 큰 섬과 크고 작은 바위섬으로 이루어져 있다.
③ 독도 전체가 천연기념물 제336호로 지정되어 있다.

④ 독도는 다양한 동식물이 서식하기 때문에 생태계의 보고라고 한다.
⑤ 독도 주변 깊은 바닷속에는 해양 심층수가 흐르고, 가스 하이드레이트가 매장되어 있다.

9 독도는 다양한 동식물이 서식하는 생태계의 보고이다. 도화새우, 괭이갈매기, 가스 하이드레이트는 독도와 관련있는 내용이다.

오답 확인

㉢ 맹그로브는 아열대나 열대의 해변이나 하구의 습지에서 자라는 나무이다.

10 우리나라는 현재 휴전 상태로 언제 다시 전쟁이 일어날지 모르기 때문에 많은 사람들이 전쟁에 대한 두려움을 가지고 있다.

11 분단으로 생겨난 이산가족은 가족과 흩어져 소식도 모르고 만나기도 어려운 아픔을 겪고 있다.

12 남북 분단 상황이 길어지면서 남한과 북한 사람들에게 많은 어려움을 주고 있다. 남한과 북한은 점차 사용하는 언어와 생활 모습이 바뀌면서 언어·문화적 차이도 커지고 있다.

13 남과 북은 평화 통일을 위해 정치, 경제, 사회·문화 등 다양한 분야에서 정부와 민간단체가 교류와 협력을 위해 노력하고 있다.

오답 확인

① 남과 북은 평화 통일을 위해 노력하고 있다.
② 남북 교류는 1970년대부터 나타났다.
③ 정부와 민간단체를 중심으로 교류해 왔다.
④ 남북 경제 협력의 상징은 개성 공단이다.

14 남과 북은 평화 통일을 위해 정치적, 경제적, 사회·문화적 분야에서 다양한 노력을 해 왔다.
㉠, ㉣ 남북통일을 위한 경제적 노력으로 개성 공단과 경의선·동해선 연결 및 현대화 착공식 등을 들 수 있다.

오답 확인

㉡ 남북 예술단 합동 공연은 남북통일을 위한 사회·문화적 노력이다.
㉢ 남북 기본 합의서 채택은 남북통일을 위한 정치적 노력이다.

15 1970년대부터 나타나기 시작한 남북 교류의 움직임은 1990년대에 활기를 띠었다. 정부와 민간단체를 중심으로 정치, 경제, 사회·문화 등 다양한 분야에서 교류와 협력을 하고 있다.
㉠ 남북 기본 합의서 채택과 남북 정상 회담은 정치적 노력이다.
㉡ 남북 이산가족 상봉, 남북 예술단 합동 공연 등은 사회·문화적 노력이다.

한눈에 쏙쏙 평화 통일을 위한 남북의 노력

정치적 노력	• 남북 기본 합의서 채택 • 남북 정상 회담 개최
경제적 노력	• 개성 공단 가동 • 경의선·동해선 연결 및 현대화 착공식
사회·문화적 노력	• 남북 이산가족 상봉 • 남북 예술단 합동 공연 • 평창 동계 올림픽 남북한 선수단 공동 입장

16 통일된 한국은 세계 평화의 상징일 뿐만 아니라 사람들의 생활 모습도 다양하게 변화시킬 것이다.
⑤ 남한의 기술과 북한의 풍부한 자원을 효율적으로 활용하여 경제적 효과를 얻을 수 있다.

17 독도는 지리적 특성으로 다양한 가치를 가지고 있다. 제시된 지도는 독도 주변 해류도이다. 독도 주변에는 난류와 한류가 만나 다양한 물고기가 서식하는 황금어장을 이루고 있다.

[채점 기준] '독도 주변에 난류와 한류가 만난다.'는 것을 포함하여 바르게 썼다.

18 남북한이 평화통일을 이루기 위해서 다양한 방식의 교류와 협력을 이어가고 확대하여 서로의 신뢰를 쌓아야 한다.

[채점 기준] '남북한이 평화 통일을 위해 다양한 분야에서 교류하고 있다.'는 내용을 포함하여 바르게 썼다.

② 지구촌의 평화와 발전

확인 톡! 톡!

99쪽 1 내전 2 난민 3 ×

101쪽 1 아부무사섬 2 종교 3 ×

103쪽 1 × 2 난민 3 연결

105쪽 1 ○ 2 모두 3 평화

107쪽 1 조디 윌리엄스 2 × 3 국경 없는 의사회

109쪽 1 ○ 2 국제기구 3 유네스코

111쪽 1 ○ 2 평화 3 국제기구

113~115쪽

1 ㉠: 갈등 ㉡: 난민 2 ③ 3 아부무사섬 4 ④ 5 ㉠ 원인(이유), ㉡ 문제(문제점) 6 ③ 7 ㉢, ㉣ 8 ⑤ 9 (1)－㉠ (2)－㉣ (3)－㉢ (4)－㉡ 10 비정부 기구 11 ② 12 국경 없는 의사회 13 국제 원자력 기구(IAEA) 14 (1)－㉡ (2)－㉢ (3)－㉠ 15 한국 국제 협력단(KOICA) 16 ⑤ 17 예 지구촌 갈등이 일어나는 원인은 다양하고 복합적으로 얽혀 있어서 쉽게 해결하기 어렵다. 18 예 비정부 기구이다. 국가가 아닌 민간단체 중심으로 지구촌의 평화와 발전을 위해 자발적으로 만들어졌다. 환경, 인권, 빈곤 퇴치 등 다양한 분야에서 활동한다.

1 지구촌 갈등이 심해지면 전쟁이 일어나 먹을 것과 물이 부족해 어려움을 겪는 등 많은 사람들의 일상생활에 큰 영향을 미친다. 전쟁이나 재해 등으로 자기 나라를 떠나 돌아갈 수 없는 사람을 난민이라고 부른다.

2 지구촌 곳곳의 갈등 사례를 조사할 때는 인터넷 검색, 전문가 면담, 뉴스와 같은 방송 자료 수집, 신문 기사 검색 등의 방법이 있다.
③ 백지도는 지구촌 곳곳의 갈등 사례를 표시할 때 필요하다.

3 아부무사섬은 이란과 아랍 에미리트 사이에 있는 섬이다. 이곳의 지리적·경제적 가치가 커 이란이 점령한 후에도 두 나라 간의 갈등이 계속되고 있다.

4 '중동의 화약고'라고 불리는 지구촌 갈등은 이스라엘－팔레스타인 분쟁이다. 이스라엘과 팔레스타인의 분쟁은 영토, 종교 등 복합적인 원인으로 일어났다.

5 지구촌 갈등은 다양한 원인으로 발생한다. 또한 서로의 갈등이 심화되고 많은 사상자와 피해가 발생하는 등 문제점이 있다.

6 지구촌 곳곳에서 다양한 이유로 갈등이 발생하고 있다. 지구촌 갈등은 서로 영향을 미치며 이러한 문제를 해결하려면 세계 여러 나라가 다 함께 협력해야 한다.
③ 지구촌 갈등은 다양한 이유가 복합적으로 얽혀 있어서 합의하고 해결하는 것이 매우 어렵다.

7 세계 곳곳에서 다양한 원인으로 갈등을 겪고 있다. 이러한 갈등은 여러 나라에 영향을 미치기 때문에 이 문제를 해결하려면 세계 여러 나라가 다 함께 협력해야 한다. 카슈미르 분쟁과 북아일랜드 갈등은 지구촌 갈등의 사례이다.

오답 확인

㉠ 파리 협정은 지구촌 환경 문제 해결을 위한 국제 협약이다.

㉡ 녹색 소비는 친환경 소비를 말한다.

8 지구촌 갈등을 해결하기 위해 먼저 지구촌 문제에 관심을 갖고 정보를 찾아보는 방법이 있다.
⑤ 자국의 문제에만 관심을 갖는 것은 지구촌 갈등을 유발하는 원인이 되기도 한다.

9 마틴 루서 킹, 14대 달라이 라마, 조디 윌리엄스, 말랄라 유사프자이는 지구촌 평화를 위해 다양한 분야에서 기여한 인물들로, 노벨 평화상을 수상했다.

10 비정부 기구란 지구촌 평화와 발전을 위해 민간단체가 중심이 되어 자발적으로 만든 조직으로, 국경 없는 의사회, 해비타트, 그린피스 등이 있다.

11 비정부 기구는 국가가 아닌 민간단체가 자발적으로 만든 조직이다. 유네스코는 대표적인 국제기구인 국제 연합의 관련 기구로 교육, 과학, 문화 분야 등에서 다양하게 국제 교류를 하며 국제 평화를 추구한다.

한눈에 쏙쏙 비정부 기구

그린피스	평화적 방법으로 해양 오염, 서식지 파괴 등 환경 파괴의 위험성을 알림.
국경 없는 의사회	전쟁, 재해 등 의료 지원이 필요한 곳에서 의료 활동을 벌임.
국제 앰네스티	국가에서 억압받는 사람들을 구제하고 인권 옹호 활동을 함.
세이브 더 칠드런	아동의 권리 및 생존과 보호를 돕고 열악한 환경에 처한 산모와 신생아를 지원함.
해비타트	전쟁, 재해 등으로 삶의 터전을 잃어버린 사람들에게 집을 지어 줌.
핵무기 폐기 국제 운동	전 세계 핵무기 폐기를 위해 노력함.

12 비정부 기구는 지구촌 평화와 발전을 위해 민간단체가 중심이 되어 자발적으로 만든 조직이다. 환경, 인권, 빈곤 퇴치, 양성평등 등 특정 분야에 관심 있는 사람들이 스스로 모여 지구촌 갈등을 해결하기 위해 자발적으로 활동하고 있다.

13 국제 연합에는 국제적 문제를 해결하기 위해 다양한 기구가 관련되어 있다. 국제 원자력 기구(IAEA)는 그 중 하나로 원자력 에너지를 평화적이고 안전한 방법으로 이용할 수 있도록 노력한다.

14 세계 보건 기구(WHO), 유엔 난민 기구 (UNHCR), 유니세프(UNICEF) 등 국제 연합의 다양한 기구들은 국제적 문제 해결을 위해 노력하고 있다.

15 한국 국제 협력단(KOICA)은 우리나라가 지구촌 갈등을 해결하기 위해 1991년에 설립한 기구이다. 봉사 활동을 통해 도움이 필요한 지역이나 나라의 경제·사회 발전을 돕고 있다.

16 지구촌 갈등은 개인과 단체의 노력뿐만 아니라 정부와 세계 여러 나라의 힘을 모아야 해결할 수 있다. 우리나라는 한국 국제 협력단의 봉사 활동, 외교 활동, 평화 유지군 활동 등을 통해 지구촌 평화와 발전을 위해 노력한다.

17 지구촌 갈등이 일어나는 원인은 자원, 종교, 언어, 인종, 민족, 역사, 정치 등 다양하다. 또한 다양한 원인이 복합적으로 얽혀 있어 쉽게 해결하기 어렵다.

[채점 기준] '지구촌 갈등이 일어나는 원인이 다양하다.'는 점을 포함하여 바르게 썼다.

18 국제 앰네스티와 같은 비정부 기구는 국가가 아닌 민간단체를 중심으로 만들어진 조직이다. 비정부 기구는 지구촌의 평화와 발전을 위해 자발적으로 환경, 인권, 빈곤 퇴치 등 다양한 분야에서 활동한다.

[채점 기준] '국가가 아닌 민간단체 중심으로 지구촌의 평화와 발전을 위해 자발적으로 만들어졌다.' 등 비정부 기구의 특징을 포함하여 바르게 썼다.

❸ 지속 가능한 지구촌

119쪽 1 ○ 2 대기 오염 3 지속 가능한 미래
121쪽 1 사막화 현상 2 열대 우림 3 ×
123쪽 1 × 2 기업 3 국제 협약
125쪽 1 친환경 플라스틱 2 녹색 소비자 3 ×
127쪽 1 빈곤 2 ○ 3 농업 기술
129쪽 1 다양한 2 문화적 편견 3 ○
131쪽 1 지속 가능 발전 목표 2 세계 시민 3 ×

133~135쪽

1 대기 오염 2 ㉠: 지구촌 ㉡: 지속 가능한 미래 3 ⑤ 4 온실가스 5 ② 6 기업 7 ③ 8 (1)-㉠ (2)-㉡ 9 ㉠, ㉡ 10 ③ 11 녹색 소비 12 ② 13 ㉠, ㉡ 14 ③ 15 (1) ㉣ (2) ㉡ 16 차별 17 예 기업은 친환경 제품을 사려는 소비자의 요구에 맞추어 친환경 제품을 생산한다. 18 예 문화 다양성을 존중하는 교육 활동에 참여한다. 서로의 문화를 존중하고 공감하는 캠페인을 벌인다. 다양한 문화를 배우고 체험할 수 있는 행사를 개최한다. 편견과 차별을 해결하기 위한 상담을 지원한다.

1 미세 먼지와 같이 공기 안에 오염 물질이 있는 것을 대기 오염이라고 한다.

2 지구촌에서 발생한 문제는 모든 사람들이 함께 힘을 모아야만 해결할 수 있다. 이처럼 사람들이 지속 가능한 미래를 위해 현재뿐만 아니라 미래 세대의 발전을 위해 책임감 있게 행동해야 한다.

3 오늘날 환경 문제는 어느 한 지역의 문제가 아니라 전 세계의 문제가 되고 있다.
⑤ 사막화는 기후 변화나 인간 활동으로 기존의 사막이 확대되는 현상이다. 사막화 현상으로 생명이 살 수 없는 땅이 늘어나고 있다.

4 온실가스는 지구 온난화를 일으키는 원인으로 기후 변화에 큰 영향을 미치고 있어서 사용을 줄여야 한다. 온실가스의 양을 줄이는 등 국제 협약의 목표를 실천하기 위해 노력하고 있다.

5 지구촌 환경 문제를 해결하고자 개인, 기업, 정부, 세계 각 나라에서 다양한 노력을 하고 있다.
㉠은 개인이 할 수 있는 일, ㉡은 정부에서 환경 보호를 위해 하는 일이다.

6 지구촌 환경 문제를 해결하기 위해 개인, 기업, 정부, 세계에서는 다양한 노력을 하고 있다. 기업은 친환경 제품이나 소재를 개발해 판매하고, 환경 오염 물질을 줄여 사회적 책임을 실천할 수 있다.

7 개인은 환경 문제를 해결하기 위해 일회용품 줄이기, 환경 캠페인 참여, 친환경 제품 사용 등의 노력을 할 수 있다.

한눈에 쏙쏙 **환경 문제 해결을 위한 노력**

개인	• 일회용품 줄이기 • 친환경 제품 사용하기 • 환경 캠페인 참여하기
기업	• 친환경 소재 개발하기 • 환경 오염 물질 줄이기
정부	• 정책과 법령 마련하기
세계 여러 나라	• 국제 협약 체결하기

8 국제기구나 비정부 기구도 지구촌 사람들이 환경 문제를 바르게 알고 문제 해결에 적극적으로 참여할 수 있도록 다양한 활동을 하고 있다. 지구촌 환경 보호를 위해 세계 자연 기금과 그린피스가 활동하고 있다.

9 지구촌 환경 문제 해결을 위해 물을 아껴 쓰고 철저하게 쓰레기 분리배출을 하는 등 다양한 실천 규칙을 세우고 실천할 수 있다.

10 지구촌 환경 문제를 해결하기 위해 개인, 기업, 정부, 세계뿐만 아니라 국제기구와 비정부 기구까지 다양한 곳에서 노력하고 있다.

오답 확인

① 지구촌 환경 문제는 개인, 기업, 정부뿐만 아니라 세계 여러 나라가 함께 노력해서 해결해야 한다.
② 세계 여러 나라는 환경 문제에 공동 대응해야 한다.
④ 비정부 기구는 지구촌 환경 문제 해결을 위해 노력하고 있다.
⑤ 정부는 지속 가능한 미래를 위한 정책을 마련한다.

11 지속 가능한 미래를 위해 환경을 보호하는 실천뿐만 아니라 환경을 생각하는 생산과 소비가 필요하다. 녹색 소비는 친환경 소비를 의미하며, 이를 실천하는 사람을 녹색 소비자라고 한다.

12 제시한 사진은 친환경 플라스틱으로 만든 제품을 찍은 것이다. 친환경 플라스틱은 지구촌 환경을 훼손하지 않고 자연에서 분해될 수 있는 플라스틱이다.

13 빈곤과 기아는 가난하여 먹을 것이 없어 굶주리는 상태를 말한다. 가뭄, 태풍 등의 자연재해로 식량 생산이 어렵거나, 전쟁 등의 이유로 땅이 황폐화된 지역에서 심각하게 발생한다.

오답 확인

㉢, ㉣ 빈곤과 기아가 발생하여 생긴 피해와 문제점이 나타난 사례이다. 빈곤과 기아가 발생하면 식량 부족으로 사람들이 어려운 삶을 살아야 하고 굶주림으로 영양 결핍을 겪거나 심하면 사망하기도 한다.

14 빈곤과 기아 문제를 해결하기 위해 지구촌 사람들이 다양한 노력을 하고 있다.
③ 친환경 제품을 사용하는 것은 환경 보호와 관련 있는 방안이다.

15 지속 가능한 미래를 위해 우리는 세계 시민으로서 지속 가능 발전 목표를 실천하고자 노력해야 한다.

16 문화는 그 지역의 환경에 알맞게 만들어진 것이기 때문에 좋고 나쁨을 따질 수 없다. 문화적 편견과 차별을 극복하고 다른 문화를 가진 사람을 나와 같은 지구촌 공동체의 한 사람으로 생각하며 서로 존중하고 공감하는 태도를 지녀야 한다.

17 친환경 제품에는 친환경 플라스틱, 저탄소 인증, 동물 복지 축산물 인증 등의 방법이 있다. 이러한 제품을 사용함으로 지속 가능한 미래로 발전할 수 있다.

[채점 기준] '기업은 친환경 제품을 사려는 소비자의 요구에 맞추어 제품을 생산한다.'는 내용을 포함하여 바르게 썼다.

18 문화적 편견과 차별이 없는 미래를 만들기 위해서는 다른 문화를 가진 사람을 나와 같은 지구촌 공동체의 한 사람으로 생각하며 서로 존중하고 공감하는 태도를 가져야 한다.

[채점 기준] '문화적 편견과 차별'을 극복할 수 있는 방안을 포함하여 내용을 바르게 썼다.

쪽지 시험 140쪽

1 ○ 2 반크 3 가스 하이드레이트 4 × 5 ○ 6 × 7 비정부 기구 8 ○ 9 지속 가능한 미래 10 친환경 11 ○ 12 문화

단원 톡톡 문제 141~143쪽

1 ⑤ 2 ㉠: 해양 심층수 ㉡: 가스 하이드레이트 3 영토 4 ① 5 통일 6 ② 7 ㉢, ㉣ 8 ③ 9 ⑤ 10 ③ 11 ② 12 평화 유지군 13 (1)–㉡ (2)–㉢ (3)–㉠ 14 ㉡, ㉣ 15 정부 16 ① 17 친환경 플라스틱 18 ② 19 ③ 20 문화적 차별

1 역사적 자료를 살펴보면 독도는 과거부터 우리나라의 소중한 영토라는 것을 알 수 있다. 일본의 잘못된 주장으로부터 독도를 지키기 위해 정부 및 개인과 민간단체에서는 다양한 노력을 하고 있다.

오답 확인

① 우리나라 최초의 독도 주민은 최종덕 씨이다.

② 독도는 우리나라 동쪽 끝에 위치한 섬으로, 경상북도 울릉군에 속한다.

③ 독도가 표기된 가장 오래된 지도는 『신증동국여지승람』에 실린 「팔도총도」이다.

④ 태정관은 당시 일본 최고 행정 기관이며, 「태정관 지령」은 일본이 울릉도, 독도와 관련 없음을 인정한 역사적 자료다.

2 독도는 뛰어난 자연과 함께 다양한 동식물이 서식하는 생태계의 보고이다. 그뿐만 아니라 해양 심층수, 가스 하이드레이트 등 경제적 가치가 높은 자원이 주변 바다에 매장되어 있다.

3 우리 정부는 독도와 관련한 법령을 시행하여 독도에 대한 영토 주권을 행사하고 있다.

한눈에 쏙쏙 독도의 경제적 가치

독도 주변 바다	독도 주변의 바다는 난류와 한류가 만나 황금 어장이 형성됨.
해양 심층수	수심 200m 이하의 바다에서 흐르며, 다양한 제품의 원료로 활용됨.
가스 하이드레이트	천연가스와 물이 결합한 고체 상태의 물질로 '불타는 얼음'이라고 불리기도 함. 이산화 탄소의 발생량이 적은 청정에너지

4 남북 분단 상황이 길어지면서 이산가족의 아픔과 전쟁에 대한 두려움, 경제적 손실, 남북 간 언어와 문화 차이 등 많은 문제가 생기고 있다. 이를 해결하기 위해 남북통일이 필요하다.

① 정치적 긴장감을 유지하는 것이 아니라 해소하기 위해 남북통일이 필요하다.

5 남과 북은 평화 통일을 위해 다양한 노력을 해 왔다.

6 남과 북은 1970년대부터 교류하기 시작하여 1990년대에 활기를 띠었다. 정부와 민간단체를 중심으로 정치, 경제, 사회·문화 분야에서 평화 통일을 위해 다양한 노력을 펼치고 있다.

② 정부 중심의 정치 분야에만 한정되는 것이 아니라 정부와 민간단체를 중심으로 정치, 경제, 사회·문화 등 다양한 분야에서 교류하고 협력해 왔다.

7 남과 북의 평화 통일은 지구촌 평화에 기여하는 것이 크다. 통일 한국의 모습을 상상하며 신문과 포스터, 가상 인물과의 면담 등으로 표현할 수 있다.

오답 확인

㉠ 남북 분단으로 인해 이산가족의 아픔, 전쟁에 대한 두려움, 경제적 손실, 언어·문화적 차이가 발생함으로 남북이 통일되어야 한다.

㉡ 일본 여행은 남북통일과 관련이 적다.

8 지구촌 갈등은 세계 곳곳에서 일어나며, 다양한 원인이 복합적으로 얽혀 있어서 지구촌 모든 사람들이 노력해야 해결할 수 있다. 또한 그 지역뿐만 아니라 세계 여러 나라에 많은 영향을 미친다.

9 지구촌 갈등 해결을 위해 지구촌 문제에 관심을 갖고, 홍보 동영상을 만들어 공유하거나, 모금 활동에 참여하거나, 캠페인 활동을 벌일 수 있다.

⑤ 친환경 제품을 사용하는 것은 지구촌 환경 문제를 해결하는 방안에 해당한다.

10 마틴 루서 킹은 미국의 인권 운동가이자 목사로, 흑인 차별에 맞서 '버스 안 타기 운동'을 이끌었다. 평화적인 방법을 통해 불평등한 제도를 개선하기 위해 노력하여 1946년 노벨 평화상을 수상했다.

11 비정부 기구는 지구촌 평화와 발전을 위해 민간단체 중심으로 사람들이 자발적으로 만든 조직이다. 환경, 인권, 빈곤 퇴치 등 다양한 분야에서 활동하며 대표적인 기구로 국제 앰네스티, 국경 없는 의사회 등이 있다. 실제로 세계 평화에 기여한 바가 크기 때문에 노벨 평화상을 수상한 단체가 있다.

② 유니세프는 국제 연합과 관련된 기구이다.

12 평화 유지군은 국제 연합의 연합군 부대로 주요 분쟁 지역이나 재난 지역에 파병된다. 우리나라 국군 역시 분쟁 지역에 평화 유지군으로 파병하여 지구촌 갈등을

해결하고 피해를 복구하기 위해 노력하고 있다.

13 국제 연합의 다양한 기구들은 국제적 문제 해결을 위해 노력하고 있다.
(1) 국제 원자력 기구(IAEA), (2) 국제 노동 기구(ILO), (3) 유네스코(UNESCO)이다.

14 지구촌 환경 문제는 어느 한 지역의 문제가 아니라 전 세계의 문제가 되고 있다. 각 지역의 바다에서 버린 쓰레기 때문에 태평양에 쓰레기 섬이 만들어지고, 한 국가의 공장 지대에서 유출된 오염 물질이 지구촌 대기를 오염시키고 있다.

오답 확인
㉠ 무분별한 개발로 아마존의 열대 우림이 파괴되어 지구의 산소가 부족해지고 있다.
㉢ 산호초 백화 현상은 기후 변화로 바닷물의 온도가 급격하게 바뀌면서 산호초가 죽는 현상이다.

15 지구촌 환경 문제를 위해 개인, 기업, 정부, 세계 각 나라가 다양한 노력을 펼치고 있다. 정부는 정책과 법령을 마련하고 기업과 국민이 실천하도록 돕는다.

16 지구촌 환경 문제를 해결하기 위해 일상생활에서 실천 규칙을 정하고 지키는 것은 중요하다.
① 일회용 건전지보다는 충전이 되는 건전지를 사용하고, 다 쓰면 충전해서 쓴다.

17 환경을 생각하는 생산과 소비 활동을 통해 지속 가능한 미래를 만들 수 있다. 친환경 플라스틱은 지구촌 환경을 훼손하지 않고 자연에서 100% 분해될 수 있는 플라스틱이다.

18 지속 가능한 미래를 위해서는 환경을 보호하기 위한 노력을 실천하는 것뿐만 아니라 환경을 생각하는 생산과 소비가 필요하다.

19 빈곤과 기아는 지역 사람들의 노력만으로는 해결할 수 없으며, 우리 모두가 함께 해결해야 하는 지구촌 문제로 서로 협력하는 자세가 필요하다.

20 문화는 그 지역의 환경에 알맞게 만들어진 것이기 때문에 좋고 나쁨을 따질 수 없다. 문화에 대해 좋고 나쁨을 가지는 것을 문화적 편견이라고 하며, 문화적 편견을 갖는 것은 문화적 차별이다.

144쪽

1 ㉠: 예 독도가 표기된 가장 오래된 우리나라 지도이다. 울릉도의 서쪽에 우산도라고 독도를 표현했다. ㉡: 예 독도는 조선의 것이라고 일본 지리학자가 기록했다. 독도를 조선과 같은 노란색으로 표현했다. **2** 예 옛 기록과 지도에는 독도가 우리나라의 영토라는 사실이 나타나 있다. 독도는 역사적으로 우리나라의 영토였다. **3** 예 지구촌 평화와 발전을 위해 노력하는 단체이다. 지구촌 갈등을 해결하기 위해 만들어졌다. **4** (1) 비정부 기구 (2) 예 민간단체 중심의 자발적인 조직이다. **5** 예 친환경 제품이다. 기업이 환경을 지키면서 동시에 소비자의 필요를 만족시키고자 생산한 제품이다. **6** 예 친환경 제품을 사용한다. 제품을 구매하고 사용 후 버릴 때까지 사회와 환경에 미치는 영향까지 생각한다.

---

1 ㉠은 『신증동국여지승람』에 실린 「팔도총도」, ㉡은 일본 지리학자가 그린 「삼국접양지도」이다.

[채점 기준] '「팔도총도」와 「삼국접양지도」의 특징'을 포함하여 바르게 썼다.

2 독도에 대한 역사적 자료를 살펴보면 독도가 우리나라의 영토임을 알 수 있다.

[채점 기준] '역사적으로 독도는 우리나라의 영토이다.'라는 내용을 포함하여 바르게 썼다.

3 ㉠은 비정부 기구, ㉡은 국제기구이다.

[채점 기준] '지구촌 평화와 발전을 위해 노력한다.'라는 내용을 포함하여 바르게 썼다.

4 비정부 기구는 국가가 아닌 민간단체를 중심으로 다양한 분야에 관심을 갖는 사람들이 스스로 모여서 만들고 활동하는 단체이다.

[채점 기준] '민간단체 중심의 자발적인 조직이다.' 등 비정부 기구의 특징을 포함하여 바르게 썼다.

5 환경을 생각하는 소비 활동은 기업의 생산 활동에도 많은 변화를 준다. 환경을 지키면서 동시에 소비자 필요를 만족시키는 제품을 친환경 제품이라고 한다.

[채점 기준] '친환경 제품의 수요와 생산' 등의 내용을 포함해 바르게 썼다.

6 지속 가능한 미래를 위해서는 환경을 보호하기 위한 노력을 실천하는 것뿐만 아니라 환경을 생각하는 생산과 소비가 필요하다.

[채점 기준] '녹색 소비를 실천하는 방법'을 포함해 바르게 썼다.

문제 톡톡 답지

1. 세계 여러 나라의 자연과 문화

2~3쪽

❶ 세계 지도 ❷ 지구본 ❸ 본초 자오선 ❹ 남아메리카 ❺ 바티칸 시국 ❻ 기후 ❼ 열대 기후 지역 ❽ 냉대 기후 지역 ❾ 중국 ❿ 러시아 ⓫ 협력 ⓬ 미국 ⓭ 칠레 ⓮ 인문환경

가로 톡 세로 톡 퍼즐

4쪽

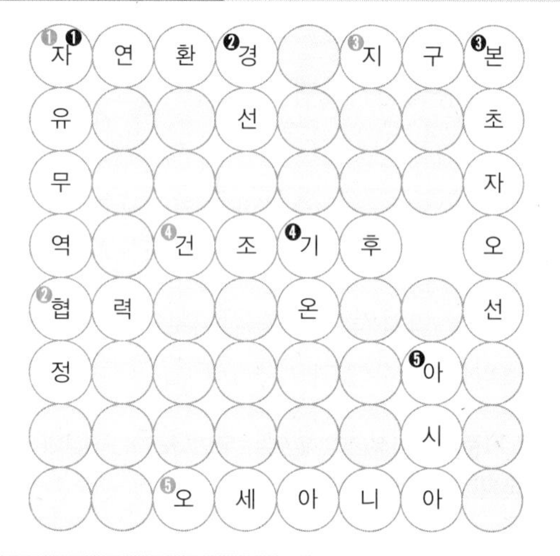

탐구 팡팡 수행 평가

5쪽

1 예 ㉠, ㉢ / 건조 기후 2 예 ㉠: 진흙 ㉡: 햇빛 ㉢: 유목 ㉣: 고상 3 예 나라마다 서로 다른 모습을 이해하고 존중하는 태도를 가져야 한다.

1 같은 기후에서 나타나는 주생활은 ㉠의 진흙집과 ㉢의 게르이다. 둘 다 건조 기후에서 나타나는데 진흙집은 사막에서, 게르는 초원에서 볼 수 있다. 건조 기후 지역은 증발량이 강수량보다 많다는 특징이 있다.

2 ㉠은 모로코의 진흙집이다. 사막에서는 구하기 쉬운 진흙으로 집을 지었으며, 벽이 두껍고 창문이 작은 집을 지었다.
㉡은 그리스의 흰색으로 칠해진 집이다. 이 지역은 햇빛이 매우 강하기 때문에 햇빛을 반사해 집 내부를 시원하게 유지하기 위하여 벽을 하얗게 칠한다.
㉢은 몽골의 게르이다. 게르는 분해와 조립이 쉬워서 유목 생활에 적합하다. 몽골은 겨울이 길어서 농사짓기에 적합하지 않은 자연환경이다.
㉣은 파푸아뉴기니의 고상 가옥이다. 열대 기후 지역에서는 땅에서 올라오는 열기와 습기를 피하기 위하여 가옥의 바닥과 땅이 떨어지게 고상 가옥을 지었다.

3 세계 여러 나라의 생활 모습은 환경에 따라 다양하며 고유한 가치를 가지고 있다. 따라서 세계 여러 나라의 다양한 의식주 생활 모습을 대할 때는 서로 다른 모습을 이해하고 존중하는 태도를 가져야 한다.

[채점 기준] '다양한 생활 모습을 존중해야 한다.', '서로 다른 모습을 이해하고 고유한 가치를 존중해야 한다.' 등의 내용을 포함해 바르게 썼다.

단원 팡팡 문제 1회

6~9쪽

1 ㉠: 세계 지도, ㉡: 지구본 2 ⑤ 3 ② 4 아프리카 5 유럽 6 ③ 7 ① 8 (1)-㉢ (2)-㉡ (3)-㉠ 9 ㉢, ㉣ 10 ② 11 ① 12 ② 13 예 일 년 내내 기온이 매우 낮고 춥다. 사람들은 순록을 키우며 유목 생활을 한다. 14 (1)-㉢ (2)-㉠ (3)-㉡ 15 예 냉대 기후 지역은 침엽수림이 널리 분포해 나무를 이용하여 목재와 펄프를 많이 생산하는 산업이 발달했다. 16 ㉡ 17 예 터번을 쓰는 이유는 건조 기후 지역에 내리쬐는 강렬한 햇볕과 땅에서 올라오는 뜨거운 열기로부터 머리를 보호하기 위해서이다. 18 ④ 19 ① 20 ④ 21 ③ 22 (1)-㉡ (2)-㉠ (3)-㉢ 23 경제 24 ① 25 베트남

1 세계 지도와 지구본에 관한 설명이다. ㉠은 세계 지도로, 둥근 지구를 평면으로 나타낸 것이다. ㉡은 지구본으로 지구의 모습을 작게 줄여 입체로 둥글게 만든 모형이다.

2 위도와 경도, 위선과 경선에 관한 문제이다. 위도는 각각 90°로 나누어 적도 북쪽을 북위, 적도 남쪽을 남위라고 한다. 또한 경도는 각각 180°로 나누어서 본초 자오선의 동쪽을 동경, 서쪽을 서경이라고 한다.

3 우리가 사는 지구는 육지와 바다로 이루어져 있다. 그중에서 육지의 면적은 약 30%이고, 바다의 면적은 약 70%이다. 바다의 면적은 육지 면적의 약 2배에 해당한다.

4 아프리카는 아시아 다음으로 큰 대륙이며, 북반구와 남반구에 걸쳐 있다. 아프리카는 유럽 대륙의 남쪽에 위치해 있다.

5 세계의 6대륙 중에서 유럽은 아시아 대륙의 서쪽에 위치하며, 독일, 프랑스, 이탈리아, 스위스 등 많은 나라가 위치해 있다.

6 이탈리아가 속해 있는 대륙은 유럽 대륙이다. 대륙 중에서 가장 크기가 작은 대륙은 오세아니아이다.
① 북아메리카는 북반구에 속해 있으며, 북쪽은 북극해와 접해 있다.
② 뉴질랜드가 속해 있는 대륙은 오세아니아이며, 6대륙 중 가장 작다.
④ 우리나라가 속해 있는 대륙은 아시아 대륙이다. 아시아는 대륙 중 가장 크며, 세계 육지 면적의 약 30%를 차지하고 있다.
⑤ 남아메리카는 대부분 남반구에 속해 있으며, 남쪽은 남극해와 접해 있다. 브라질, 칠레, 아르헨티나 등이 남아메리카 대륙에 위치하고 있다.

한눈에 쏙쏙 6대륙과 5대양

대륙	• 바다로 둘러싸인 큰 땅덩어리 • 아시아, 아프리카, 유럽, 오세아니아, 북아메리카, 남아메리카
대양	• 매우 큰 바다 • 태평양, 대서양, 인도양, 북극해, 남극해

7 대양은 큰 바다를 말하는데, 지구의 5대양 중 가장 큰 바다는 태평양이다.

8 (1) 스위스는 유럽 대륙에 속한 나라이다.
(2) 이집트는 아프리카 대륙에 속한 나라이다. 이집트는 아프리카와 아시아 두 대륙 사이에 있다.
(3) 필리핀은 아시아 대륙에 속한 나라이다.

한눈에 쏙쏙 각 대륙에 속한 주요 나라들

아시아	일본, 몽골, 중국, 캄보디아, 인도, 필리핀, 싱가포르, 타이(태국), 아프가니스탄, 베트남, 우즈베키스탄, 이라크, 네팔, 카자흐스탄 등
아프리카	앙골라, 튀니지, 에티오피아, 케냐, 모로코, 나이지리아, 세네갈, 소말리아, 탄자니아, 가나, 가봉, 리비아, 알제리, 이집트, 남아프리카 공화국 등
북아메리카	미국, 캐나다, 멕시코, 과테말라, 도미니카 공화국, 온두라스, 아이티, 자메이카, 코스타리카, 쿠바, 파나마 등
남아메리카	베네수엘라, 볼리비아, 우루과이, 브라질, 에콰도르, 칠레, 콜롬비아, 페루, 아르헨티나, 파라과이 등
유럽	포르투갈, 아이슬란드, 프랑스, 에스파냐, 영국, 체코, 바티칸 시국, 그리스, 독일, 이탈리아, 스위스, 오스트리아, 룩셈부르크, 크로아티아 등
오세아니아	마셜 제도, 오스트레일리아, 나우루, 뉴질랜드, 투발루, 파푸아뉴기니, 팔라우, 피지 등

9 우리나라의 영토 면적은 22만 km^2이다. 라오스는 아시아 대륙의 국가로 영토 면적이 24만 km^2이다. 가이아나는 남아메리카 대륙의 국가로 영토 면적이 21만 km^2이다.

오답 확인
㉠ 미국의 영토 면적은 983만 km^2이다.
㉡ 브라질의 영토 면적은 852만 km^2이다.
㉤ 오세아니아 대륙에 위치한 오스트레일리아의 영토 면적은 769만 km^2이다.

10 ㉠과 같은 영토 모양을 가진 나라는 칠레이다. 칠레는 남아메리카 대륙에 위치하며, 칠레의 영토는 남북으로 긴 모양인 것이 특징이다.

11 일 년 내내 기온이 높고 비가 많이 내리며, 건기와 우기가 나타나기도 하는 기후는 열대 기후이다. 열대 기후는 주로 적도 부근에서 나타난다.

오답 확인
② 건조 기후는 강수량보다 증발량이 많은 기후이다. 연 강수량이 500mm가 되지 않는다.
③ 온대 기후는 기온이 온화하며 사계절이 뚜렷한 특징이 나타난다.
④ 냉대 기후는 일 년 내내 기온이 매우 낮고, 평균 기온이 가장 높은 달도 10℃보다 낮다.
⑤ 고산 기후는 해발 고도가 높아 기후 변화가 나타나지 않고 서늘한 날씨가 이어진다.

12 지역 간 기온 차에 가장 큰 영향을 주는 요인은 위도이다. 그런데 고산 기후는 위도의 영향이 아니라 해발 고도 때문에 같은 위도대의 지역보다 서늘한 기후가 나타난다.
① 열대 기후는 주로 적도 부근의 저위도 지역에서 나타난다.
③ 온대 기후는 중위도 지역에서 나타난다.
④ 냉대 기후는 북반구의 중위도와 고위도 지역에 걸쳐 나타난다.
⑤ 한대 기후는 가장 고위도 지역인 북극해 주변과 남극 중심으로 나타난다.

13 사진은 남극 과학 기지이다. 한대 기후가 나타나는 남극 지역에서는 남극의 자연환경을 연구하기 위한 여러 나라의 연구소와 기지들이 있다.
한대 기후는 극지방에서 나타나며 일 년 내내 대부분 눈과 얼음으로 덮여 있을 만큼 기온이 매우 낮은 것이 특징이다. 식물이 자라기 어려운 지역이며, 북극에서는 이누이트 등 소수 민족이 수렵을 하고 순록을 키우며 유목 생활을 한다.

[채점 기준] '일 년 내내 기온이 매우 낮고 춥다.' '순록을 키우며 유목 생활을 한다.' 등의 내용을 포함해 바르게 썼다.

14 (1) 열대 기후에서는 불을 질러 땅을 마련하고 얌, 카사바, 타로감자, 옥수수 등을 재배했다.
(2) 건조 기후에서는 하천이나 오아시스 주변에서 대추야자나 채소를 재배하기도 한다.
(3) 온대 기후 지역의 지중해 주변에서는 올리브와 포도 등을 재배한다.

15 냉대 기후 지역은 겨울이 춥고 길며 기온의 연교차가 크다. 냉대 기후 지역에서는 침엽수림이 널리 분포하여 목재와 펄프를 많이 생산한다.

[채점 기준] '침엽수림이 널리 분포해 나무를 이용하여 목재와 펄프를 많이 생산하는 산업이 발달했다.' 등의 내용을 포함해 바르게 썼다.

16 고산 기후는 높은 산지에서 나타나며 같은 위도대의 해발 고도가 낮은 지역과 비교하면 기온이 현저히 낮다. 저위도의 고산 기후 지역은 일 년 내내 서늘하며 연교차가 작다.
ⓛ 고산 기후 지역은 사람들이 살기 좋은 기후가 나타나 일찍부터 고대 문명이 발달했다.

오답 확인

㉠ 숲을 태워 농사지을 밭을 마련하여 화전 농업을 하는 지역은 열대 기후가 나타난다.
㉢ 계절의 변화가 뚜렷한 지역은 온대 기후 지역이다. 온대 기후 지역은 사계절의 변화가 뚜렷하다.
㉣ 초원에서 가축에게 먹일 풀을 찾아 이동하는 것은 건조 기후 지역에서 나타나는 생활 모습이다.

17 사진은 건조 기후가 나타나는 알제리 사람들의 의생활 모습이다. 이 지역의 사람들은 머리에 얇고 긴 천에 주름을 잡으면서 머리에 터번을 쓴다. 튤립의 어원이 터번에서 비롯되었다고 한다. 이 지역 사람들은 내리쬐는 강렬한 햇볕과 땅에서 올라오는 뜨거운 열기로부터 머리를 보호하기 위하여 터번을 쓴다.

[채점 기준] '건조 기후 지역에서 강렬한 햇볕과 땅에서 올라오는 뜨거운 열기로부터 머리를 보호하기 위해서이다.' 등의 내용을 포함해 바르게 썼다.

18 ㉠에 들어갈 말은 자연환경의 예시로 지형, 기후, 기온, 강수 등을 들 수 있다. 자연환경은 자연 그대로의 환경이다.
ⓛ에 들어갈 말은 인문환경의 예시로 풍습, 전통, 문화, 종교 등을 들 수 있다. 인문환경은 사람들이 만든 모든 환경을 말한다.

한눈에 쏙쏙 자연환경과 인문환경에 영향을 받은 생활 모습

자연환경	• 베트남은 고온 다습하여 1년에 2~3번의 쌀 수확이 가능해 쌀을 이용한 음식이 발달했음. • 파푸아뉴기니에서는 땅에서 올라오는 열기와 습기를 피하기 위해 바닥과 땅이 떨어지게 집을 지음.
인문환경	• 이슬람교를 믿는 튀르키예 사람들은 주로 양고기로 케밥을 만들어 먹음. • 인도에서는 힌두교의 영향으로 소를 신성시하여 소고기를 이용한 음식을 피하고 닭고기를 이용한 음식을 많이 먹음.

19 일본은 우리나라 남동쪽에 위치하며, 네 개의 큰 섬과 수천 개의 작은 섬으로 이루어져 있다. 우리나라와 위도가 비슷하다.

오답 확인

② 중국은 우리나라의 서쪽에 위치하며, 아시아 대륙에 위치한다. 세계에서 인구가 가장 많은 나라이다.
③ 러시아는 우리나라 북쪽에 위치하며, 세계에서 가장 영토가 넓은 나라이다.
④ 필리핀은 동남아시아에 위치하며, 7,500개 이상의 섬으로 구성된 나라이다.
⑤ 싱가포르는 말레이반도의 남쪽 끝에 있는 공화국이다. 싱가포르섬, 크리스마스섬, 코코스 군도 등으로 이루어져 있다.

20 중국의 수도는 베이징이고, 큰 강 유역에는 농업이 발달했다. 중국은 세계에서 가장 인구가 많은 나라로, 14억 4,847만 명이 중국인이다(2022년 통계). 중국은 동부 해안 지역을 따라 주요 항구와 대도시를 중심으로 여러 가지 산업이 발달해 있다.
④ 세계에서 영토가 가장 넓은 나라는 러시아이다.

21 러시아의 ㉠ 동쪽에는 높은 산지와 고원이 있으며, ⓛ 서쪽에는 평원이 나타난다. 러시아는 위도가 높아 대부분 냉대 기후 지역이며, 한대 기후나 건조 기후가 나타나는 곳도 있다.

22 (1) 중국에는 세계에서 가장 긴 성벽인 만리장성이 있다.
(2) 일본은 환태평양 조산대에 속하여 화산이나 지진이 자주 발생하며, 온천으로 유명하다.
(3) 러시아에는 세계에서 가장 깊은 호수인 바이칼호가 있다.

23 우리나라는 이웃 나라와 정치, 경제, 문화 등 다양한 분야에서 교류하고 있다. 정치적으로는 미세 먼지나 감염병과 같은 공동의 문제를 해결하기 위해 회의를 하기도 하고, 경제적으로는 서로 무역을 한다. 문화적으로는 서로의 나라에 관광을 가기도 하고, 교육을 목적

으로 방문하고 유학을 가기도 한다.
제시된 자료는 경제 분야의 교류 모습을 보여준다.

24 ① 제시된 자료를 보면 중국은 우리나라에 반도체와 컴퓨터를 수출하고, 반도체와 석유 제품을 수입한다.
② 우리나라 수출입국 순위를 보면 우리나라 수출국과 수입국은 모두 중국이 1위이다.
③ 우리나라는 러시아에서 원유, 석유 제품을 수입하고, 자동차와 자동차 부품을 수출한다.
④ 우리나라는 러시아보다 일본과 교역량이 더 많다. 수입은 9.8%, 수출은 4.9%이다.
⑤ 제시된 자료를 보면 일본은 우리나라에 반도체 제조용 장비와 반도체를 수출하고, 철강판과 석유 제품을 수입한다.

25 동남아시아의 동부에 위치한 베트남에 대한 설명이다. 베트남은 우리나라의 주요 수출국 중 하나이며, 베트남의 근로자들이 우리나라에 많이 살고 있다. 베트남은 고온 다습한 기후 지역으로 벼농사를 많이 지으며, 쌀국수 등 쌀로 만든 요리가 많다. 국토는 남북으로 길어 남북의 기온 차이가 크며, 수도는 하노이다.

한눈에 쏙쏙 우리나라와 세계 여러 나라의 교류

미국	• 우리나라와 가까운 나라로 정치·경제적으로 긴밀한 관계를 맺고 있음. • 우리나라는 미국에서 밀을 주로 수입하고 있음.
인도네시아	• 우리나라의 대중 음악, 드라마, 공연 등이 인기를 끌고 있음. • 한류 문화의 주요 수출 시장임.
사우디아라비아	• 우리나라의 전체 원유 수입량의 대부분을 수입하고 있음.
칠레	• 우리나라와 최초로 자유 무역 협정(FTA)을 맺음. • 우리나라와 경제적 협력을 강화할 수 있는 방안을 논의함.
프랑스	• 우리나라 사람들은 프랑스 등 유럽의 나라로 여행을 함.

10~13쪽

1 ㉠: 적도 ㉡: 0 **2** ⑤ **3** 대륙 **4** ④ **5** (1)-㉠ (2)-㉢ (3)-㉡ **6** 오세아니아 **7** ② **8** 캐나다 **9** 아시아 **10** ② **11** ② **12** ④ **13** 예 건조 기후 지역은 강수량보다 증발하는 물의 양이 많은 지역이다. 식물이 자라기 어려우며, 하천이나 오아시스 주변에서 대추야자나 채소를 재배하기도 한다. 초원 지역에서는 유목 생활을 한다. **14** 예 유럽과 아메리카에서는 주로 밀을 재배하고, 아시아에서는 주로 벼를 재배한다. **15** 예 나무와 천으로 이루어진 '게르'는 분해와 조립이 쉬워 유목 생활에 유리하기 때문이다. **16** ㉡, ㉣ **17** ④ **18** 예 세계 여러 나라는 자연환경과 인문환경이 서로 다르기 때문에 생활 모습도 다르게 나타난다. **19** ④ **20** ㉡, ㉢ **21** ④ **22** 시베리아 횡단 열차 **23** 예 우리나라와 일본은 지리적으로 가까워 오랜 시간 많은 교류를 했기 때문이다. **24** 미국 **25** 상호 의존

1 위도의 기준과 적도의 위도를 묻는 문제이다.
위도의 기준은 적도이고, 적도의 위도는 0°이다. 경도의 기준은 본초 자오선이고, 본초 자오선의 경도는 0°이다.

2 디지털 영상 지도는 항공기나 인공위성에서 촬영한 사진을 바탕으로 만들어진 지도이다.
⑤ 디지털 영상 지도를 이용하면 자동차, 대중교통, 도보는 물론이고 자전거, 항공편의 경로까지 모두 찾아볼 수 있다.

3 바다로 둘러싸인 큰 땅을 대륙이라고 한다.

4 아시아는 세계에서 가장 큰 대륙으로, 세계 육지 면적의 약 30%를 차지한다.
오답 확인
① 유럽은 아시아 대륙의 서쪽에 있다.
② 세계의 대륙은 6개로 나뉘어 있다.
③ 세계의 대양은 5개로 나뉘어 있다.
⑤ 남아메리카는 대부분 남반구에 속해 있다. 대륙의 면적이 좁고 많은 나라가 속해 있는 것은 유럽 대륙에 대한 설명이다.

5 (1) 아시아는 세계에서 가장 큰 대륙으로 우리나라가 속해 있다. 아시아 대륙은 세계 육지 면적의 30%를 차지한다.
(2) 북아메리카 대륙은 북반구에 있으며 캐나다, 미국 등이 속한다. 북쪽은 북극해와 접해 있다.
(3) 유럽 대륙은 아시아 대륙의 서쪽에 있으며, 대서양과 접한다. 면적은 좁은 편이지만, 그에 비해 많은 나라가 속해 있다.

6 오세아니아 대륙은 지구의 여섯 대륙 중 가장 작으며, 남반구에 위치하고 있다.

7 태평양과 인접해 있는 대륙은 아시아, 남아메리카, 북아메리카, 오세아니아이다.
② 아프리카는 인도양, 대서양과 인접해 있다.

8 북아메리카 대륙에 위치하며 동쪽에 대서양을 접하고, 남쪽에 미국이 있는 나라는 캐나다이다.

9 북위 8°~23°, 동경 103°~109°에 위치한 베트남은 아시아 대륙에 속한 나라이다.

10 세계에서 가장 영토 면적이 넓은 나라는 러시아로, 1,710만 km^2이다. 바티칸 시국은 세계에서 가장 영토 면적이 좁으며, 0.44 km^2이다.

오답 확인

① 미국은 세계에서 영토 면적이 3위로 넓으며, 영토는 983만 km^2이다.
③ 모나코는 영토 면적이 2 km^2이다.
④ 캐나다는 세계에서 영토 면적이 넓은 나라 2위이고, 998만 km^2이다.
⑤ 영토 면적이 가장 넓은 국가는 러시아이고, 영토 면적이 가장 좁은 국가는 바티칸 시국이다.

11 가장 고위도 지역에서 나타나는 기후는 한대 기후이다. 한대 기후는 북극해 주변과 남극 중심으로 분포한다.

오답 확인

① 온대 기후는 중위도 지역에서 나타난다.
③ 열대 기후는 적도 부근 저위도 지역에서 나타난다.
④ 냉대 기후는 북반구 중위도에서 고위도 지역에 걸쳐서 나타난다.
⑤ 건조 기후는 주로 저위도에서 중위도 지역의 강수량보다 증발량이 많은 지역에서 나타난다.

한눈에 쏙쏙 세계의 기후

열대 기후	일 년 내내 기온이 높고 비가 많이 내리며, 건기와 우기가 나타나는 곳도 있음.
건조 기후	일 년 동안의 강수량을 합쳐도 500 mm가 되지 않을 정도로 비가 잘 내리지 않음.
온대 기후	기온이 온화하며 사계절이 비교적 뚜렷함. 계절별 강수량은 지역마다 차이가 있음.
냉대 기후	온대 기후처럼 사계절이 나타나지만, 온대 기후보다 겨울이 더 길고 추움.
한대 기후	일 년 내내 기온이 매우 낮고, 평균 기온이 가장 높은 달도 10℃보다 낮음.
고산 기후	해발 고도가 높아 서늘한 날씨가 이어짐. 월평균 기온이 15℃ 내외로 우리나라의 봄철과 비슷한 날씨가 나타남.

12 사진은 냉대 기후 지역에서 목재를 생산하는 모습과 침엽수림을 찍은 것이다.

오답 확인

① 온대 기후 지역에서는 주로 농업이 발달했다. 유럽과 아메리카에서는 밀농사를 주로 짓고, 아시아에서는 벼농사가 많이 이루어진다. 지중해 주변 지역에서는 올리브와 포도 등을 재배한다.
② 한대 기후 지역은 식물이 자라기 어려운 지역으로, 짧은 여름이 되면 이끼류의 식물이 자라기도 한다.
③ 열대 기후 지역은 비가 많이 내리기 때문에 열대 식물들이 밀림을 이루는 곳이 있다. 또는 우기와 건기가 번갈아 나타나 초원이 넓게 펼쳐진 곳도 있다. 열대 기후 지역에서는 생태 관광 산업이 발달하기도 한다.
⑤ 고산 기후 지역은 서늘한 기후를 이용해 감자, 옥수수와 같은 작물을 주로 재배한다.

13 건조 기후 지역의 기후 특징은 강수량보다 증발량이 많다는 것이다. 건조 기후 지역은 농사짓기가 어렵고, 초원이 발달하기도 한다. 사막 주변의 오아시스 주변에서는 대추야자나 채소를 재배하기도 하며, 초원에서는 유목 생활도 한다.

[채점 기준] '강수량보다 증발량이 많다.', '하천이나 오아시스 주변에서 대추야자나 채소를 재배하기도 한다.', '초원 지역에서는 유목 생활을 하기도 한다.' 등의 내용을 포함해 바르게 썼다.

14 온대 기후 지역은 따뜻하고 사계절이 비교적 뚜렷해 예로부터 사람들이 많이 모여 살았다. 온대 기후 지역에서는 다양한 농업이 발달했다. 특히, 유럽과 아메리카는 주로 밀을 재배한다. 한편, 아시아에서는 벼농사가 많이 이루어져서 주식이 쌀이다.

[채점 기준] '유럽과 아메리카에서는 밀농사를, 아시아에서는 벼농사를 주로 한다.' 등의 내용을 포함해 바르게 썼다.

15 사진은 몽골의 전통 가옥인 '게르'이다. 게르는 나무와 천으로 만든 집으로, 분해와 조립이 쉬워 가축과 함께 이동해야 하는 유목 생활에 유리하다. 몽골 사람들이 사는 게르는 둥글고 납작한 형태이므로, 몽골 초원의 강한 바람에도 잘 견디고, 천은 빨리 건조되어 이동과 조립에도 편리하다.

16 세계 여러 나라의 의식주 생활에 영향을 미치는 것은 지형, 기후와 같은 자연환경도 있고 종교, 풍습과 같은 인문환경도 있다. 그 중 인문환경의 영향으로 나타난

세계 여러 나라의 생활 모습은 ㉡과 ㉣이다.
㉡ 튀르키예 사람들의 대다수가 이슬람교를 믿기 때문에 돼지고기를 먹지 않는다. 그래서 주로 양고기를 이용한 케밥을 만들어 먹는다.
㉣ 인도는 종교의 영향으로 소고기를 피한다. 인도 사람들은 소고기를 먹지 않고 닭고기로 만든 음식을 많이 먹는다.

오답 확인

㉠ 멕시코는 햇볕이 강렬하기 때문에 챙이 넓은 모자로 그늘을 만들어서 쓴다. 이는 자연환경의 영향 때문이다.
㉢ 알래스카는 한대 기후로 날씨가 매우 춥기 때문에 순록의 털과 가죽을 이용해 옷을 만들어 입는다. 이는 자연환경의 영향이다.

17 사진은 파푸아뉴기니의 수상 가옥이다. 수상 가옥은 열대 기후에서 나타나는 주생활 모습이다.
④ 온대 기후의 지중해 지역 그리스에서 나타나는 주생활 모습에 대한 설명이다.

18 다양한 생활 모습이 세계 여러 나라에서 나타나는 까닭은 세계 여러 나라의 자연환경과 인문환경이 서로 다양하기 때문이다. 세계 여러 나라의 생활 모습들은 모두 고유한 가치를 지니고 있다.

[채점 기준] '자연환경과 인문환경의 영향이다.', '자연환경과 인문환경이 다르기 때문이다.' 등의 내용을 포함해 바르게 썼다.

19 중국은 영토가 넓기 때문에 고원, 사막, 평야 등 다양한 지형이 나타난다. 또 지역마다 열대, 건조, 온대, 냉대 등 다양한 기후가 나타난다.

20 일본은 섬나라로 해산물을 이용한 스시가 유명하다. 또 라멘도 일본의 대표적 음식이다.

오답 확인

㉠ 흑빵은 러시아의 유명한 음식이다.
㉣ 딤섬은 중국의 대표 요리이다.
㉤ 훠궈는 중국의 유명한 요리이다.

21 지도에 표시된 ㉠ 나라는 러시아이다. 러시아는 세계에서 영토가 가장 큰 나라로, 인구의 대부분이 서남쪽에 거주하기 때문에 아시아보다는 유럽 문화에 가깝다. 러시아의 일부 지역은 한대 기후나 건조 기후가 나타나기도 한다. 그리고 석유, 석탄, 천연가스 등 에너지 자원이 풍부하여 이를 이용한 산업이 발달했다.
④ 러시아는 대부분의 지역에서 냉대 기후가 나타난다.

22 아시아와 유럽을 잇는 세계 최장 거리인 철도는 시베리아 횡단 열차이다.

23 한국의 씨름과 일본의 스모와 같이 우리나라와 이웃 나라의 문화에 비슷한 부분을 찾아볼 수 있다. 그 까닭은 한국, 중국, 일본은 지리적으로 가까워서 오랫동안 교류를 해 왔기 때문이다. 같은 한자 문화권이기 때문에 문화적으로 비슷한 점도 많다.

[채점 기준] '지리적으로 가까워 오랜 시간 동안 교류를 많이 했다.' 등의 내용을 포함해 바르게 썼다.

24 북아메리카에 위치하며 우리나라와 정치·경제적으로 긴밀한 교류를 맺고 있으며, 우리가 밀을 주로 수입하는 나라는 미국이다.

25 우리나라와 세계 여러 나라가 활발하게 교류하는 까닭은 우리나라가 세계 여러 나라와 정치·경제·문화적으로 상호 의존 관계에 있기 때문이다.

14~15쪽

1 ㉠ 장점은 세계 여러 나라의 위치나 나라 간의 거리를 비교적 정확히 파악할 수 있다는 것이다. 단점은 전 세계의 모습을 한눈에 보기에는 어렵다는 것이다. 2 ㉠ 가로선은 위선으로 적도를 기준으로 북쪽을 북위, 남쪽을 남위로 각각 90°로 나누어 위치를 나타낸다. 3 ㉠ ㉠은 미국, ㉡은 나미비아이다. 국경선이 반듯하다. 4 ㉠ 전통적으로 화전 농업이 발달하여 얌, 카사바, 타로감자, 옥수수 등을 재배했다. 요즘에는 기름야자, 바나나, 커피를 대규모로 재배한다. 5 ㉠ 사진과 같은 열대 부근의 고산 기후 지역은 일 년 내내 서늘하고 연교차가 작아 사람들이 살기가 좋아서 일찍부터 고대 문명이 발달했다. 6 ㉠ 서로 다른 가치와 문화를 이해하고 존중하는 태도가 필요하다. 7 ㉠ 일본은 네 개의 큰 섬과 수천 개의 작은 섬으로 이루어졌다. 국토의 대부분이 산지이고, 환태평양 조산대에 속한다. 대부분 온대 기후 지역이지만, 북쪽으로 갈수록 냉대 기후가 나타난다. 8 ㉠ 우리나라는 이웃 나라와 정치적·외교적 문제로 갈등을 겪기도 하지만 이를 해결하기 위해 노력한다.

---

1 지구본의 장점은 실제 지구처럼 생김새가 둥글기 때문에 세계 여러 나라의 위치나 나라 간의 거리를 비교적 정확히 파악할 수 있다는 것이다. 반면, 단점은 전 세계의 모습을 한눈에 보기는 어렵다는 것이다.

[채점 기준] '장점은 위치나 거리를 비교적 정확히 파악할 수 있다는 점이다.', '단점은 세계의 모습을 한눈에 보기에 어렵다는 점이다.' 등의 내용을 포함하여 바르게 썼다.

2 지구본의 가로선은 위선이다. 위선의 기준은 적도이고, 적도의 북쪽을 북위, 적도의 남쪽을 남위라고 한다.

[채점 기준] '가로선은 위선으로 적도를 기준으로 북쪽을 북위, 남쪽을 남위로 각각 90°로 나누어 위치를 나타낸다.' 등의 내용을 포함해 바르게 썼다.

3 ㉠은 미국이고, ㉡은 나미비아이다. 미국과 나미비아 영토 모양의 공통점은 국경선이 자로 잰 듯이 반듯하다는 것이다.

[채점 기준] '국경선이 반듯하다.' 등의 내용을 포함해 바르게 썼다.

4 지도에 표시된 지역은 열대 기후가 나타난다. 이 지역에서는 전통적으로 화전 농업이 발달했고, 요즘에는 바나나, 커피 등을 대규모로 재배한다.

[채점 기준] '전통적으로 화전 농업이 발달하여 얌, 카사바, 옥수수 등을 재배했고 요즘에는 바나나, 커피를 대규모로 재배한다.' 등의 내용을 포함해 바르게 썼다.

5 사진은 페루 중남부 안데스산맥의 고산 지대에 있는 잉카 제국의 유적지이다. 이 지역에는 고산 기후가 나타난다. 고산 기후는 사람들이 살기에 좋은 서늘한 날씨로, 일찍부터 고대 문명이 발달했다.

[채점 기준] '일 년 내내 서늘하고 연교차가 작아 사람들이 살기가 좋아서 일찍부터 고대 문명이 발달했다.' 등의 내용을 포함해 바르게 썼다.

6 세계 여러 나라의 생활 모습은 환경에 따라 매우 다양하며 고유한 가치를 지니고 있다. 따라서 세계 여러 나라 사람들이 어울려 살기 위해서는 서로 다른 가치와 문화를 이해하고 존중하는 태도가 필요하다.

[채점 기준] '세계 여러 나라의 생활 모습은 매우 다양하다.', '어울려 살려면 서로 다른 가치와 문화를 존중해야 한다.' 등의 내용을 포함해 바르게 썼다.

7 일본은 섬나라이며 산이 많고, 환태평양 조산대에 속해 있다. 주로 온대 기후에 속하지만 북쪽으로 갈수록 냉대 기후가 나타난다.

[채점 기준] '네 개의 큰 섬과 수천 개의 작은 섬으로 이루어졌다.', '국토의 대부분이 산지이고, 환태평양 조산대에 속한다.', '주로 온대 기후에 속해 있으나 북쪽으로 갈수록 냉대 기후가 나타난다.' 등의 내용을 포함해 바르게 썼다.

8 우리나라는 이웃 나라와 정치적으로 교류하며 갈등을 겪기도 하지만, 이를 해결하기 위해 노력한다.

[채점 기준] '우리나라는 이웃 나라와 정치적·외교적 문제로 갈등을 겪기도 하지만 이를 해결하기 위해 노력한다.' 등의 내용을 포함해 바르게 썼다.

2. 통일 한국의 미래와 지구촌의 평화

16~17쪽

❶ 동쪽 ❷ 독도 ❸ 천연기념물 ❹ 가스 하이드레이트 ❺ 경제적 ❻ 카슈미르 ❼ 비정부 기구 ❽ 국제 연합 ❾ 개발 ❿ 친환경 제품 ⓫ 문화적 차별 ⓬ 세계 시민 ⓭ 지속 가능

가로톡 세로톡 퍼즐

18쪽

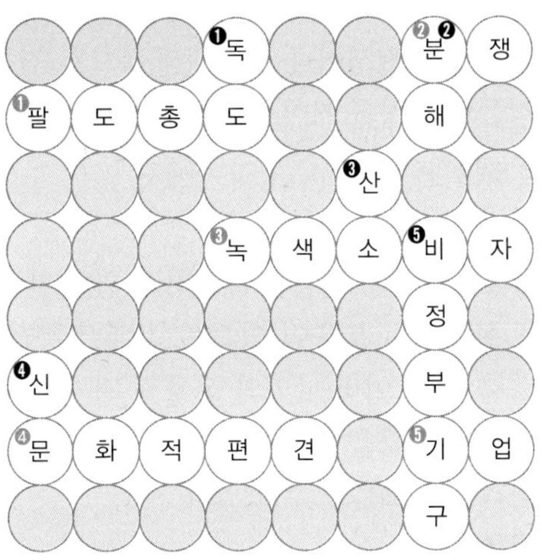

탐구 팡팡 수행 평가

19쪽

1 ㉠: 비정부 기구 ㉡: 국가 2 ㉠: 민간 ㉡: 봉사 3 ㉠ 지구촌 문제에 관심을 갖는다. 지구촌 갈등 해결을 위한 홍보 영상을 만든다. 지구촌 갈등으로 어려움을 겪는 친구를 돕는 모금 활동을 한다. 지구촌 갈등 해결에 관심을 갖도록 캠페인 활동을 한다.

1 지구촌의 평화와 발전을 위해 다양한 주체들이 노력하고 있다. 국가뿐만 아니라 마틴 루서 킹과 같은 개인, 세이브 더 칠드런과 같이 국가가 아닌 민간단체가 자발적으로 만든 조직인 비정부 기구 그리고 세계 여러 나라가 조직한 국제기구가 있다. 우리나라는 한국 국제 협력단을 설립하고 봉사 활동을 통해 도움이 필요한 곳의 경제·사회 발전을 돕고 있다.

2 ㉠ 비정부 기구는 국가가 아닌 민간단체가 중심이 되어 자발적으로 만든 조직이다.
㉡ 우리나라는 한국 국제 협력단을 설립하고 봉사 활동을 통해서 여러 나라를 지원하고 있다.

3 지구촌 평화와 발전을 위해서는 지구촌 구성원 모두가 지구촌 갈등의 원인과 해결 방안에 관심을 가지고 참여하는 것이 중요하다. 먼저 지구촌 문제가 우리와 관련된 것임을 알고 관심을 가지며, 이를 알리기 위해 홍보 영상 만들기, 캠페인, 모금 활동 등을 할 수 있다.

[채점 기준] '지구촌 문제에 관심을 갖는다.' 등 지구촌 문제를 해결할 수 있는 방법을 포함하여 바르게 썼다.

20~23쪽

1 ⑤ 2 예 역사적 자료를 살펴보면 독도가 우리나라의 영토라는 것을 알 수 있다. 3 (1)-㉢ (2)-㉡ (3)-㉠ 4 ⑤ 5 예 이산가족의 아픔 6 ③ 7 ① 8 ③ 9 예 지구촌 갈등이 일어나는 원인은 다양하고 복합적으로 얽혀 있어서 쉽게 해결하기 어렵다. 10 ① 11 ③ 12 ⑤ 13 (1)-㉡ (2)-㉠ 14 ㉠, ㉢, ㉣ 15 ③ 16 ⑤ 17 ③ 18 ② 19 ③ 20 ④ 21 예 구호 물품을 지원한다. 농업 기술을 지원한다. 교육 활동을 지원한다. 빈곤 퇴치 캠페인에 참여한다. 22 ⑤ 23 ㉢, ㉣ 24 지속 가능 발전 25 ③

1 우리나라의 동쪽 끝, 동해상에 위치한 독도는 우리나라의 소중한 영토로 천연기념물 제336호로 지정되어 있다. 독도는 뛰어난 경관이나 항로뿐만 아니라 군사적·경제적 가치를 지니고 있다.

오답 확인
① 경상북도 울릉군에 속해 있다.
② 화산 폭발로 만들어진 화산섬으로, 심층 해양수, 가스 하이드레이트 등 경제적 가치가 크다.
③ 독도는 우리나라의 동쪽 끝에 있는 섬이다.
④ 독도에서는 일본의 오키섬보다 우리나라의 울릉도가 훨씬 가깝다.

2 우리나라뿐만 아니라 일본, 연합국의 옛 기록이나 지도 등 다양한 역사적 자료를 살펴보면 독도가 우리나라의 영토임을 알 수 있다.

[채점 기준] '역사적 자료를 살펴보면 독도가 우리나라의 영토라는 것을 알 수 있다.' 등의 내용을 포함하여 바르게 썼다.

3 독도를 지키기 위해 정부는 등대, 경비 시설, 선박 접안 시설 등을 설치하고 독도와 관련한 여러 법령을 시행하여 영토 주권을 행사하고 있다.
독도 경비대는 독도를 지키고 관광객을 보호하는 역할을 한다.
개인과 민간단체는 독도에 주민 등록을 하거나 독도 홍

보 활동을 펼치고 있다.

4 독도 주변 바다에는 천연가스와 물이 결합한 고체 상태의 물질로 '불타는 얼음'이라고 불리는 가스 하이드레이트가 매장되어 있다. 가스 하이드레이트는 이산화 탄소의 발생량이 적은 청정에너지로, 미래 에너지 자원으로 주목받고 있다.

5 제시된 그림은 이산가족의 아픔에 대한 것이다. 남북 분단으로 이산가족의 아픔, 전쟁이 다시 일어날 수 있다는 두려움, 남북의 자원과 기술을 효율적으로 이용하지 못하는 경제적 손실, 남북 간의 언어와 문화 차이 등의 어려움이 발생하고 있다.

6 남과 북은 그동안 평화 통일을 목표로 1970년대부터 교류해 왔다. 정부뿐만 아니라 민간단체를 중심으로 정치, 경제, 사회·문화 분야에서 다양한 노력을 기울였다. 남북 기본 합의서에서는 남북 화해, 교류, 협력에 대한 내용이 들어 있다.

오답 확인

①, ②, ⑤ 사회·문화적 노력에 대한 설명이다.
④ 경제적 노력에 대한 설명이다.

7 남과 북이 통일되면 전쟁에 대한 두려움이 사라져 남과 북의 긴장 상태가 해소된다.

8 지구촌 곳곳의 갈등 사례를 조사할 때는 인터넷 검색, 전문가 면담, 뉴스와 같은 방송 자료 수집, 신문 기사 검색 등의 방법이 있다.
③ 백지도는 지구촌 곳곳의 갈등 사례를 표시할 때 사용할 수 있다.

9 지구촌 갈등이 일어나는 원인은 다양하고 복합적으로 얽혀 있어서 쉽게 해결하기 어렵다.

[채점 기준] '지구촌 갈등의 원인이 다양하고, 복합적으로 얽혀 있다.'는 내용을 포함하여 바르게 썼다.

10 지구촌 곳곳에서 다양한 이유로 갈등이 발생하고 있다. 지구촌 갈등은 서로 영향을 미치며 이러한 문제를 해결하려면 세계 여러 나라가 함께 협력해야 한다.

오답 확인

② 지구촌 갈등은 세계 여러 나라에 영향을 미친다.
③ 지구촌 갈등은 다양한 원인이 복합적으로 얽혀 있어 쉽게 해결하기 어렵다.
④ 우리나라 역시 다른 지역의 갈등에 많은 영향을 받는다.
⑤ 지구촌 갈등은 많은 사람들의 일상생활에 영향을 미친다.

11 지구촌 평화, 전쟁 반대 등과 같은 캠페인 활동의 목적은 많은 사람들이 지구촌 갈등 해결에 관심을 갖도록 알리는 것이다.

12 지구촌 갈등 해결을 위해 여러 분야에서 다양한 개인들이 관심을 가지고 활동하고 있다. 제시된 글은 말랄라 유사프자이에 대한 내용이다.

13 비정부 기구란 민간단체가 중심이 되어 자발적으로 지구촌 평화와 발전을 위해 노력하는 조직이다. 환경, 인권, 빈곤 퇴치 등 특정 분야에 관심 있는 사람들이 스스로 모여 활동하고 있다.
(1) 그린피스는 지구의 환경과 평화를 지키기 위해 세상의 변화를 이끌어 내는 운동을 한다.
(2) 해비타트는 전쟁이나 자연재해 등으로 집을 잃어버린 사람들에게 집을 지어 주는 일을 한다.

14 지구촌 평화를 위해 여러 국가에서 많은 노력을 하고 있다.
우리나라는 지구촌 갈등을 해결하기 위해 한국 국제 협력단을 설립하여 도움이 필요한 곳에서 봉사하고, 외교 활동을 통해 여러 나라와 우호적 관계를 유지한다. 또한 평화 유지군을 통해 전쟁이나 자연재해로 피해를 겪은 나라에게 도움을 주고 있다.

오답 확인

ㄴ 우리나라는 남북 분단을 극복하고 평화 통일을 하는 것이 세계 평화에 기여하는 것이다.

15 국제 연합은 제1, 2차 세계 대전 후 평화로운 갈등 해결이 중요하다는 것을 깨달은 세계 여러 나라가 1945년에 만든 기구이다. 국제 연합은 전쟁 방지뿐만 아니라 환경, 문맹 퇴치, 난민 보호 등 국제적 많은 문제를 해결하기 위해 노력하고 있다.
③ 국제 연합과 관련된 기구 중에서 전 세계 사람들의 건강과 보건, 위생에 관한 일을 담당하는 곳은 세계 보건 기구(WHO)이다.

한눈에 쏙쏙 **국제 연합과 관련된 기구**

국제 노동 기구 (ILO)	노동자의 지위 향상을 위해 노동 조건을 개선하고 전 세계 노동 문제를 다룸.
세계 보건 기구 (WHO)	전 세계 사람들의 건강과 보건, 위생에 관한 일을 담당함.
유엔 난민 기구 (UNHCR)	전쟁이나 다른 이유로 살 곳을 잃은 난민들을 보호하고 도움.
국제 원자력 기구 (IAEA)	원자력 에너지를 평화적이고 안전한 방법으로 이용할 수 있도록 노력함.
유네스코 (UNESCO)	교육, 과학, 문화 분야 등에서 다양한 국제 교류로 국제 평화를 추구함.

16 지구촌 문제는 모든 지구촌 사람들이 함께 힘을 모아야만 해결할 수 있다. 이를 위해 사람들이 현재뿐만 아니라 미래 세대의 발전을 위해 책임감 있게 행동해야 지속 가능한 미래가 가능하다.

17 오늘날의 환경 문제는 어느 한 지역의 문제가 아니라 전 세계의 문제가 되고 있다.
③ 제시된 사진은 아마존 열대 우림이 파괴되는 모습이다. 열대 우림이 파괴되면 지구의 산소가 부족해지면서 여러 가지 문제가 발생한다.

18 지구촌 환경 문제를 해결하기 위해서 개인이 다양한 활동을 할 수 있다. 일회용 비닐봉지나 일회용 플라스틱 등 일회용품의 사용을 줄여서 환경 보호를 위해 노력해야 한다.

19 지구촌 환경 문제를 해결하고자 개인, 기업, 정부, 세계 각 나라에서 다양한 노력을 하고 있다.
㉠은 기업이 할 수 있는 일, ㉡은 정부에서 환경 보호를 위해 하는 일이다.

한눈에 쏙쏙 **지구촌 환경 문제 해결을 위한 다양한 노력**

개인	• 일회용품 사용 줄이기 • 환경 캠페인 참여하기 • 친환경 제품 사용하기
기업	• 친환경 소재 개발하기 • 환경 오염 물질 줄이기
정부	• 정책과 법령 마련하기 • 국제 협약의 목표 실천하기
세계 여러 나라	• 국제 협약 체결하기 • 다양한 캠페인 벌이기

20 빈곤과 기아는 지구촌 모두가 함께 해결해야 하는 문제다. 주로 분쟁이나 자연재해로 인해 발생하며 세계적으로 빈곤과 기아를 겪는 지역이 많다. 식량이 부족해지면 영양 결핍이 생기고, 심하면 목숨을 잃는 경우도 발생한다.

21 지구촌 사람들은 구호 활동, 교육과 농업 기술 지원, 모금 활동, 캠페인 등의 노력을 통해 빈곤과 기아 문제를 해결하고 있다.

[채점 기준] '구호 물품을 지원한다.', '농업 기술을 지원한다.' 등 지구촌 빈곤과 기아 문제를 해결하기 위한 방법 두 가지를 바르게 썼다.

22 문화는 그 지역의 자연환경과 인문환경에 맞게 만들어진 것이기 때문에 좋고 나쁨을 따질 수 없다.

23 문화적 다양성을 존중하기 위해 교육 활동에 참여하거나, 캠페인 행사 등에 참가할 수 있다. 또한 문화적 편견과 차별을 해결하기 위해 상담을 지원할 수 있다.

오답 확인
㉠, ㉤ 생산과 소비 과정에서 쓰레기 배출량을 최소화하여 환경 보호를 실천하는 방법이다.
㉡ 지구촌 전등 끄기 행사에 참가하는 것은 에너지 절약을 통해 환경을 보호하는 방법이다.

24 국제 연합에서는 전 인류가 힘을 모아 지구촌 문제를 해결하고 지속 가능한 미래를 만들 수 있도록 함께 실천할 목표 17개를 설정했다. 세계 시민으로서 더불어 살아가기 위한 17개 목표를 '지속 가능 발전 목표'라고 한다.

25 세계 시민은 지구촌 문제가 우리의 문제임을 알고 이를 해결하고 협력하는 자세를 지닌 사람이다. 세계 시민이라면 엘리베이터를 이용하기보다는 계단을 자주 이용해서 에너지를 절약하는 습관을 키워야 한다.

24~27쪽

1 ㉡, ㉢ **2** ④ **3** ⑤ **4** 해양 심층수 **5** (1)-㉠ (2)-㉢ (3)-㉡ **6** 예 언어·문화적 차이 **7** ④ **8** 통일 **9** ① **10** 예 갈등의 원인이 다양하고 복합적으로 얽혀 있다. 갈등으로 인해 많은 문제점이 생긴다. **11** 난민 **12** ㉢ **13** ④ **14** 예 비정부 기구이다. 국가가 아닌 민간단체 중심으로 지구촌의 평화와 발전을 위해 자발적으로 만들어졌다. 환경, 인권, 빈곤 퇴치 등 다양한 분야에서 활동한다. **15** ④ **16** 유니세프 **17** ③ **18** ③ **19** ② **20** ⑤ **21** 예 빈곤과 기아는 자연재해가 발생해 식량 생산이 어렵거나 전쟁 등으로 땅이 황폐화된 지역에서 발생한다. **22** ⑤ **23** 문화 **24** ② **25** ⑤

---

1 독도는 우리나라의 동쪽 끝에 위치하며, 두 개의 큰 섬과 크고 작은 바위섬으로 이루어져 있다. 우리나라의 소중한 영토이다.

오답 확인

㉠ 독도는 우리나라의 동쪽 끝에 있다.

㉣ 동해상에 위치한 독도는 선박의 항로뿐만 아니라, 군사적으로도 중요한 위치에 있다.

2 역사적 자료를 살펴보면 독도가 우리나라의 영토임을 알 수 있다.

④ 태정관은 일본 최고 행정 기관으로, 울릉도와 독도는 일본과 관계없다는 것을 명심하라는 지시를 내렸다.

3 우리나라는 정부뿐만 아니라 개인과 민간단체들까지 독도를 지키기 위해 다양한 활동과 노력을 하고 있다.

⑤ 독도에는 따뜻한 바닷물과 차가운 바닷물이 만나 다양한 해양 생물이 살기 좋은 환경을 이루어 좋은 어장을 형성한다. 하지만 활발한 어업 활동은 독도를 지키기 위한 우리의 노력과는 관련이 없는 내용이다.

4 독도 주변 바닷속 깊은 곳에는 해양 심층수가 흐른다. 해양 심층수는 수심 200 m 이하의 바다에서 흐르며, 다양한 제품의 원료로 활용된다.

5 우리나라는 독도 전체를 천연기념물 제336호로 지정해 보호해 오고 있다. 독도는 아름다운 경관뿐만 아니라 다양한 동식물이 서식하는 생태계의 보고이다. 독도에는 괭이갈매기, 도화새우(㉠), 섬기린초(㉡), 해국(㉢), 괭생이모자반, 유착나무돌산호 등 다양한 동식물이 서식한다.

6 제시된 그림은 남북 분단으로 인하여 남북 간의 언어와 문화 차이 등의 어려움이 있음을 나타낸다.

7 남과 북은 평화 통일을 목표로 1970년대부터 교류해 왔다. 정부뿐만 아니라 민간단체를 중심으로 정치, 경제, 사회·문화 분야에서 다양한 노력을 기울였다.

④ 남북통일을 위한 노력에 있어 경의선·동해선 연결 및 도로의 연결이 중요한 이유는 끊어진 철도와 도로를 연결하고 시설을 개선해 교류와 협력을 확대할 수 있기 때문이다.

오답 확인

①, ②, ⑤ 남북통일을 위한 사회·문화적 노력이다.

③ 남북통일을 위한 정치적 노력이다.

8 남과 북은 평화로운 통일을 위해 많은 노력을 했다. 다양한 방식의 교류와 협력을 지속해 나간다면 평화 통일을 이룰 수 있다.

9 지구촌에는 다양한 이유로 갈등이 발생하고 있다. 이러한 갈등으로 어른뿐만 아니라 어린이들 모두에게 고통을 주고 있다. 식량과 물이 부족하고 가족과 헤어지게 되면서 일상생활에 영향을 미치는 등 여러 가지 문제점이 생긴다.

10 지구촌 갈등은 자원, 종교, 인종, 민족, 역사, 정치 등 다양한 이유가 복합적으로 얽혀 있어서 해결하기가 어렵다. 지구촌 갈등은 해당 지역뿐만 아니라 전 세계적으로 많은 영향을 미치며, 이로 인해 여러 가지 문제도 발생한다.

[채점 기준] '갈등의 원인이 다양하고, 복합적이다.'라는 점을 포함하여 바르게 썼다.

11 난민은 전쟁이나 재해 등으로 자기 나라를 떠나 돌아갈 수 없는 사람들이다. 주로 세계 곳곳에서 갈등을 겪는 지역에서 많이 발생한다.

12 우리가 지구촌 갈등 해결을 위해 할 수 있는 일은 지구촌 문제에 관심을 갖고, 모금 활동이나 캠페인 활동에 참여하고, 직접 홍보 동영상을 만들어 알리는 방법 등이 있다.

㉢ 제시된 그림은 학생들이 직접 홍보 동영상을 만들며 지구촌 갈등을 알리는 내용이다.

13 지구촌 갈등 해결을 위해 여러 분야에서 다양한 개인들이 관심을 가지고 활동하고 있다.

④ 제시된 설명은 미국의 사회 운동가 조디 윌리엄스에 대한 것으로, 그는 1997년 노벨 평화상을 수상했다.

오답 확인

① 의사, 평화 운동가인 이태석 신부는 2001년 내전 중인 아프리카 남수단에서 병원과 학교를 세워 주민들을 치료하고 교육 활동을 펼쳤다.

② 미국의 인권 운동가이자 목사인 마틴 루서 킹은 흑

인 차별에 맞서 '버스 안 타기 운동'을 이끌었다.

③ 티베트의 정신적 지도자 14대 달라이 라마는 중국으로부터 티베트 독립운동을 평화적으로 펼쳤다.

⑤ 파키스탄 인권 운동가 말랄라 유사프자이는 누리 소통망 서비스(SNS)를 이용해 탈레반 점령 지역의 어려운 생활과 여성 교육의 문제점을 알리고 어린이 인권 보호를 위해 노력했다.

14 비정부 기구는 국가가 아닌 민간단체를 중심으로 만들어진 조직이다. 지구촌의 평화와 발전을 위해 자발적으로 환경, 인권, 빈곤 퇴치 등 다양한 분야에서 활동한다.

[채점 기준] '비정부 기구이다.' 등 비정부 기구의 특징을 포함하여 바르게 썼다.

한눈에 쏙쏙 비정부 기구

그린피스	평화적 방법으로 해양 오염, 서식지 파괴 등 환경 파괴의 위험성을 알림.
국경 없는 의사회	1971년 의사들이 설립한 비정부 기구. 인종·성별·종교 등과 관계없이 전쟁, 자연재해 등 의료 지원이 필요한 곳에서 의료 활동을 벌임.
국제 앰네스티	국가에서 억압받는 사람들을 구제하고 인권 옹호 활동을 함.
세이브 더 칠드런	아동의 권리 및 생존과 보호를 돕고 열악한 환경에 처한 산모와 신생아를 지원함.
해비타트	전쟁, 자연재해 등으로 삶의 터전을 잃어버린 사람들에게 집을 지어 줌.
핵무기 폐기 국제 운동	전 세계 핵무기 폐기를 위해 노력함.

15 국제 연합은 제1, 2차 세계 대전 후 평화로운 갈등 해결이 중요함을 깨달은 세계 여러 나라가 1945년에 만든 기구이다. 국제 연합은 전쟁 방지뿐만 아니라 환경, 문맹 퇴치, 난민 보호 등 국제적 문제를 해결하기 위해 노력하고 있다.

④ 제시된 마크는 교육·문화·과학 등을 교류하며 국제 평화를 추구하는 유네스코의 것이다.

한눈에 쏙쏙 국제 연합 산하 전문 기구

국제 노동 기구	전 세계의 노동 문제를 다루는 기구로, 노동 조건을 개선하고 노동자의 지위 향상을 위해 노력함.
유엔 난민 기구	전쟁이나 다른 이유로 살 곳을 잃은 난민들을 보호하고 도움.
국제 원자력 기구	원자력 에너지를 평화적이고 안전한 방법으로 이용할 수 있도록 노력함.
유네스코	교육, 과학, 문화 분야 등에서 국제 교류로 국제 평화를 추구함.
세계 보건 기구	전 세계 사람들의 건강과 보건, 위생에 관한 일을 담당함.

16 유니세프는 전쟁과 같은 갈등으로 피해를 입은 곳에서 아이들을 도와주는 국제기구이다. 난민이 된 어린이의 인권 보호와 평화를 위한 캠페인뿐만 아니라 물, 예방 접종, 학교 등을 지원한다.

17 미세 먼지는 대기 오염 물질 중 하나로, 현재 우리의 일상생활에 많은 불편함을 주고 있다. 대기 오염과 같이 지구촌에서 발생하는 문제는 모든 지구촌 사람들이 함께 해결해야 한다.

18 오늘날 환경 문제는 어느 한 지역의 문제가 아니라 전 세계의 문제가 되고 있다. 온난화로 북극의 빙하가 녹으면서 북극곰이 살 곳도 사라지고 있다.

19 지속 가능한 미래를 위해 환경을 보호하는 실천뿐만 아니라 환경을 생각하는 생산과 소비가 필요하다. 녹색 소비는 친환경 소비를 의미하며, 이를 실천하는 사람을 녹색 소비자라고 한다.

20 오늘날 환경 문제는 발생 지역만의 문제가 아니라 전 세계의 문제가 되고 있다. 환경 보호를 위해 개인, 기업, 정부, 세계 여러 나라는 다양한 노력을 하고 있다.

⑤ 세계 여러 나라는 환경 문제에 공동으로 대응해야 하며, 공동 대응을 위해 국제 협약을 체결하고 국제적 노력에 동참한다.

한눈에 쏙쏙 지구촌 환경 문제

산성비	공업 지대에서 발생한 대기 오염 물질이 산성비로 내려 하천이 오염됨.
사막화 현상	사막화 현상으로 사람과 동물이 살 수 없는 땅이 늘어남.
대기 오염	화석 연료 사용으로 미세 먼지가 증가하여 지구의 대기가 오염됨.
산호 백화 현상	바다의 수온이 올라가서 산호가 하얗게 변하며 죽어 감.
서식지 파괴	지구의 기온이 올라가서 빙하가 녹아 북극곰이 사는 곳이 줄어듦.
해양 오염	바다에 버려진 플라스틱이 해양 생태계를 파괴함.
열대 우림 파괴	무분별한 개발로 아마존 열대 우림이 파괴되어 지구의 산소가 부족해짐.

21 빈곤과 기아는 가난하여 먹을 것이 없어 굶주리는 상태를 말한다. 가뭄, 태풍 등의 자연재해가 발생해 식량

생산이 어렵거나, 전쟁 등의 이유로 땅이 황폐화된 지역에서 발생한다.

[채점 기준] '자연재해가 발생해 식량 생산이 어렵다.', '전쟁 등으로 땅이 황폐한 지역에서 발생한다.' 등 빈곤과 기아가 발생하는 원인을 포함하여 바르게 썼다.

22 빈곤과 기아를 해결하기 위해서는 빈곤 퇴치 캠페인, 교육 활동 지원, 구호 물품 지원, 농업 기술 지원 등이 필요하다.
⑤ 일회용품의 사용을 줄이는 것은 빈곤과 기아 퇴치 문제의 해결책이 아니라, 환경 문제와 관련 있는 해결 방법이다.

23 문화는 그 지역의 환경에 알맞게 만들어진 것으로, 좋고 나쁨을 구별할 수 없다.

24 문화적 편견과 차별을 극복하고 다른 문화를 가진 사람을 나와 같은 지구촌 공동체의 한 사람으로 생각해야 한다. 그리고 서로 존중하고 공감하는 태도를 가져야 한다.

25 국제 연합에서는 전 인류가 힘을 모아 지구촌 문제를 해결하고 지속 가능한 미래를 만들 수 있도록 함께 실천할 목표 17개를 설정했다. 세계 시민으로서 더불어 살아가기 위해서는 지속 가능한 발전의 목표를 알고 실천하는 것은 중요하다.
⑤ 지속 가능한 발전을 위해서는 지속 가능한 에너지의 사용을 권장하고 화석 에너지 사용을 줄이는 것이 필요하다.

한눈에 쏙쏙 지속 가능 발전 목표(국제 연합)

28~29쪽

1 예 독도는 역사적으로 우리나라의 땅임을 알 수 있다. 일본은 역사적으로 독도와 관련이 없다. 2 예 독도이다. 화산섬으로 우리나라의 천연기념물 제336호이다. 따뜻한 바닷물과 차가운 바닷물이 만나는 곳으로, 여러 해양 생물이 사는 생태계의 보고이다. 해양 심층수가 흐른다. 미래의 에너지 자원으로 주목받는 가스 하이드레이트가 매장되어 있다. 3 예 6·25 전쟁과 남북 분단으로 인해 생긴 이산가족의 아픔을 해결할 수 있다. 4 예 지구촌 갈등은 자원, 정치, 역사, 종교 등 다양한 이유로 인해 발생한다. 5 예 지구촌 평화를 위해 여러 분야에 관심을 갖고 다양한 활동에 참여하고 있다. 노벨 평화상을 받았다. 6 예 지구촌 평화와 발전을 이루기 위해 민간단체가 중심이 되어 자발적으로 만든 조직이다. 7 예 구호 물품을 지원한다. 농업 기술을 지원한다. 교육 활동을 지원한다. 빈곤 퇴치 캠페인에 참여한다. 8 (1) 예 지구촌 문제가 우리 문제임을 알고 이를 해결하고자 협력하는 자세를 지닌 사람 (2) 예 지구촌 문제에 관심을 갖는다. 환경 보호를 생활 속에서 실천한다. 녹색 소비를 실천한다. 다양한 캠페인에 참여한다. 모금 활동에 참여한다.

---

1 「삼국접양지도」는 일본 지리학자가 일본을 중심으로 주변 3개국을 그린 지도로, 독도가 조선의 것으로 기록되어 있다. 태정관은 일본 최고 행정 기관으로, 울릉도와 독도는 일본과 관계가 없다는 지시를 내렸다.

[채점 기준] 역사적 자료를 근거로 '독도는 우리나라 땅이고 일본과 관계없다.'는 내용을 포함해 바르게 썼다.

2 사진의 섬은 독도이다. 독도는 다양한 가치를 가지고 있다. 화산섬의 경관뿐만 아니라 다양한 해양 생물이 살기 좋은 환경을 갖추고 있다. 독도의 깊은 바다에는 해양 심층수가 흐르고, 미래 에너지 자원으로 주목받는 가스 하이드레이트가 매장되어 있다.

[채점 기준] '여러 해양 생물이 사는 생태계의 보고이다.', '해양 심층수가 흐른다.' 등 지리적 특성을 포함하여 바르게 썼다.

3 우리나라는 남북 분단으로 이산가족의 아픔, 전쟁이 다시 일어날 수 있다는 두려움 등을 겪고 있다. 그리고 남북 분단으로 남북의 자원과 기술을 효율적으로 이용하지 못하고, 남북 간의 언어와 문화 차이가 점점 심해지고 있다.

[채점 기준] '이산가족의 아픔을 해결할 수 있다.'는 내용을 포함해 통일의 필요성을 바르게 썼다.

4 지구촌 갈등이 일어나는 원인은 자원, 종교, 언어, 인

종, 민족, 역사, 정치 등 다양한 이유로 발생한다. 그리고 다양한 원인이 복합적으로 얽혀 있어 쉽게 해결하기 어렵다.

[채점 기준] '지구촌 갈등의 원인이 다양하다.'는 내용을 포함하여 바르게 썼다.

5 개인과 민간단체는 지구촌 평화를 위해 여러 분야에 관심을 갖고 다양한 활동에 참여하고 있다. ㉠ 1989년에 노벨 평화상을 받은 14대 달라이 라마는 티베트의 정신적 지도자로, 중국으로부터 티베트가 독립하기 위해 평화적으로 운동을 펼쳤다. ㉡ 1999년에 노벨 평화상을 받은 국경 없는 의사회는 인종, 종교, 성별 등과 관계없이 의료 지원이 필요한 곳에서 의료 활동을 벌이고 있다.

[채점 기준] '지구촌 평화를 위해 여러 분야에 관심을 갖고 다양한 활동에 참여하고 있다.' 등 지구촌 평화를 위해 노력하는 개인과 민간단체의 공통점을 포함하여 바르게 썼다.

6 비정부 기구는 환경, 인권, 빈곤 퇴치, 양성평등 등 특정 분야에 관심 있는 사람들이 스스로 모여 지구촌 갈등을 해결하기 위해 활동하는 단체다.

[채점 기준] '비정부 기구는 민간 단체가 자발적으로 만든 조직이다.'라는 내용을 포함하여 바르게 썼다.

7 빈곤과 기아 문제는 그 지역만의 문제가 아니라 우리 모두가 함께 해결해야 하는 지구촌 문제이다. 이를 해결하기 위해 서로 협력하는 자세로 구호 물품과 농업 기술, 교육 활동 등을 지원하고 빈곤 퇴치 캠페인에 참여할 수 있다.

[채점 기준] '구호 물품을 지원한다.', '농업 기술을 지원한다.' 등 빈곤과 기아 문제를 해결하기 위한 방안을 포함하여 바르게 썼다.

8 세계 시민은 지구촌 문제가 우리가 당면한 문제라고 생각하고 이를 해결하기 위해 협력하고 노력하는 사람이다. 세계 시민이 되기 위해 환경, 인권, 문맹 퇴치, 빈곤과 기아 해결 등 다양한 국제적 문제에 관심을 가지고 이를 해결하기 위해 노력한다.

[채점 기준] '지구촌 문제에 관심을 갖는다.' 등 세계 시민의 자질과 태도를 포함하고, 세계 시민으로서 실천할 수 있는 내용을 포함하여 바르게 썼다.

30~31쪽

1 본초 자오선 2 대서양 3 바티칸 시국 4 온대 기후 5 해발 고도 6 자연환경 7 지리적 8 만리장성 9 칠레 10 독도 11 안용복 12 이산가족 13 갈등 14 노벨 평화상 15 국제기구 16 해양 생태계 17 문화 18 지속 가능 발전 목표

MEMO